# *Au temps de l'Index*

**Données de catalogage avant publication**

Michaud, Paul, 1915-

Au temps de l'index: mémoires d'un éditeur, 1949-1961

Autobiographie.

ISBN 2-89111-654-2

1. Michaud, Paul, 1915- . 2. Institut littéraire du Québec.
3. Éditeurs - Québec (Province) - Biographies.
4. Libraires - Québec (Province) - Biographies. I. Titre.

Z483.M52A3 1996 070.5'092 C96-940181-7

Maquette de la couverture
FRANCE LAFOND

Photographie de la couverture
ARCHIVES NATIONALES DU QUÉBEC (E6.57)

La rue de la Couronne, Basse-Ville de Québec, en 1948.
C'est sur cette artère que se trouvait l'Institut littéraire de Québec,
alors en plein coeur de l'activité commerciale de la capitale.

Photocomposition et mise en pages
COMPOSITION MONIKA, QUÉBEC



2016, rue Saint-Hubert
Montréal, Qc H2L 3Z5

Dépôt légal:
1er trimestre 1996

ISBN 2-89111-654-2

Paul Michaud

# *Au temps de l'Index*

Préface de
Réginald Martel

## DU MÊME AUTEUR

*La Page blanche*, document, Institut littéraire du Québec, Québec, 1954.

*Quelques arpents de neige*, roman, Institut littéraire du Québec, Québec, 1959.

*Mon p'tit frère*, étude, Institut littéraire du Québec, Québec, 1960.

# PRÉFACE

## Un marchand de liberté

Les dettes qui comptent vraiment ne sont jamais payées. Je songeais à cela, un peu tristement, en lisant les souvenirs de Paul Michaud. Ils m'ont ramené à mes années de jeunesse. J'étais alors, comme d'autres jeunes fils de bourgeois que les contrôles sociaux qui sévissaient à Québec n'avaient pas réussi à soumettre, désireux de tout vivre et curieux de tout lire. Je n'aurai pas tout vécu mais j'aurai beaucoup lu, ce qui revient un peu au même.

D'abord, j'ai puisé largement dans la bibliothèque de mon père, avec sa permission tacite et malgré l'opposition ouverte de ma mère, plus sujette à concéder aux gens d'Église le pouvoir de régenter les consciences. Ensuite, quand je pus gagner quelques sous et construire modestement ma bibliothèque personnelle, j'ai bénéficié de la complicité occasionnelle de quelques esprits ouverts, aux librairies Garneau et des Presses de l'université Laval, entreprises situées à l'ombre, au sens propre et au sens figuré, de ce monument physique et symbolique que composaient ensemble le Palais archiépiscopal et le Séminaire de Québec. Ces généreux complices de ma liberté tâtonnante étaient admirables : ils risquaient leur gagne-pain.

La librairie de Paul Michaud, c'était tout autre chose. On trouvait là, bien en vue, les œuvres de la plupart des auteurs acharnés à perdre nos âmes. J'y allais souvent, avec des camarades de classe ou seul, non sans éprouver ce petit frisson qui accompagne toute transgression, même innocente. Non seulement allions-nous feuilleter et parfois acheter des livres interdits aux catholiques — que nous avions cessé d'être —, nous entrions même dans un quartier mal famé, dont on disait qu'il était un vaste bordel.

Je ne conserve de Paul Michaud, et des brèves conversations que nous eûmes sans doute, que de très vagues souvenirs. Il attachait, je pense, aux clients que lui amenait le hasard, entrés dans sa librairie sans dessein particulier, plus d'importance qu'aux collégiens et étudiants qui, eux, savaient exactement ce qu'ils étaient venus chercher. Pour contrer les éducateurs qui nous étouffaient, nous n'avions guère besoin d'un pédagogue de plus, fût-il d'esprit libéral. Paul Michaud, qui avait deviné cela certainement, se rendait disponible au besoin, sans plus.

Beaucoup de ceux qui liront aujourd'hui ses souvenirs croiront peut-être que cet homme souffrait de paranoïa; ils refuseront de croire qu'on ait pu persécuter quelqu'un pour la seule raison qu'il consacrait toute son énergie, et le rare argent dont il disposait, à l'émancipation intellectuelle de ses compatriotes. Pourtant, les faits sont bien tels que le mémorialiste les relate, avec une simplicité et une humilité qui attestent son honnêteté et sa sincérité.

J'ai évoqué la figure du libraire héroïque. *Au temps de l'Index*, c'est aussi un peu l'histoire de l'édition littéraire au Québec. À Montréal, où on est souvent myope, on ignore ou on oublie que l'Institut littéraire de Paul Michaud a édité à Québec quelques-uns des premiers écrivains de notre modernité. Je citerai trois noms seulement: Anne Hébert, Roger Lemelin et Yves Thériault. Le libraire-éditeur, convenons-en, avait du flair! Si la chance s'en était mêlée, son entreprise serait peut-être devenue un de nos grands lieux d'édition.

Ce qui compte vraiment, c'est que le travail et la passion de Paul Michaud, et ceux d'autres pionniers comme lui, ont donné leurs fruits. Nous ne pouvons les récolter aujourd'hui sans éprouver envers eux tous une profonde reconnaissance.

Réginald Martel

«Je ne veux pas mourir autrement qu'un livre à la main, ou qui aura glissé sur le plancher, ou dans l'herbe si c'est l'été, au bout de mes doigts, à côté de mes lunettes...

«Et s'il y a un paradis, je saurai que j'y suis en retrouvant ce livre-là, tel que je l'avais corné, à la page 117.»

Pierre Foglia.

# EN GUISE D'INTRODUCTION

On m'a souvent demandé – je ne dirai pas qu'on m'y pressait de toutes parts, mais d'assez près – de publier «ma petite histoire du livre au Québec dans les années quarante et cinquante».

Mais, chaque fois que je voulais m'y mettre, je me retrouvais dans un bain d'indécision tel que, submergé de doutes quant au cheminement et d'alternatives quant à la ligne de départ, je liquidais mes idées de la veille, après avoir vainement tenté d'en retenir une qui vaille pour une place de choix comme porte de sortie (ou d'entrée, c'est selon).

Mais derrière chaque porte, croyant qu'elle était la bonne, je me retrouvais très tôt dans un tunnel qui soudain se murait, m'obligeant à revenir sur mes pas pour un nouveau départ que je présumais chaque fois devoir être plus conséquent, mais qui s'avérait n'être qu'un nouveau cul-de-sac devant lequel l'ardu de la tâche me faisait plier les genoux.

Si bien qu'à la longue, après m'être tant de fois esquivé, las de marcher dans un dédale de corridors sans issue, honteux de mes faux-fuyants, malheureux de mon impuissance couvée, davantage miné par l'inertie que par l'action et dégoûté de ne pouvoir faire que des lendemains de mes veilles, j'ai décidé d'œuvrer aujourd'hui comme si c'était demain, avec les moyens du bord et à la fortune du pot.

Cette contrainte d'y aller à la va-comme-je-te-pousse me fut dictée par la nébulosité même du sujet dont je veux traiter, car ce n'est pas chose facile que d'avoir à louvoyer avec la loi du plus fort. Jouer d'astuce, payer de ruse et d'esquive, il n'est pas toujours bon de constamment reculer dans l'espoir (vain) de pouvoir mieux sauter.

J'ai entendu un jour un voisin de table démissionner devant la difficulté qu'il avait à justifier son propos, invoquant que, pour en saisir l'acuité, une seule condition valait: être passé par là.

«Retourner le fer dans la plaie, c'est voler du temps à l'existence.» «Il faut savoir retirer la marmite quand les carottes sont cuites.» Ce sont là les sentences qu'invoquait ma mère pour justifier toute absence de rébellion. Béatement heureuse, soumise à son destin, souhaitant seulement de pouvoir, par habitude, accepter de souffrir. Je l'ai vue, sur son lit de mort, accepter les derniers hommages de mon père.

Je n'avais cependant pas, comme elle, une propension au malheur. Je n'avais pas non plus, tels ces saints de mon adolescence, le goût du silice ni cet instinct naturel qu'elle avait d'offrir la joue droite après avoir reçu une balafre sur la gauche.

J'irai donc, dans l'espoir que l'on s'y retrouvera, avec ce que, pour un navire, une quatrième cheminée peut apporter, puisque, de toute évidence, nul ne saurait faire autrement. Lever un coin du voile vaut mieux que de se cacher derrière.

Qu'un événement cité ait été précédé ou suivi d'un autre importe peu, pourvu qu'il soit narré tel que vécu; ne trancher dans le vif que si cohérence oblige, car j'aurais peine à farder la vérité, brûlant de m'approprier ce quatrain anonyme utilisé par William Kirby dans son roman *Le Chien d'Or*:

*Je suis un chien qui ronge l'os*
*En le rongeant je prends mon repos*
*Un temps viendra qui n'est pas venu*
*Que je mordrai qui m'aura mordu*

À moins que je n'en arrive à faire patte de velours, ce qui serait dans la nature humaine mais non dans la mienne et, partant, m'étonnerait.

Faire jaillir la lumière de l'embrun n'est pas chose facile. On trouve aujourd'hui une telle panoplie de livres, de revues et journaux en des lieux si hétéroclites qu'on pourrait difficilement imaginer qu'il fut un temps où, pour trouver un livre, il fallait traverser la ville.

Le commerce du livre au Québec a d'abord été embryonnaire, comme tout ce qui couve avant de naître, à cette contrainte près qu'il vit le jour dans un monde qui ne savait qu'en faire, et qui s'en méfiait comme de toute chose qui est nouvelle et dont on doute qu'elle puisse un jour faire ses preuves, tels ces enfants non désirés qui arrivent au moment où l'on croit que les jeux sont faits.

Alors, ce livre, je le commence comment? Par le traditionnel «Il était une fois...»? Je trouve la formule quelque peu galvaudée, usée d'avoir coiffé tant de contes de fées. Je lui préfère «En ce temps-là...», encore que j'éprouve pour cette formule des réticences: elle a décidément des relents de religiosité; et puis, au singulier, ça détermine trop, ça limite dans l'espace.

Je mettrai donc cette formule au pluriel, ce qui me permettra de couvrir plus de terrain, de peut-être expliquer ce qui fut pour une génération par ce qui a été pour la précédente, de mettre, comme il se doit, le bœuf devant la charrue, sans pour autant retourner dans le sein de ma mère, mais presque.

Savoir d'où l'on est parti pour mieux couvrir l'arrivée, connaître les inégalités de la route pour mieux défendre l'état de la monture, car il n'est pas de retombées sans point de départ, pas d'Éden sans purgatoire.

En ces temps d'une accalmie d'entre-deux-guerres qui frisait la démission, nos mères, pour s'évader de leur matriarcat, adhéraient à un tiers ordre, dominicain ou franciscain, ou à la confrérie des Dames de Sainte-Anne (les plus désœuvrées échouant à l'ouvroir), tandis que nos pères, s'accrochant à leur titre de congréganiste ou de Lacordaire, vouaient l'aînée au couvent, le benjamin aux ordres. Surveiller les garçons – avec les filles, pas de problème –, mais les garçons, s'ils s'approchent un dimanche ou l'autre de la sainte table et en reviennent les mains aux poches, qu'on n'y voie rien.

Porter son scapulaire en tout temps, même au bain (surtout au bain), se signer en passant devant une église, une grotte, une croix du chemin, car Dieu voit tout. Respecter le premier vendredi de chaque mois, assister à l'heure sainte du jeudi soir, faire carême pour mieux faire ses pâques. Je revois mon père peser scrupuleusement sa tranche et demie de pain pour ne pas excéder le nombre d'onces permis au petit déjeuner et aller faire cinq ou six kilomètres à pied pour rejoindre son lieu de travail.

Je revois ma mère, enceinte jusqu'au cou, égrener un rosaire pour pallier son incapacité d'aller à la messe le dimanche, ses jambes aux multiples varices n'arrivant plus à la supporter. Tant par son souci de la perfection que par son aval une fois pour toutes donné de parer d'enfants le jardin de sa vie, je l'aurais mal vue, même entre deux couches, prendre un amant; ma tante, peut-être, mais pas ma mère.

Quant à mon père, je crois bien qu'il n'aurait pas fallu lui donner la chance d'en changer... car, à qui tourne le dos à la croix de la tempérance pour mieux lever le coude, tout est possible.

C'était aussi aux temps glorieux de la Saint-Vincent-de-Paul, du Secours direct et de la Sainte Enfance, des timbres-poste à collectionner (séparer les verts des bleus, les rouges des jaunes) pour sauver les petits Chinois de leur Céleste Empire et mieux les instruire du nôtre – quel beau terrain pour la propagation de la foi! –, de l'Armée du Salut pour les sans-abri, des Chevaliers de Colomb pour les mieux nantis (n'y adhérait pas qui voulait); vous deviez fuir les francs-maçons, vous méfier des bérets-blancs, ne pas côtoyer les bleus si vous étiez du clan des rouges et les bleus vous le rendaient bien qui, pour vous éviter, changeaient de trottoir.

C'était aussi l'époque où parler signifiait raisonner. Quand on a encore le nombril vert, on n'est pas censé savoir de quoi l'on parle; ce qui ne nous empêchait pas de ruer dans les brancards, mais les phrases lapidaires qui étaient là, toutes prêtes, n'excédaient jamais le désir que nous avions de les exprimer. Enchevêtrées dans les os surnuméraires du crâne, elles ne dépassaient jamais notre pensée et se gardaient bien d'en sortir.

Pourtant, le paternel n'ayant jamais levé la main sur nous (on aurait peut-être préféré), il fallait être plus mouton que nature pour ne pas rouspéter, pour filer doux comme chien battu, et craindre une colère qui ne serait certainement pas venue. Comme quoi les endroits clos et exigus dont les ascenseurs sont les prototypes n'ont pas le monopole de la claustrophobie.

D'où cette difficulté d'élocution et ce manque de vocabulaire qui nous assaillaient quand enfin, ayant acquis le droit de parler, nous lancions un non d'autant plus percutant qu'il mijotait sa sortie depuis longtemps, sans autre raison valable que celle conférée par une prérogative acquise de droit; mais ce nous était si peu de bon aloi que ça nous semblait presque un abus de pouvoir.

Pour la première fois aussi, nous pouvions quitter la table sans que le père ait fini de manger. Plus tôt, c'eût été un flagrant manque de respect à l'autorité. L'émancipation n'avait droit de cité que si le dégoût d'une enfance et d'une adolescence brimées se trouvait consommé.

Ce nous était une douce revanche sur ce temps pas très lointain où il nous fallait subrepticement surveiller les gestes du paternel qui n'en finissait plus de ramasser ses miettes.

Je l'ai longtemps soupçonné de le faire exprès, d'aiguiser ainsi notre patience pour qu'après s'être levé il puisse nous sermonner dans le fracas de nos chaises repoussées. Une fois, une seule fois – mais il l'a fait –, il a poussé la ruse jusqu'à se lever pour se rasseoir aussitôt dans le tintamarre de nos chaises, ramenées aussi vite qu'écartées. Dès lors, nous sommes longtemps restés dans la crainte d'une récidive, si bien que, en plus d'avoir à surveiller son rituel de miettes à récupérer, nous restait la crainte qu'il nous refît son faux coup de l'étrier.

Mais, pour lui, l'habitude était prise qui résistait à toute analyse. À propos de tout et de rien, il remettait en selle son autorité sans se préoccuper qu'elle fût exercée à bon ou à mauvais escient, assuré que notre révolte ne dépasserait pas le temps d'un haussement d'épaules ou d'une moue comprimée, tant et si bien que, même au soir de sa vie, il ne pouvait s'empêcher de nous sermonner, sachant que, par respect, nous ne rouspéterions pas, ne lui dirions pas: «Cause toujours, mon bonhomme.» Il avait besoin d'être honoré comme d'autres ont besoin d'être aimés.

Nous restaient les hors-d'œuvre commandés par les réunions familiales, telles ces agapes du nouvel an où nous allions en famille, chez grand-père, rencontrer cousins, cousines, et où nous pouvions quand même discourir entre nous. Mais il fallait faire preuve de plus de maturité envers les oncles et les tantes, avec grand-père surtout. «Tâche de te comporter comme un homme», nous prévenait-on; si bien que nous en arrivions à appréhender la fête.

Je me souviens de l'état d'hébétude que, à force de me taire, j'éprouvais face aux adultes auxquels il me fallait retourner les bons vœux. Je ne savais quoi leur dire. Ainsi, à mon grand-père qui me souhaitait du succès dans mes études (j'avais douze ou quinze ans, je crois), je n'ai su que répondre: «Vous pareillement, grand-père.» Je n'avais pas sitôt lancé ma réplique que je réalisai son non-sens. Mon grand-père a dû rire dans sa barbe à la Napoléon III mais je n'ai pu le vérifier, ayant fui les lieux en moins de temps qu'il n'en faut pour l'écrire. À compter de ce jour, face aux adultes, je me la suis fermée.

L'idée de jouer au docteur avec les filles ne fut inventée que beaucoup plus tard (ou alors, si l'approche existait, nous n'en étions pas là). Notre sport à nous, adéquatement appelé «la main chaude», consistait à retirer prestement de la pile de mains posées sur la table celle qui se trouvait dessous, pour la poser dessus. À nous les garçons, ça valait bien un coup de sang, ça activait nos battements de cœur, ça éprouvait notre virilité. Je crois que chez les filles aussi ça faisait de l'effet; ça devait affecter le centre nerveux de leur virginité, mais nous nous gardions bien de le leur demander, de crainte qu'elles refusent la prochaine partie. Ce nous était la révélation que la chair était loin d'être triste mais que c'était mal de le constater, et nous n'allions pas nous en confesser, de crainte d'encaisser un interdit.

Nous restaient cependant des passe-temps plus orthodoxes – la lecture, par exemple –, mais il nous fallait les pratiquer en catimini parce que inscrits au catalogue des vices. D'une cachette à l'autre, nous développions tranquillement un talent d'hypocrisie qui n'avait rien à envier à celui de Tartuffe.

Les vices, parce que plus agréables à vivre, se développent plus aisément que les vertus. Ainsi, nous nous rendions bien compte que notre jeu de mains, parce que physique, était plus omniprésent que celui de la lecture, lequel, tout cérébral qu'il fût en compagnie de Raoul de Navery, de Paul Féval, de Ponson du Terrail ou de Pierre Loti, avait sur nous plus de pouvoir que tous les interdits du monde.

Mais avant que d'atteindre à cette extase qui nous guettait au détour avec Alphonse Daudet ou Alexandre Dumas, que de chocs en retour j'ai eu à subir alors que, absorbé dans ma lecture, je n'avais pas toujours le temps de voir arriver mon père qui me surprenait en flagrant délit et en profitait pour me vouer à l'échec ma vie durant.

Pourtant, je m'étais astreint à de véritables tours de passe-passe pour ne pas provoquer sa «juste colère». Mais, en ces temps de grande déprime où même les bateliers de la Volga auraient été en chômage, il n'y avait rien d'autre à faire que de postuler à droite et à gauche, pour le cas où, mais surtout de façon que, le soir venu, tel un leitmotiv, je puisse répondre à mon père que oui ! j'avais fait la tournée des grands ducs, oui ! j'étais allé à la Compagnie Paquet, au Syndicat, chez Pollack, Myrand & Pouliot, chez Talbot la chaussure, et j'allongeais la liste, que ma réponse retarde d'autant l'explosion de son dépit. Selon ses dires, je ne savais ni me présenter, ni attirer l'attention, ni provoquer la sympathie.

Ne me restait qu'à surveiller sa rentrée, pour qu'il me surprenne à laver un carreau, à préparer un feu pour la nuit ou à nettoyer la cour des copeaux, tous travaux que j'eusse pu faire avant, mais dont il me fallait en réserver au moins un pour m'y attaquer à son arrivée, qu'il me surprenne en plein travail. Si mon père avait voulu m'aguerrir au stress de la vie, il n'eût pas trouvé de meilleur tremplin.

Et pourtant j'ai cru longtemps qu'il était fier de moi. Il m'emmenait à l'église avec lui chaque dimanche: au petit matin pour l'office des congréganistes, une heure plus tard pour recevoir le sacrement de l'Eucharistie, puis, après un bref séjour à la maison pour le petit déjeuner, nouveau départ pour assister à la grand-messe. En après-midi, alors que je jouais avec mes copains dans la rue – je ne me souviens pas d'avoir terminé une seule partie de batte –, mon père m'appelait pour l'accompagner au «récital» d'un chemin de la Croix commenté. Au retour, le repas du soir était suivi de la récitation du chapelet en famille, et, pendant que les femmes s'occupaient du ménage, nous repartions allégrement, mon père et moi, pour assister à l'office des vêpres.

Oui, il était fier de moi, fier de m'emmener ainsi, cinquante-deux dimanches par année, jusqu'au jour où j'ai compris que mon père paradait, que sa fierté était de montrer à tous qu'il avait su me dompter, qu'il savait comment s'y prendre pour faire d'un fils un homme.

Vint pourtant le jour où, dans ma «cour des miracles», je reçus une invitation à me présenter à la Compagnie Paquet pour un emploi. Mon père, à qui j'appris triomphalement la nouvelle avec, je présume, un petit air de suffisance dans l'œil, me rabaissa le caquet en me disant de ne pas me prendre d'ores et déjà pour le directeur général de l'établissement, qu'il me faudrait apprendre à faire mes classes – j'étais bien de son avis –, qu'une échelle... bla, bla, bla, qu'il n'y avait pas de sots métiers (ma rouspétance aurait été de lui répondre: «Vrai; il n'y a que de sottes gens pour s'en occuper», mais je me suis tu), qu'avant de manger des pommes de terre il fallait apprendre à les peler et que celui qui les pèle n'était pas plus dadais que celui qui les mange... bla, bla, bla. Bref, pour terminer, il me servit la maxime du capitaine et du matelot, me signifiant ainsi que, *à n'importe quel prix*, il ne me fallait pas revenir bredouille à la maison.

Nous étions deux dans l'antichambre du bureau de M. Amyot à attendre poliment qu'il nous fît signe. Et soudain j'ai eu peur, terriblement peur, non pas de M. Amyot, mais de cet autre aspirant qui venait me faire concurrence sur un terrain que j'occupais pour la première fois de ma vie. Il ne suffisait donc pas que les emplois fussent rares, il fallait qu'en plus j'aie à rivaliser. Et, le temps d'une éternité, je me surpris à constater que je ne saurais justifier aucune préséance, n'ayant de science que celle d'avoir traînassé mes sabots sur les pavés du désœuvrement.

M. Amyot nous dit alors que, s'il nous avait fait venir tous deux, c'est qu'il avait deux postes à offrir. L'un aux bureaux de l'administration: travail d'écritures habituel, classement et vérification de fichiers, et le reste. L'autre poste, au service de la livraison, demandait de bons bras et de bonnes jambes, donc une plus grande dépense d'énergie, mais avec l'avantage d'opérer au grand air. «Alors, qu'est-ce qu'on en dit?»

Je le regardais, incrédule; d'abord parce que ma crainte s'envolait, et parce que enfin j'étais en face de quelqu'un qui m'offrait du travail. Ce M. Amyot ne m'impressionnait pas. Il avait un œil de verre (ou alors drôlement amoché car on le devinait sans vie) et un bras en écharpe, ce qui le diminuait. Je pensais davantage à mon père devant lequel je ne voulais à aucun prix comparaître pour me faire accuser de ne m'être pas fait valoir.

Saisissant au vol une minute d'assurance, je m'entendis proclamer que j'étais prêt à faire n'importe quoi, que c'était à lui de décider de mes bras, de mes énergies, et que je n'étais pas homme à y regarder de si près. Bref, que les pommes de terre, fallait bien que quelqu'un les pèle, non?... Mon coaspirant, lui, y allait de ses préférences: «Le travail de bureau me plairait bien», d'une voix et d'une intonation que je retrouvai des siècles plus tard chez Isabelle Adjani à la toute fin de *L'Été meurtrier.* «Ah oui! ça, je voudrais bien.»

Et c'est ainsi que je me suis retrouvé dans une voiture de livraison, pour un travail que j'ignorais devoir être temporaire, ardu, exposé aux quatre vents d'une saison hivernale que j'aurais accepté de voir durer mille ans mais qui se termina au lendemain des fêtes de fin d'année, parce que, le service redevenu normal, réduit de moitié, le personnel devait s'ajuster au volume des commandes. Pendant ce temps, mon ex-coaspirant «crayonnait» dans les bureaux de l'administration, y demeurant longtemps après les fêtes, si bien qu'il y serait encore si, entre-temps, ses patrons n'avaient déclaré forfait.

Mon premier job n'avait tenu que six semaines et j'en sortais d'autant plus démuni que mon complexe d'infériorité, déjà plus grand que la normale, augmentait subitement d'une façon dramatique.

Je n'avais pas su m'imposer, à l'examen. J'aurais dû postuler pour le travail de bureau, poste qui était permanent et tâche que j'aurais certes pu accomplir, laquelle m'aurait permis de me faire valoir à l'usure; alors qu'au service de livraison on n'avait pas tellement besoin d'être futé! (Peter ne nous ayant pas encore fait part du principe de sa découverte ou de la découverte de son principe, je n'avais pas à craindre d'aller au-delà de mon potentiel.)

Par crainte de tout perdre, je n'avais pas su me mettre en compétition, et, pour y être allé au rabais, j'avais tout perdu. La philosophie de mon père s'appliquant aux flancs-mous, aux vaincus d'avance, il était encore plus sot d'accepter son destin à cœur joie, de ne pas donner sa chance à la chance.

Je m'en voulais surtout d'ouvrir ainsi une porte au paternel, lequel, avec son besoin de marquer des points, allait en user des années durant et trouver à redire, quoi que je fasse ou entreprenne. La crise perdurant, il avait beau jeu pour entretenir sa grisaille, car, à la seule tentative de faire mes jeux, rien n'allait plus.

«A-t-on idée d'importer un baril de café et d'en faire la revente par petites quantités dans des contenants frauduleusement lourds par rapport au contenu; d'offrir, à la limite de la légalité, des *tag days* aux fêtes de la Saint-Jean et de la Saint-Patrice ou à la Fête-Dieu; de forcer les portes des ménagères du quartier pour leur offrir des produits dont elles n'ont cure; de tromper leur bonne foi en leur offrant des sirops de l'abbé Warré qui n'ont de valeur curative que celle d'une renommée surfaite; de distribuer des circulaires dont une partie se retrouve aux grilles des égouts?»

Autant de palliatifs – et j'en passe – à l'inertie de nos génies inventifs rongés par la rouille, en ce pays de la continuité où rien ne devait changer de ce qui avait toujours été.

Mon père nous transmettait ce qu'il avait reçu. Je n'ai jamais compris que l'idée d'en changer n'ait pas traversé sa pie-mère. Il vivait comme avait vécu son père, véhiculant les mêmes médiocrités sans jamais les remettre en cause, nous éduquant comme il avait été éduqué, lui, même si, de son propre aveu, il avait quitté le foyer paternel parce que c'était un «enfer». Ainsi imbu d'un passé sans avenir, cent fois sur *son* métier mon père remettait *mes* démarrages.

Mais, trêve de jérémiades, il y aura toujours des Poil de Carotte et c'est la seule excuse que peuvent invoquer les laissés-pour-compte, les vaincus d'avance. Mon propos n'est pas d'en raconter un énième. Je veux seulement – mais l'art est difficile – éclairer certains points d'ombre inhérents à cette époque dite de grande noirceur. Qu'il suffise de retenir que la suprême consolation, à cette époque, était de pouvoir se considérer comme moins pauvre que celui qui l'était davantage et se convaincre qu'il était quasi immoral d'être riche.

Je m'en voudrais de ne prêcher qu'aux convertis car il reste très peu de survivants de cette époque où l'on devait se satisfaire de pouvoir gagner sa croûte sans penser à la mie, où le salaire minimum n'existait pas et où les frais de scolarité étaient de vingt-cinq sous par mois (une échéance que bien des familles, dont la mienne, ne pouvaient assumer). L'or était à trente-cinq dollars l'once et les grands magasins acceptaient de faire la livraison d'une bobine de fil à dix sous, alors que l'on pouvait s'offrir une séance de cinéma pour le même prix et que l'orgue de Barbarie et la tire blanche connaissaient leurs heures de gloire.

Dans un autre ordre d'idées mais bien de ce temps, sainte Anne nous gratifiait de deux ou trois miracles par année, Gérard Raymond se mesurait à Guy de Fondgallant, toute danse qui n'était pas «carrée» était interdite, les turlutes de la Bolduc étaient censurées et les culs-de-sac, prohibés. Et le père Legault se voyait interdire la présentation au Palais Montcalm d'une pièce de Victor Hugo, *Lucrèce Borgia*.

C'était l'âge des coffres d'espérance des fiancées et des *showers* que l'on organisait pour elles avant le «grand départ», de la bénédiction paternelle qu'elles sollicitaient comme une faveur avant de partir pour l'église et le «grand voyage», cependant qu'à l'écart, se souvenant sans doute des affres de leur nuit de noces, les belles-mamans recommandaient au fiancé d'y aller mollo avec la virginité de leur petite fille.

C'était aux temps de l'omniprésence du petit Jésus dans nos foyers à l'approche de la Nativité (le père Noël n'ayant pas encore obtenu son visa), et c'était l'époque où, bien ancrée, se perpétuait la tradition de la bénédiction paternelle qui faisait se jeter à genoux la famille au premier jour de chaque an neuf. C'était l'ère de l'Église triomphante, alors que les clochers sortaient de terre comme des champignons et que les carillons, sonnant l'angélus, faisaient encore s'arrêter les laboureurs, le temps d'un signe de croix.

C'était aussi, hélas, aux temps pas très lointains où nos mères, épuisées, rendues, mouraient de vieillesse à soixante ans et demandaient, comme une faveur, d'être ensevelies dans leur costume du tiers-ordre. La science affirmant que notre espérance de vie augmente de vingt années par siècle, que n'a-t-il été donné à nos mères de profiter du leur ?

# I

Je suis né un matin d'avril en l'an de guerre 1915.

Si, ce jour-là, la Terre a cessé de tourner, ce fut pour ma mère, qui dut se pincer pour se convaincre que j'arrivais si aisément et si vite; sa première maternité avait mis trois jours à se concrétiser. Elle venait à peine de perdre ses eaux que je me glissais hors d'elle dans une onomatopée qui emportait aussi mon placenta.

Elle ne pouvait croire non plus à la vision que je lui offris lorsqu'elle m'éleva pour me contempler. Elle me laissa aussitôt retomber sur elle en fermant les yeux pour ne plus voir ce monstre que j'étais.

Elle savait par ouï-dire que certaines femmes, honnies pour n'avoir pas joyeusement accepté leur grossesse, mettaient au monde des monstres de mon genre, vulgairement appelés «têtes d'eau» ou «mongols».

Pourtant, elle ne se souvenait pas d'avoir maugréé à l'annonce de «ma» grossesse, l'ayant acceptée comme une conséquence logique de sa vie d'épouse.

Non, vraiment, rien dans son comportement n'aurait dû lui mériter une telle déchéance. Alors, ma mère se mit à pleurer, doucement, puis par saccades, jusqu'à atteindre les sanglots; devant quoi mon père lui intima l'ordre de se calmer.

À l'arrivée du docteur Leclerc, ma mère, qui n'en pouvait plus, se mit à espérer qu'un coup de bistouri bien placé crèverait l'abcès, ferait s'écouler l'eau et, partant, rendrait à ma tête sa dimension normale.

Le docteur la regarda en souriant, heureux de pouvoir la rassurer devant ce phénomène, lequel, sans être fréquent, n'en était pas moins dû à un caprice de la nature; j'étais né coiffé, tout simplement. Il eut tôt fait de me libérer de ce «sarcophage», ce qui me permit de servir à ma mère un sourire caustique qu'elle encaissa comme un cadeau que l'on n'attend plus.

Le médecin renchérit en lui disant que cette coiffe décelait généralement la naissance d'un génie ou que, pour le moins, je serais chanceux tout au long de ma vie.

Après avoir morigéné ma mère en lui reprochant de s'être énervée pour rien, mon père se fit à lui-même le serment de surveiller de près mes faits et gestes, mes premiers pas, mes premières chutes, et de s'employer par la suite à dompter cet être d'exception que j'étais et dont il se sentait responsable.

Quant à ma mère, souriant à travers ses larmes, folle de joie à seulement constater que j'avais tous mes membres, après avoir vérifié mes mains et mes pieds, compté tous mes os, elle me berça tendrement dans ses bras, m'offrit généreusement son sein, pendant que, autant pour elle que pour moi, la Terre continuait de tourner.

Dans ce qui vaut d'être raconté de mon enfance, je n'évoquerai, des plaies confiées à la médecine du temps, que celles qui, sporadiquement, refont surface. Ainsi, je ne parlerai pas de ce petit traîneau que mon père avait confectionné de ses mains et dont il m'avait montré l'esquisse en ce mois d'avril de mes six ans. J'en hériterais en novembre suivant, la neige venue, si, entre-temps, j'étais bien sage. De temps en temps, il m'emmenait au grenier pour m'en faire admirer le progrès.

Évidemment, je n'ai jamais eu ce traîneau, non plus que le petit bateau à voiles qu'il avait trouvé dans une poubelle et qu'il m'avait promis de rafistoler. De fait, il l'a réparé, grossièrement, avec des moyens de fortune, et repeint, mais je n'en ai jamais vu que la confection et le coloris, simplement parce que, dixit-il, je n'avais pas été sage.

Je n'avais peut-être pas prié le petit Jésus avec assez de ferveur pour acquérir ces mérites qui auraient compensé pour les manquements dont m'affublait mon père et dont je cherchais en vain la trace. Il faut dire, à ma décharge, que le petit Jésus je l'aimais moins depuis que, un Noël sur deux, Il remplaçait mon orange annuelle par une pomme de terre et que j'en avais fait un drame. Elle est si fragile, la foi d'un enfant, au pied d'un arbre de Noël. Mon père, vers qui je me suis tourné pour tenter d'y comprendre quelque chose, m'avait apostrophé: «Tu sais très bien pourquoi.» Mais non, je ne savais pas.

Que le petit Jésus ait récidivé l'année suivante et que cette fois j'aie préféré en prendre ombrage sans en demander compte, cela n'eut alors d'autre conséquence que d'en porter le manifeste au mur de mes lamentations. Alors, je passe. Mais si, de cet accroc à mon bonheur infantile, je peux parler aujourd'hui, c'est que cela m'a marqué davantage que d'être privé d'un bateau miniature dont je n'avais pas tellement envie. Nous ne recevions alors qu'une orange l'an, et d'en être privé sans raison valable, enfant, je ne le prenais pas.

De toute façon, ce n'était pas au petit Jésus que j'avais le plus envie de plaire, mais à mon père, qu'il cesse de me punir à propos de tout et de rien. Qu'il me punisse à l'occasion, je voulais bien, mais qu'il oublie de lever ma punition avant de partir et me laisse ainsi à genoux durant des heures, dans l'attente de son retour, cela non plus, je ne le prenais pas. Quant à ma mère, femme des sept douleurs s'il en fut, elle se morfondait d'impuissance à me voir me contorsionner, n'étant pas habilitée à me grâcier.

Je n'ai compris que beaucoup plus tard pourquoi mon père s'était ainsi acharné sur moi, mon tort ayant été de ne pas montrer d'attrait pour une quelconque vocation religieuse alors que trois de mes sœurs, l'une suivant l'exemple de l'autre, ont répondu à l'appel de Dieu.

Confiné aux mœurs du temps, le passage d'une étape à l'autre, de l'enfance à l'adolescence, se faisait sans temps d'arrêt, sous l'œil complaisant d'une hiérarchie qui en appréciait la lenteur. On n'essayait vraiment de s'affirmer que lorsque, ayant refusé de souscrire aux aspirations ancestrales, on tentait de compenser les rêves que d'autres avaient concoctés pour nous par l'aventure du prolétariat, mais on comprenait mal en haut lieu que l'on troquât la stabilité de la vie religieuse contre l'insécurité du laïcat.

Pour s'en sortir, il fallait opposer la ruse à ces tenants d'une morale à œillères, comme en séchant délibérément ses cours pour se libérer d'études doctrinaires, quitte à miser sur l'école de la vie pour une science plus en harmonie avec son moi.

À tout prendre, raté d'avance par contumace, on préférait sauter du quai plutôt que de manquer le bateau. C'était prendre le risque de n'arriver nulle part, mais, dédaignant cette forme d'horoscope, on préférait, aux eaux dormantes, y aller à contre-courant. Si l'inverse est plausible, un fils de magistrat ne rêve pas de devenir éboueur.

J'avais aliéné ma jeunesse à œuvrer dans des secteurs à la manque. De tactiques en palliatifs, je n'avais fait en somme que me prouver à moi-même que je ne manquais pas d'idées. À tant chercher, je finirais bien par tomber pile, mais, d'une expérience à l'autre, force m'était de constater que je spéculais sur un damier qu'on eût dit confiné à l'échec et mat.

Mes expédients de porte-à-porte m'avaient laissé un goût amer de mendicité; j'avais tant de fois refoulé mon orgueil pour retourner chez des «matrones» qui m'avaient rabroué la fois d'avant que j'apprenais ainsi à pagayer, à composer, mais en même temps à me faire humble à n'en plus finir. J'étais las de cette constante remise en cause de mes valeurs, mais, en relief, j'étais heureux des temps libres que me laissait cette vie en dents de scie.

Je profitais de ces périodes de désœuvrement pour m'abîmer dans la lecture, y trouvant matière à parfaire mon éducation. Si Rocambole, Fantômas ou Fanfan la Tulipe avaient nourri ma prime jeunesse, je trouvais les classiques de la collection Nelson plus en harmonie avec mes manques ou ces «plus» que l'on avait soif de connaître et que l'on ne trouvait que d'occasion, faute de bibliothèque scolaire.

Car il y a la matière, la façon de l'enseigner et celle de la digérer. Si, dans certains domaines, je n'avais pas le quotient pour en assimiler même les éléments, il en fut d'autres pour lesquels il n'était pas besoin de me faire un dessin. Il suffisait que mon prof d'arithmétique mette sa compétence au niveau de mon potentiel d'entendement et le tour était joué. Ainsi, il m'était facile de comprendre que, avec la règle de trois et la pratique du calcul mental, on pouvait aller très loin dans la vie des chiffres, dans la théorie des nombres et celle des groupes.

Il n'était pas sorcier non plus d'assimiler la langue anglaise à partir des principes que son alphabet n'a que vingt-six lettres comme le nôtre, que la semaine n'a que sept jours et que, pour le vocabulaire, tous les mots qui finissent en «tion» sont les mêmes dans les deux langues et qu'il faut vraiment le faire exprès pour ne pouvoir conjuguer des verbes qui n'ont pour subjonctif qu'un infinitif déguisé.

Pour le grec et le latin, ayant quitté le cours classique avant la versification, si je n'en ai conservé que les éléments, c'était suffisant pour, à l'occasion, paraître instruit à pouvoir traduire certaines locutions latines et savoir que l'alpha est le commencement et l'oméga la fin de toutes choses.

Mes classes de philo ayant été laissées pour compte, j'ai dû affronter le déisme à la recherche d'un entendement que pose toute abstraction. C'était oui la veille, c'était non le lendemain, et, le «crois ou meurs» convenant mal à mon esprit libertaire, j'y trouvais des contradictions que je ne pouvais afficher au tableau de la certitude. Faisant partie du commun des mortels, je pouvais difficilement prétendre à l'intellect des penseurs, mon cheminement se devant d'être plus sensitif que théologique, plus issu de la spéculation que de la science pure; j'étais plus près d'un Thomas que d'un saint d'Aquin.

J'ai longtemps été privé d'une quiétude qui eût pu être plus précoce, mais je suis quand même parvenu par mes propres logiciels à m'y retrouver, dans une sérénité que je n'essaierais même pas de partager tellement elle est issue d'un cheminement intérieur qui n'a de valeur que le fait d'avoir été intensément vécu. Comme de se demander un jour – pour banal que ce puisse paraître à l'abord – comment expliquer que ceux qui s'adressent à Dieu plutôt qu'à ses saints n'affichent pas leurs faveurs obtenues avec promesse de publier; Dieu n'a jamais été remercié que par la collectivité.

Si j'ai mis des lunes à m'extirper de ce cercle vicieux autour duquel la Terre n'a pas fini de tourner, j'en ai été exempté du côté de la sexualité, une seule séance ayant suffi pour m'initier. Ce me fut révélé dans un rêve venu comme ça, sans provocation ni attente, de par ma totale ignorance du phénomène. J'conclus que ce devait être la conséquence logique de ces manifestations viriles que j'abhorrais. Tant mieux si l'une pouvait chasser l'autre.

Ce ne fut pas par désarroi que je me confiai à ma mère, mais parce que je ne pouvais l'éviter, prévoyant qu'elle serait la première à me démasquer. Elle me renvoya à mon confesseur qui, après m'avoir fait détailler la scène, son cheminement et son apogée, me confirma dans mes doutes, à savoir que j'étais devenu un homme avec ce que cela comportait d'obligations nouvelles, de responsabilités génétiques – cela, je ne l'ai pas compris tout de suite – et de comptes à rendre, ajoutant qu'il y aurait péché chaque fois que j'y trouverais du plaisir, ou mérites pour le ciel à chaque retenue, car c'était Satan qui venait m'éprouver et il ne lâcherait pas si facilement la proie que j'étais pour lui. Si, pour mon confesseur, ç't été facile de trancher le débat, de me mesurer à Satan ne m'était pas une mince tâche.

Il faut croire que j'ai une propension à chercher par moi-même la solution à mes problèmes. On se satisfait davantage de ses propres déductions que de celles avancées par l'expérience des autres, croyant que chaque cas en est un d'espèce.

J'ai donc parfait mon éducation sexuelle en marginalisant mes attaques sataniques, car plus je tentais de les comprimer, plus elles se rapprochaient. Laissées à elles-mêmes, elles connurent bientôt un rythme plus en accord avec mes feintes de retenue et l'épanouissement de mon métabolisme, celui-ci et celles-là s'accordant comme larrons en foire et cavaliers de carrière. Et les filles rappliquèrent du côté de Satan; je le dis parce que, d'un coup, je les voyais d'un autre œil.

Par la suite, j'ai développé mon goût de la beauté plastique à l'aide des pages 237 et suivantes du catalogue d'Eaton et à partir de la page 368 de celui des magasins Simpson.

Vint pourtant un jour où, malgré l'abondance et la diversité des mannequins étalés, un impérieux besoin de troquer l'ombre contre la proie, l'esquisse contre le portrait, se fit sentir; mais j'avais cultivé une telle virtuosité esthétique que j'avais peine, dans la réalité, à arrêter mon choix.

Trouver celle qui serait une perle qui s'ignore m'était un critère difficile à toucher. J'ai donc, là aussi, tergiversé longtemps, laissé tomber celle-ci pour celle-là, pour enfin fixer mon choix sur celle qu'aucun mannequin ne pouvait supplanter, sans toutefois être accusé de ne la courtiser que pour la posséder.

Cette assurance acquise, j'ai pu la promener à mon bras dans ce monde d'interdits à la mentalité de huguenots, où l'on n'avait le droit de côtoyer les filles que chaperonnées et où les mères n'en laissaient un jour filer une que pour se libérer du fardeau d'avoir à la surveiller.

Entre-temps, c'était l'affaire du garçon de se débrouiller pour voler un baiser à sa promise en profitant d'un puits d'ombre qui surprenait si bien l'aimée qu'elle n'avait guère le temps de se refuser. Ou alors, pour mieux tromper la surveillance, on passait délibérément sous les lampadaires comme qui n'a rien à cacher, jusqu'à ce que, la confiance endormie, on puisse atteindre au tournant une encoignure, y retenir l'objet de nos désirs et s'y frotter, le temps que le serein tombe sur la ville. Ce nous était quand même des coups d'éclat que de réussir à honorer ainsi sa bien-aimée, cul par-dessus tête dans la neige, en excursion à flanc de montagne, ou dans une cavée, à l'abri du froid et du vent.

* * *

Au début des années quarante, convaincu d'avoir fait le tour de mon jardin, assumé les erreurs et les bourdes de ma jeunesse, j'ai senti le besoin de faire le point, de cesser d'être un genre de touche-à-tout, de liquider ces tours de passe-passe que j'exécutais sans autre but qu'une croûte à gagner, de peine et de misère.

Misère pour misère, une voix me disait que j'eusse dû mettre mes énergies au service de quelque chose qui, même dans l'échec, garderait le mérite d'avoir été tenté... Mais quoi? Une autre voix me disait que j'avais pourtant là, à portée de la main, cette valeur que je recherchais et qui représentait un défi d'autant plus stimulant à relever qu'elle était non seulement peu ou pas exploitée, mais interdite: celle du livre et, partant, de la culture.

Et je partais dans les «vapes», à constater que les seules vraies joies ressenties à ce jour m'étaient venues de là, de mes lectures;

de toutes ces années d'entourloupes, je ne gardais rien de plus tangible que ce lien qui me rattachait au livre. Mes seules vraies sciences étaient livresques et, surtout, je ressentais un impérieux besoin de le crier sur les toits et le devoir de le partager.

Exceller dans la vente des arachides ou des melons me paraissait fade et sans valeur parce que, du produit consommé, il ne reste plus rien; alors que, d'un livre, on garde une indéfinissable nostalgie, sans en être jamais gavé. Ce pouvait m'être un beau destin, disaient mes voix intérieures, d'œuvrer en ce domaine de la constante découverte, et plus agréable de côtoyer les fans de Marcel Proust que ceux des arachides Planters dont le mercantilisme ne me permettrait d'atteindre qu'un plus ou moins grand degré de cupidité.

J'en venais, sous la pression de ces voix, à bénir ces temps de mornes saisons qui m'avaient valu de meubler mes temps libres d'un aussi enrichissant «désœuvrement» et je me demandais si, sans lui, j'aurais pu vaincre la morosité de ce que mon entourage appelait l'oisiveté et que moi j'appréciais comme une porte ouverte sur le rêve...

Déjà, de n'avoir pas trouvé de commune mesure entre *La Dame aux camélias* et *La Porteuse de pain* – constat qui amenait sur mes lèvres un sourire de puérile satisfaction –, de me sentir mal à l'aise dans *La Peau de chagrin* de Balzac (ne cherchez pas pourquoi) ou de comprendre le vouloir du père Goriot pour ses filles (parce que j'aurais vraisemblablement fait la même chose) m'était un baume sur la carence de mes études en philo. Et si, un jour, je trompais l'élue de mon cœur, ce ne serait pas pour avoir lu Gide dans *La Symphonie pastorale*...

Mais plus j'«introspectais» ces avenues, plus je me persuadais que j'étais intoxiqué; car j'étais pris non seulement par la beauté d'un vers ou la justesse d'une sentence, mais aussi par l'aspect physique d'un livre, sa vétusté, l'odeur des encres et du papier, la résistance à l'oubli d'un incunable, l'invite d'une reliure, happé par la seule jouissance d'en soupeser un, de le retourner, rame/dos, d'en apprécier la typo. Je me suis même surpris à comprendre des choses que je n'aurais pu avancer, en concluant que, de les avoir comprises, j'aurais pu les écrire. Il ne saurait y avoir de rêves sans une part de naïveté.

Si bien que, toute réflexion faite, toute voix hostile tue, je décidai que mon sort était jeté: je «chef-d'œuvrerais» dans cette argile. Après tout, répondre à des voix ne devrait pas, que je sache, être l'apanage de Jeanne d'Arc.

# II

Avoir pignon sur rue me semblait la plus probante et la plus légitime ambition pour afficher mes couleurs et clamer mes aspirations. Mais s'il m'avait été facile de me convaincre qu'il ne m'était pas d'appel plus impératif que celui de posséder une librairie, c'est seulement à l'épreuve que je constatai que la concrétisation d'un rêve ne se fait pas d'un simple vouloir.

Le début de toute cette histoire ayant été mon goût pour la lecture de bandes dessinées, j'allais bientôt me rendre compte qu'une compétence anticipée de cause à effet ne suffit pas. Encore que d'en être arrivé à ce point de chute où m'attendait sagement mon destin ne m'avait pas coûté tellement d'heures d'insomnie; ça s'était fait tout seul, sans calcul, comme allant de soi.

La seule recherche que j'aie faite – on ne fait pas d'étude de rentabilité pour un marché qui n'existe pas – fut de trouver un local à la mesure de mes horizons. Dans mon esprit, tout était à créer: tant pour les adeptes d'une littérature donnée que pour ceux qui ne juraient que par les romans-feuilletons. Il y aurait, en l'absence de toute compétition ou presque, un vide à combler, ce qui devrait être une tâche aisée, la lecture étant si riche d'attraits et, de surcroît, fidèle à ses promesses pour qui la courtise.

C'est donc animé d'une foi de charbonnier que je louai un immense local ayant préalablement servi de salle de montre à un marchand d'automobiles: Nash, Studebaker et Packard, pour ne pas les nommer. J'ai su plus tard que j'en avais fait rigoler certains en occupant si vaste pour un si petit négoce; c'était voir grand pour d'aucuns qui croyaient que j'étais un fils à papa qui ne savait que faire de son argent. J'aurais bien voulu !

N'existaient en ce temps-là que deux librairies à Québec, toutes deux vouées à la propagation de la culture religieuse et dont les vocables affichaient bien les intentions. Il y avait, à la basse ville, la librairie de l'Action catholique, spécialiste de l'imagerie pieuse et des histoires saintes de Daniel-Rops, et, à la haute ville, la librairie Garneau qui coiffait sa raison sociale des mots «Librairie du clergé» mais qui, malgré un «enfer» des plus restreints, se permettait de narguer sa concurrente en gardant l'intégrale de François Mauriac, l'enfant terrible de l'Église.

Aucune librairie profane, aucun simulacre d'éducation populaire au centre-ville, rien qui puisse combler un besoin d'émancipation. Pour le site, ce serait donc le centre-ville; pour la tendance, on verrait: la littérature comporte tant de volets, tant d'auteurs que je pourrais laisser mes «compétiteurs» se disputer les vices et les vertus de François Mauriac. Je leur laisserais leurs images et les missels mais leur emprunterais quelques Bernanos, du Maeterlinck, du Thomas Mann.

Pour l'enjeu, je restais dépendant du territoire à couvrir; car, bien que ce ne fût pas un concept totalement nouveau, il n'en demeurait pas moins que, sans entrer carrément dans leurs jardins, il me faudrait piler sur leurs plates-bandes, ne serait-ce que pour les dictionnaires, les langues, avec l'air de ne pas y toucher... car, pour qui se sent menacé, il n'y a pas que l'enfer qui soit pavé de bonnes intentions; il y a aussi les idées nouvelles, qui risquent d'ébranler un ordre séculairement établi.

Ne prévoyant pas au départ d'avoir à affronter des forces occultes, je me sentais une âme de gladiateur prédestiné tout en sachant que j'aurais à œuvrer dans un champ partiellement occupé, avec pour principal objectif d'aller mon chemin sans m'occuper des voies par d'autres empruntées, ignorant que les maîtres des lieux (tels ces notables qui tiennent davantage à leur particule qu'à leur nom) se proclameraient seuls détenteurs de la Vérité et qu'à ce titre on attaquerait mes brisées.

On me ferait très tôt sentir que je n'étais pas persona grata, pis, que je devrais aller faire ça beaucoup plus loin, au diable vauvert. Je n'allais pas plier bagages pour autant, encore que la librairie Garneau ait très tôt cessé ses sournoiseries, se sentant beaucoup plus près de mes idées que de celles du clergé, rêvant secrètement du jour où l'on pourrait vendre librement Balzac, Zola et Victor Hugo et pressentant que tôt ou tard ce serait la tangente à suivre. Malgré tout, Garneau se voulait en tête de file et non à ma remorque. Inconscient, occupé à lutter contre «les forces du bien», j'allais y goûter.

Mais, pour l'instant, mes priorités étaient plus terre-à-terre parce que soumises à l'enjeu de toute guerre: l'argent. Ici aussi, j'aurais à jouer des pieds et des mains; en ce domaine au moins, je m'y attendais, ne connaissant du capital que le titre d'un ouvrage de Karl Marx et n'ayant eu, de par mes origines et mes ébats, à côtoyer aucun de ces nantis avec qui faire la paire, n'ayant vu de la richesse que l'étalement de ceux qui la possédaient. J'étais au moins conscient – qui connaît ses failles peut mieux lutter – que si je pouvais bomber le torse sur le plan des idées, il me faudrait me faire très petit sur le plancher des vaches.

Les banques, chacun le sait, ne vous prêteront pas pour l'encadrement avant que le tableau ne soit terminé; l'ébauche ne les intéresse pas. Heureusement qu'existent ces compagnies de finance dont la publicité vous affirme que vous n'avez qu'à demander pour être exaucé. Pas si simple...

Votre crédibilité dépend des conditions dans lesquelles vous faites votre demande. Si on attend d'être au pied du mur, on aura tellement besoin d'argent qu'on sera prêt à signer n'importe quoi. C'est mauvais comme entrée de jeu: on est alors battu d'avance puisqu'il faudra avouer au prêteur qu'on a misé trop haut ou qu'on a fait l'erreur de... ou alors mentir... mais garder bien au chaud la première version...

Savoir se présenter; mettre ses habits du dimanche, avoir l'air prospère – on ne prête pas aux miséreux –, et surtout se préparer mentalement et être persuadé de la justesse de sa requête: vous avez le filon, il ne vous manque que l'argent pour l'exploiter. Ne faites pas qu'étaler vos convictions, soyez convaincant.

Et ne vous surprenez pas si, après vous être senti d'attaque, vous arrivez chez Household Finance et qu'à la porte toutes vos bonnes dispositions tombent d'un coup; vous vous sentez minable avec dans la gorge le «motton» de l'angoisse en vous rendant compte soudain de l'importance de votre démarche. Vous avez bien un pied dans l'étrier mais, si vous ressortez avec un refus, vous êtes foutu. Les compagnies prêteuses ne sont pas légion; le seraient-elles que vous n'auriez pas, l'effort mental fourni, le courage de recommencer ailleurs, car il vous faudrait alors avouer avoir été refusé par Household et ça deviendrait un moins dans un actif déjà pas tellement reluisant.

Décidément rendu trop loin pour reculer, je fonce et je me retrouve dans un petit bureau d'un mètre sur deux (j'exagère à peine), sobrement meublé de deux chaises que sépare ou réunit un simulacre de table de travail. En m'introduisant dans ce que je considère être une «stalle» d'attente, la préposée m'invite à m'asseoir.

Et l'attente commence. Et dure. Rien dans cet espace plus que restreint qui me permette de m'évader des sombres pensées qui m'assaillent. Si les largesses de la Household Finance sont à la mesure de ses bureaux, je n'obtiendrai pas grand-chose. Comme seul dérivatif à l'ennui qui me gagne, un calendrier «pucé» à l'un des murs. J'y vois les jours du mois, de l'année, et je m'amuse à en additionner les sept colonnes de ce mois de septembre 1941.

Usant de la méthode enseignée du calcul mental, j'en ai vite fait les additions, si bien que j'ai le temps de recommencer et d'ainsi vérifier que je ne me suis pas trompé. Assuré que mes totaux à la verticale sont bons, je recommence le jeu à l'horizontale, mais avec un peu plus de difficulté. Je puis constater que cette façon de jouer avec les chiffres a du bon, puisqu'on peut la pratiquer sans papier ni crayon car elle n'implique pas de retenues.

Pour passer le temps, je m'amuse à tourner entre mes doigts le crayon dont je ne me suis pas servi et je fixe de nouveau mon «tableau» dont je ne peux plus rien tirer. Les occasions de se distraire ici sont pratiquement nulles; il n'est pas donné à tout le monde d'être dérangé par un calendrier.

Un changement de posture s'impose, et je retire ma jambe gauche qui est sous ma droite pour la poser dessus. Je m'impatiente et je prends une décision de déserteur: si on n'est pas venu d'ici cinq minutes, je fous le camp.

Ma montre n'ayant pas d'aiguille pour les secondes, je suis obligé d'attendre que celles des heures et des minutes soient bien en ligne, ce qui donne à mon courage un sursis d'autant. Enfin, juste au moment où j'allais partir, un commis s'amène en trombe, visière au front et manches «redingotées», déplace autant d'air qu'il marmonne, déplorant manquer de temps pour tout faire: les entrevues, les dossiers à classer, les décisions à prendre, etc. Ce faisant, il renverse ainsi la vapeur car c'est tout juste s'il ne me demande pas de sympathiser avec lui.

Ce n'est pas de lui qu'on pourrait tirer un portrait hors du temps – l'évanescence, il ne doit pas connaître – mais je me dois de respecter sa douleur car c'est entre ses mains que repose mon destin, entre ces mains qui ont feint d'échapper ces feuilles qui sortent d'une chemise de format légal et qu'il tapote sur la table pour les y réinsérer, comme on fait pour ajuster un ensemble de feuilles rebelles par un jeu de doigts aux quatre coins.

Il continue de marmonner pendant que je me demande si tout cela ne fait pas partie d'une mise en scène qui tout à coup m'amène à constater que sa chaise est légèrement plus élevée que la mienne. Tout cela érode ma patience, me fait regretter de n'être pas parti, me rend nerveux. Et je me dis que cet homme n'a jamais eu à demander d'argent; autrement, il aurait pitié, il cesserait de fanfaronner.

Enfin, au moment où je m'y attends le moins, il me toise et m'apostrophe d'un «Et alors?» qu'il répète avec l'impatience de qui a autre chose à faire. Je demeure ébahi de me faire demander l'objet de ma visite, comme je le serais d'expliquer à une tenancière de maison close ma raison d'avoir franchi sa porte.

S'ensuivit alors un long questionnaire que je qualifierais d'inquisiteur, m'obligeant à me mettre plus à nu qu'au temps où l'on se devait d'avoir un directeur de conscience à qui on ne devait rien cacher et qui prenait plaisir à nous forcer à avouer, en ajout aux fautes confessées, les tentations auxquelles nous n'avions pas succombé...

Pourtant, je n'avais rien d'autre à déballer que mon besoin d'argent, le pourquoi, le combien (mille dollars), mais il voulait en savoir davantage: l'âge de mon père, ses prénoms, son occupation, ses gains annuels; l'âge de ma mère, son nom de fille (ça m'a fait drôle d'entendre ça, car j'imaginais mal ma mère en fille); l'âge de mes grands-parents, si je pouvais compter sur eux en cas de pépin; combien j'avais de frères et sœurs; ce que je comptais faire de l'argent que l'on me prêterait et, si on acceptait ma demande, avais-je une date mensuelle préférentielle pour le remboursement? En douze ou dix-huit mois, ce qui me ferait des échéances de tant pour douze mois ou de tant pour dix-huit mois.

Est-ce que je devais de l'argent à quelqu'un d'autre? Si oui, combien? Pouvais-je fournir des références? Inscrire noms, adresses et numéros de téléphone, si possible. Sinon, fournir le nom et l'adresse d'un proche parent avec son numéro de téléphone. À défaut, ceux d'une connaissance qui éventuellement pourrait me servir de caution.

Étais-je propriétaire ou locataire? Et, selon le cas, à jour ou en retard dans mes paiements? Rayer la mention inutile.

Avais-je déjà emprunté ailleurs? Si oui, spécifier le montant emprunté ou remboursé. Avais-je déjà emprunté dans une autre succursale de la Household Finance? Si oui, laquelle? Qu'est-ce qui m'avait amené chez Household plutôt que chez un concurrent? Qu'avais-je aimé ou détesté dans leur publicité d'approche? Aimais-je le logo de leur maison? Les couleurs de leur enseigne? Quel était mon journal préféré? Quel moyen de transport employais-je le plus souvent?

Mais, plus que les questions posées, ce qui m'agaçait, c'étaient ces longs silences dont il usait après certaines questions, comme s'il avait voulu me donner une chance de me rétracter ou se donner l'aubaine de me prendre en défaut. Il me reportait sans le savoir à la façon d'un prédicateur dont chaque périphrase annonçait la fin de son sermon mais qui se lançait dans une autre envolée jusqu'à ce que cette méprise vingt fois servie nous apportât enfin l'amen tant attendu.

Et ce fut après l'un de ces longs silences, retournant les pages de mon questionnaire comme pour vérifier s'il n'avait rien oublié, qu'il se leva, emportant avec lui mon dossier en me prévenant qu'il allait très vite revenir. La porte refermée, je me demandai pourquoi il ne me disait pas tout de suite si ma demande était ou non agréée.

Je me confondais en conjectures ; j'avais répondu à toutes les questions, j'avais un père et une mère, des frères, des sœurs, des grands-parents comme tout le monde et je me considérais comme le meilleur des candidats jusqu'à me demander à qui ils accepteraient de prêter si je n'étais pas ce client idéal tant visé par leur publicité.

Ils savaient pourquoi je voulais cet argent : je me faisais fort de le faire fructifier. Je n'avais pas de dossier défavorable, mon passé était garant de l'avenir ; que je n'aie jamais dupé personne impliquait forcément que je n'avais pas l'intention de les tromper. Mais, de grâce, que ce messager se hâte, son « Ne bougez pas, je reviens » avait un relent d'éternité qui me laissait des sueurs froides à imaginer le pire : un « Non, je regrette, ce sera pour une autre fois » qui m'aurait rejeté dans la rue sans même que j'aie eu la chance de leur donner la preuve que je vendrais ma chemise plutôt que de manquer à ma parole.

Et je me surpris à pronostiquer encore une fois, à excuser mon commis qui devait être occupé à cuisiner un autre client, à me dire que ce serait long, que je n'avais qu'à prendre mon mal en patience puisque, maintenant, il n'était plus question de m'en aller. Peut-être aussi que Household était limitée dans ses prêts, qu'elle n'avait que mille dollars à prêter par jour, qu'un autre était passé avant moi et qu'on lui avait consenti ce seul fonds disponible, ne laissant rien pour les autres.

Je crois que c'est ici que j'ai commencé à divaguer, à perdre la notion du temps, à me reprocher de n'être pas venu une heure plus tôt, avant « l'autre » qui avait dû empocher le magot – le monde n'appartient-il pas à ceux qui se lèvent tôt ? –, à regretter de m'être prélassé au lit à seule fin d'être en forme. À neuf heures plutôt qu'à dix heures, un écart d'une heure qui s'imposait comme un éteignoir, faisant du rêve une dure réalité. « Neuf plutôt que dix » devint vite un tam-tam à me défoncer les tympans, le supplice de Tantale en phase terminale, le bruit sec du pendule à la façon du « toujours / jamais » de mon catéchisme illustré. Mais, une fraction de seconde avant que je ne tombe dans les limbes, tel un boxeur novice entré dans l'arène les bras ballants avec la seule conviction de pouvoir encaisser, je fus sauvé par la cloche, ici métaphoriquement symbolisée par l'entrée dans ma «cellule» de mon clerc, qui, avant même que j'aie eu le temps de voir ce qui se passait, déposa sur la table une liasse de billets de banque et devant moi une feuille aux multiples paragraphes en petits caractères, en me demandant de signer là, tout au bas de la feuille, à droite. Quand ce fut fait, il me tendit la main en me souhaitant bonne chance.

Il y avait si peu de commune mesure entre mon arrivée et mon départ, entre le long processus et la fin abrupte de cette affaire, que seul un spécialiste de l'automatisme pourrait expliquer comment, après avoir empoché les mille dollars, je me suis retrouvé dans la rue, à longuement regarder la façade et l'enseigne de la Household Finance, me jurant que jamais plus je n'y remettrais les pieds.

J'y suis pourtant retourné cinq fois.

# III

Ce n'était ni le site ni la taille de ma librairie qui ne cadraient pas, mais l'époque. J'avais choisi le centre-ville parce que c'était là que vivotaient les miens, parce que c'était le lieu où prévalaient le pain et les jeux. J'aurais plaisir à y faire l'empêcheur de tourner en rond, au risque d'être perçu comme un hurluberlu.

Aussi loin que remontent mes souvenirs, je n'ai pas vision d'un livre (si j'excepte *L'Almanach du peuple*), encore moins souvenance d'une bibliothèque chez aucun des miens. Cette indifférence face au livre venait sans doute du fait que l'on tirait tellement gloriole des sillons tracés à la sueur des corps qu'il n'était rien de valable qui ne fût manœuvre, d'où ces préjugés contre tout ce qui pouvait se faire sans effort physique, toutes formes d'art étant tenues pour du batifolage, les plus viles logeant à l'enseigne de la lecture et du théâtre.

En ouvrant une porte sur le savoir, il me semblait que la curiosité du «jamais vu» dans le quartier suffirait, que de remplacer en vitrine une limousine Packard par les quelques tomes parus des *Hommes de bonne volonté* ferait sursauter les passants. Au lieu de cela, la plus totale indifférence. Ce n'était pourtant pas faute de public; dans un arrondissement des plus populeux, à l'«épicentre» du quartier des affaires, là où abondaient boutiques et grands magasins, édifices à bureaux et manufactures, et où pullulaient clercs et midinettes, j'avais un public hétéroclite dont je tirais d'avance mérite à compenser les carences.

Mais je ne savais pas – je ne le saurai que dix ans plus tard – que j'étais en avance sur mon temps. Dix ans, c'est long à vivre d'attentes et d'espérances. Je ne prévoyais pas de crier victoire dès le départ, mais je ne m'attendais pas non plus à ce que mes contemporains soient si démunis et surtout si peu concernés. Si bien que mes efforts qui se voulaient tendus vers le grand public ne parvinrent à toucher que quelques fonctionnaires et journalistes qui, pour la plupart victimes du système, avaient les yeux plus grands que la panse et, tout en me donnant bonne conscience par leur assiduité, regrettaient de ne pouvoir faire bombance.

Mes clients étaient si peu nombreux que je pouvais les compter sur les doigts d'une seule main. Pour les journalistes: Renaude Lapointe, Germaine Bundock, Monique Duval et Georgette Lacroix (pour ne pas les nommer), me laissant en prime (ou pour équarrir mes fins de mois) deux avocats, Marguerite Choquette et Maurice Lagacé, lesquels plus tard accéderont à la magistrature, mais qui, pour l'heure, me gratifiaient de cette fierté qu'éprouve tout libraire à vendre des œuvres de la Bibliothèque de la Pléiade.

Je veux être pendu si j'oublie quelqu'un d'autre, encore que volontairement je fasse abstraction de cette dame d'un autre âge, au statut social indéfini, laquelle, quoique millionnaire de réputation, nous volait un livre sur deux. Son manège consistait à entrer chez nous les mains cachées dans un manchon, et, farfouillant parmi les livres étalés, elle en dénichait un, de préférence relié – elle nous fit le coup une fois avec *Le Cardinal* de H.M. Robinson –, puis s'amenait à la caisse en prétendant l'avoir acheté la veille et vouloir l'échanger contre un autre. Nous avions donné ordre à la caissière de s'incliner, de ne pas faire d'histoires et d'acquiescer à sa demande. On se reprendrait le jour où, à l'occasion d'un nouvel arrivage de livres en solde, cette dame nous achèterait un mètre ou deux de livres, asservis à l'espace disponible (pourvu qu'ils soient reliés ou cartonnés). Elle voulait ainsi garnir un ou deux rayons d'une bibliothèque qu'elle avait fait assembler dans une vaste salle de sa propriété entièrement meublée de style baroque. Je dis «baroque» au sens littéral du mot, c'est-à-dire mélangeant les factures et les époques. Elle était notre «drôle d'animal», celle dont on avait plaisir à se moquer, et dont les larcins, tout compte fait, ne portaient pas à conséquence. Elle faisait partie de nos meubles comme nous faisions partie des siens, et il semblait que, de chaque côté, c'était à charge de revanche.

Ces gens étaient tout mon univers si j'excepte la relève de ces enfants qui, chaque jour de congé, nous étaient fidèles, sans toutefois jamais rien acheter. Ils venaient, par petites grappes, feuilleter nos livres d'images ou de contes, tels *La Semaine de Suzette* ou *Bayard*. Nous ne leur imposions qu'une seule condition: qu'ils aient les mains propres. J'éprouvais une certaine jouissance à les entendre s'esclaffer ou se raconter leurs trouvailles, à simplement les voir là, accroupis au sol, leurs petites jambes croisées en guise de lutrin. Ils seraient mes clients de demain, je ne les en aimais que davantage.

Derrière eux (ou devant, c'est toujours selon) se profilait cette petite horde de salariés prolétaires que j'aimais bien malgré tout, espérant toujours les convertir, mais qui semblaient se satisfaire de leur état (déduction que je tirais de par les achats que sporadiquement ils venaient faire aux jours d'opulence en se procurant un livre didactique), acheteurs occasionnels qu'on ne reverrait que six mois ou un an plus tard, à la cadence de leur évolution.

À tout ce beau monde, je préférais malgré tout ces quelques clients qui venaient me trouver pour se faire proposer «un bon livre pour la fin de semaine». Avec eux, j'avais la prescience de me préparer un avenir puisque j'avais l'occasion de les prendre à la maternelle de leur expérience livresque pour les mener d'un auteur à l'autre comme on passe d'un niveau scolaire au suivant. Après quoi ils pourraient s'éclater dans un élitisme dont ils seraient les seuls artisans.

Causer avec les uns et les autres, c'était discourir de préoccupations communes, nous aidant mutuellement à supporter les aléas inhérents à nos professions respectives. Ainsi, j'aimais bien bavarder avec Germaine B., ayant avec elle beaucoup d'affinités. Animatrice d'un courrier du cœur sous le pseudonyme de Pascale France, elle eût aimé – mais on ne choisit pas son destin – naître et vivre à Paris. Elle avait maintes fois offert ses services à des revues françaises, mais la France, souffrant autant que nous d'un manque à gagner, refusa ses propositions.

Elle décida un jour, pour s'en consoler, d'aller passer ses vacances à Paris, mais c'était au temps où les conditions de travail étaient dégueulasses, non seulement pour elle mais pour tous ceux et celles à qui on conseillait de se taire et de se satisfaire de travailler.

Elle eût préféré mettre sa plume à plus valorisant escient, mais c'est ce que la vie, qu'elle disait mesquine à son endroit, avait trouvé de mieux à lui offrir. Pour s'en venger, n'ayant droit qu'à une semaine de congé par année, elle préférait passer outre une année sur deux, de façon à pouvoir jouir d'un plus long séjour à Paris. Cent deux semaines d'affilée au boulot pour se ressourcer durant deux courtes semaines, qui dit mieux ?

J'en parle au passé parce que Germaine B. n'est plus. Elle se sera quand même, jusqu'au soir de sa vie, imposé une telle somme de travail pour profiter d'un si court temps de relâche. J'espère seulement, si Dieu existe, que, à son arrivée au paradis, saint Pierre lui a donné un aller simple pour Paris.

* * *

Quand on ne sait plus que faire devant une apathie généralisée, les idées les plus farfelues vous assaillent. En regardant cette foule qui, massée devant ma librairie en attente d'une correspondance d'autobus, piétinait sur place plutôt que d'entrer «voir» ma librairie, ou du moins faire semblant d'être intéressée, quitte à repartir les mains vides, je restais perplexe à me demander si je ne ferais pas mieux d'installer en montre un buste de mannequin aux formes bien dessinées, à seule fin de provoquer. N'eût été le ridicule de l'idée, je l'eusse fait, mais je m'en suis abstenu pour ne pas éveiller en haut lieu la hantise qui sommeille en tout corps constitué de voir ses arrières menacés. Je me devais de progresser avec la lenteur et la méfiance d'une couleuvre.

Déjà, pour ne pas m'attirer les foudres des mangeurs de balustres, je m'étais soustrait aux reproches faiblement énoncés de ceux qui auraient voulu me voir respecter la tradition en invitant le maire de la ville à venir sanctionner mon projet et le curé de la paroisse à bénir mes locaux. C'eût été une belle occasion pour les journaux à potins d'en souligner l'anachronisme; on ne bénit pas les auteurs cités à l'Index.

Inviter les journalistes et les photographes des principaux quotidiens, les traiter au champagne et aux petits fours, leur permettre de s'évader ainsi de leur train-train quotidien pour se retrouver entre eux dans une atmosphère autre que celle des chiens écrasés, ça, j'aurais bien voulu. Mais la décence, bordel! Inviter une autorité sans l'autre, le maire sans le curé, ça ne se faisait pas.

Et je ne me voyais pas serrer la main du curé Gravel (un m'as-tu-vu qui ne demandait qu'à être provoqué) et lui demander de bénir mes locaux. Il en aurait profité pour fouiner et découvrir, même caché sous les combles, l'Index du père Sagehomme, et me l'aurait passé sous le nez en criant de sa voix de stentor que ce devait être là le livre de chevet de tout libraire qui se respecte. Le lendemain, dans les journaux comme à la radio, c'est lui qui aurait eu la vedette? Merci bien.

Prédire en ce temps-là que l'Église, face à l'évolution de ses fidèles, abolirait l'Index tôt ou tard, c'eût été faire admettre au curé Gravel et à ses acolytes que c'était anticiper un non-lieu; raison de plus pour démarrer tout seul. Chacun allant son chemin, l'un tendant sa laisse, l'autre tirant dessus, il incombera à l'histoire de déterminer laquelle des deux avenues devait être empruntée.

Rien d'étonnant à ce que nos auteurs canadiens aient eu tant de peine à percer. On savait par expérience qu'il leur était interdit de seulement entrouvrir une porte de chambre à coucher, à moins que ce ne soit pour glorifier une naissance. Pas question de remonter dans le temps, un enfant se devait de naître sans avoir été conçu. Pas étonnant non plus que le premier best-seller canadien ait été un livre de recettes de cuisine – de Janette Bertrand. Paix aux âmes de bonne volonté.

J'enviais secrètement mes confrères étrangers, ceux de Paris notamment, qui, bon an mal an, bénéficiaient d'un best-seller, d'un prix littéraire de prestige, d'une vague. Ici, de vagues, on ne connaissait que celles d'ouvrages qualifiés d'attrape-l'œil, mais qui, pour didactiques qu'ils se vantaient d'être, connurent une vogue qui ne s'expliquait que par la soif de connaître de notre jeunesse d'alors. Le leader qui en faisait la promotion avait pour bannière ce titre flamboyant: *Au service de l'amour.*

Vinrent dans l'ordre: *Ce que tout jeune homme devrait savoir* et son pendant, *Ce que toute jeune fille devrait savoir.* Mes «usagers» s'en gavèrent d'autant plus que, ayant habilement passé le test de la censure, ces ouvrages ne connurent d'autre restriction que celle de s'adresser «à un public averti».

Le seul fait de n'être pas interdits, de n'être pas cités à l'Index, leur permit une large diffusion, ceux et celles qui les lisaient n'ayant pas à se cacher pour le faire. Ce furent, pendant des années, des best-sellers que la librairie Pony ne cessait de réimprimer et, pour moult libraires, une corne d'abondance qui leur permit de boucler bien des fins de mois. Comme quoi on a les prix de consolation que l'on mérite.

Ce que l'on n'avait pas prévu en haut lieu, c'est qu'il est difficile de faire admettre à une buse qu'elle en est une, si bien que tout un chacun se targuait de faire partie de ce public «averti» et, partant, n'avait pas besoin d'un billet de son confesseur pour se procurer l'un de ces livres.

Mais là où le bât risqua de blesser, là où la gent en robe crut pouvoir crier victoire et décréter un holà, ce fut lorsque la librairie Pony (après avoir longtemps hésité et beaucoup consulté) se hasarda à éditer *Le Droit à l'amour pour la femme.* Ce livre, plus toléré qu'accepté, connut un succès mitigé. Car, si l'on pouvait ébranler les convictions quelque peu forcées des Jeunesses ouvrières catholiques (JOC) et des Jeunesses étudiantes catholiques (JEC), on pouvait difficilement s'attaquer aux croyances bien ancrées des Dames de Sainte-Anne et de leurs congénères. Il fallait donc n'être d'aucune confrérie pour se croire autorisé (e) à lire ce livre et j'en ai vu, de mes yeux vu, se présenter chez nous avec une ordonnance de leur médecin pour se le procurer!

Chez les jeunes, on ne s'embarrassait pas de tant de scrupules, d'où le succès des ouvrages du docteur Carnot. Henri Tranquille, de la librairie du même nom, me confiait un jour avoir reçu de jeunes garçons venus lui demander «pour leur sœur» *Ce que toute jeune fille devrait savoir...*

La vente de ces livres ne mettait pas un baume sur mes aspirations. J'aurais préféré voir ces jeunes s'intéresser ne fût-ce qu'aux romans à l'eau de rose, cette littérature ayant plus de chances de les mener aux biographies romancées et logiquement à l'histoire. Mais, encore là, il fallait se satisfaire que la table fût mise et ne pas trop exiger des convives.

On n'a plus aujourd'hui ce souci – peut-être est-ce moins requis – qu'avait le libraire en ces années 1940 et 1950 de conduire son client par la main, de le mener lentement mais sûrement vers ce pourquoi vous avez décidé un jour d'être marchand d'idées. Ce qu'il y avait de plus désespérant dans la vente de ces ouvrages «didactiques», c'est qu'ils étaient sans suivi. Après qu'ils eurent appris ce qu'était un utérus, un clitoris, une trompe de Fallope, leur soif de connaître s'arrêtait là; ils étaient assurés d'être armés pour la vie.

Et pourtant, après avoir lu le premier tome des *Pasquier*, une seule hâte vous prend, celle de lire le deuxième. Mais avant de mener le néophyte jusque-là, le libraire devait y aller sur la pointe des pieds et, pour ne pas «forcer» la capacité d'encaisser du client, lui suggérer des ouvrages de digestion facile, un Simenon, un Maupassant, puis, progressivement, pour qu'il puisse se vanter d'avoir lu les grands maîtres, *L'Idiot* ou *Le Joueur* de Dostoïevski, *La Symphonie pastorale* de Gide, ce qui, immanquablement, lui donnait le goût de continuer. À l'inverse, si vous précipitiez les choses en lui proposant Homère ou Montaigne, vous risquiez de le rebuter. Quand il s'agit d'évolution, la marche doit avoir préséance sur la course.

* * *

Ce qui n'allait pas, dans ma librairie, c'était son rayonnement limité. Il n'était pas besoin d'être un Einstein pour en déduire que, le marché du livre étant coincé aux entournures, il fallait être leste en affaires, agrandir son champ d'action, user d'encarts publicitaires dans les revues et journaux pour tenter de rejoindre une plus grande clientèle.

Au lieu d'attendre passivement la suite, j'ai usé de cette facilité que j'avais pour les mathématiques et en ai déduit que si

Québec pouvait me donner une vingtaine de bons clients, Montréal pourrait aisément m'en fournir le double; il me resterait à aller chercher une moyenne de huit ou dix clients pour chacune des villes de moindre importance entre ces deux pôles, et sur les deux rives, du nord au sud, d'est en ouest, sans en oublier les confins, que j'appellerais des «sextants», ni l'arrière-pays, des «relents de ville». Ne rien négliger, si petit que puisse me sembler tel village ou hameau, ni personne, y compris ces cultivateurs qui se couchent et se lèvent avec le soleil (laissant derrière eux des adolescents en peine). Pour tous et chacun, trouver un périodique ou un journal qui les touche, de *La Revue populaire* à *Sélection du Reader's Digest*. Ayant pour ma ville le journal *Le Soleil* (à qui je dois la lune), encore qu'il lui faille chaque fois «filtrer» mes textes publicitaires (au cas où), j'aurai pour Montréal *Le Petit Journal* des frères Maillet à qui je dois ici rendre hommage pour avoir brisé la réputation qu'on leur accolait de n'être que des «bobardeux» et avoir été, si j'excepte *Le Devoir*, les premiers à nous consacrer une page littéraire, à seconder nos efforts en reproduisant nos communiqués et, avec le temps, à développer avec nous une complicité des plus profitables.

Avec le recul, je dois admettre que mes faibles reins n'auraient pas tenu sans l'appui moral de ces deux journaux. *Le Petit Journal*, dont les frères Maillet se voulaient des intellectuels, m'avait à la une, tandis que *Le Soleil* se devait de lutter contre l'ostracisme du journal *L'Action catholique*. Ce dernier, dans une campagne de promotion sans précédent, livrait au *Soleil* une lutte sans merci. C'était, on ne saurait qualifier la chose autrement, du jansénisme à l'état pur (on était damné si on n'était pas abonné à *L'Action*).

Au plus fort de la lutte, menée de main de maître par tous les curés du diocèse, appuyés par le Mouvement Desjardins, *Le Soleil* en vint à un cheveu d'avoir à déclarer faillite. Il aura fallu le leadership d'Alfred Mercier pour donner le coup de barre qui s'imposait. Son sens des affaires, son prestige et son affabilité, sa réputation d'homme intègre ont fait que le plus orthodoxe des convertis n'aurait su l'attaquer.

Membre et parfois président d'organismes de prestige tels l'Institut canadien, le Cercle universitaire ou la Chambre de commerce, il a su s'entourer d'hommes de sa trempe, d'amitiés, d'appuis (je pense à Philippe Plamondon, à Marcel Trudel, à Wilfrid Bhérer), pour former une sorte de consortium devant lequel les forces de l'ordre clérical ont dû refréner leurs ardeurs. C'est ainsi que, sous sa gouverne, *Le Soleil* reprit du poil de la bête. Par son rigorisme, Mercier réussit, lentement mais sûrement, à remettre le train sur ses rails, et *L'Action catholique* sur une voie d'évitement, ce qui, si je ne m'abuse, a été pour ce journal le commencement de la fin. Mais les saints savent souffrir et sa mort a été lente, très lente. N'importe.

Ne pas oublier, dans mon périple, ni l'Abitibi, ni le Lac-Saint-Jean, dont Péribonka, le pays de Maria Chapdelaine, ni Caraquet, celui d'Évangéline, dans les Maritimes. Quant aux gens qui se morfondent dans les terres aux confins des villages, j'userai du *Bulletin des Agriculteurs* pour les recruter et leur permettre, en s'abonnant à mon Club de Lecture, de meubler leurs longues soirées d'hiver et les mornes dimanches d'automne.

Tant pis si, par ricochet, la natalité en prend pour son rhume. Le roi n'étant pas mon cousin, mon boulot à moi, c'est de faire tourner les ailes de mon moulin. Il suffit d'offrir en prime un livre ou deux à qui promet (faire attention de ne pas dire «s'engage») d'acheter trois ou quatre des douze volumes offerts par année. Facile à opérer. Pour les primes, offrir les livres en solde des Presses de la Cité; pour les livres du mois, les best-sellers de chez Laffont, *L'Homme au complet gris* ou *Exodus*, et, chez Calmann-Lévy, *Le Journal d'Anne Frank* ou *Ouragan sur le Caine*...

Pour sûr, il faut investir. Mais j'ai toujours ma bonne vieille amie H.F. sur qui je puis compter, contrairement aux banques à charte, qui ne prêtent qu'aux bien nantis. J'en serai à mon cinquième ou sixième emprunt (je préfère ne pas les compter). Il suffit de savoir que chacune des échéances a été respectée, que j'ai le dossier de l'emprunteur modèle, celui que H.F. se plaît à proposer dans ses slogans publicitaires. Reste que, même avec un aussi confortable dossier, c'est chaque fois à recommencer ou presque, la politique de la compagnie étant d'imposer à son personnel le jeu de la chaise musicale, qui consiste à déplacer un commis d'une succursale à une autre tous les deux ou trois ans. Je risque donc de «tomber» sur un nouveau qui, par zèle, voudra scruter mon pedigree et s'assurer, parce que dressé dans la suspicion, que ses prédécesseurs m'ont bien «cuisiné». Il lui faudra également vérifier sans doute si je n'ai pas, dans le passé, tronqué les faits.

Je n'ai rien à cacher; le désagrément sera d'avoir à me répéter. Point n'est besoin d'inventer quand, au jeu de coulisse, on a atteint la perfection.

Finalement, tel qu'appréhendé, j'ai dû faire face à un nouveau commis. J'ai senti dès l'abord qu'il ne me ferait pas de quartier, que rien n'était acquis, qu'il était le maître d'œuvre et qu'en cas d'accord je lui devrais une fière chandelle. Cause toujours, mon lapin!

N'empêche que, malgré ma belle assurance, après quelques allers et retours de sa part, j'ai soudain senti la soupe chaude. Je ne pouvais concevoir que c'était entre les mains de ce petit blanc-bec qu'allait se jouer mon destin.

Devenu un habitué, sachant d'expérience qu'il ne s'agissait que d'un mauvais quart d'heure à passer, je décidai, entre deux prestations de mon tortionnaire, de lui en mettre plein la vue avec mes prospectus, mes encarts publicitaires, ma correspondance avec Swen Neilsen, Robert Laffont et Calmann-Lévy. À son retour, il en resterait bouche bée: un trou, une cheville!

À la place, dédaignant mon invite à relever le défi que je lui lançais de me dire où se trouvait la faille dans mon projet, il me servit un refus poli mais ferme. Ça ne commandait pas d'aller plus avant: consultation prise avec le gérant – un quelconque fantôme que je n'avais jamais vu –, la décision était prise. Une autre fois peut-être, mais aujourd'hui, rien à faire.

Et sans appel. Je pris l'attitude de celui qui s'en fout, à seule fin de ménager mon amour-propre, et le remerciai de l'heure et demie qu'il venait de me consacrer. Comme lors de la toute première fois, je me retrouvai dans la rue à regarder l'enseigne, le logo, les couleurs de la compagnie, en me jurant – et promesse tenue, cette fois – qu'on ne m'y reprendrait plus.

De retour à mon bureau, face à cette paperasse étalée, je cherchai à comprendre l'attitude de H.F. Pour ne pas avoir à la ruminer pendant des jours, je décidai de conclure qu'ils étaient dans les normes, que H.F. avait raison, qu'il était temps pour moi de recevoir une leçon: que j'apprenne à me démerder tout seul.

Je me consolai de piètre façon en me disant qu'il était peut-être dans leur politique d'aider dix clients plutôt que trois fois le même, et qu'ils devaient se méfier de ceux qui, partis de rien, semblaient n'aller nulle part.

Je me réconfortais du mieux que je pouvais, à constater que la clientèle de ma librairie progressait légèrement d'une année à l'autre. Aux professionnels, journalistes et étudiants s'étaient joints quelques séminaristes en goguette, quelques «cornettes» égarées, un embryon de profanes délurés qui, aux heures de pointe, me laissaient l'impression que ma librairie était prise d'assaut. Le grand public, lui, ne bougeait pas. J'étais trop près du rêve caressé pour me laisser arrêter par cette réalité. *À n'importe quel prix*, il me fallait sortir de ce pétrin.

À n'importe quel prix? Faudrait voir. Je n'étais pas prêt à affronter une autre compagnie de finance – il est des bassesses qu'on ne refait pas –, à courir le risque d'encaisser encore un refus, car elles devaient se communiquer entre elles leurs dossiers chauds. Un service en attire un autre.

Je ne pouvais grever ma librairie, n'ayant pour actif que des clous. Me restait cette maison de campagne délabrée, acquise d'occasion quelques années plus tôt, hypothéquée jusqu'au toit et que je n'aurais su offrir en vente que restaurée. C'était pour l'heure mon havre de paix aux heures de cafard; ce serait, au moment de la retraite, le reflet de ma réussite... ou un refuge où panser mes plaies.

Pour me venger de mes caisses vides d'oranges dans lesquelles, au temps de ma jeunesse, je classais mes livres, rangement contre lequel pestait ma mère à cause de la rugosité du bois, ma première préoccupation avait été de me fabriquer, sur trois murs, une bibliothèque à faire rêver. J'y ordonnais ma collection personnelle de livres lus et à lire... J'y cataloguais aussi «en pénitence» ceux que je n'avais pas le temps de lire et qui me seraient d'appoint au soir de ma vie, parce que, alors devenus des incunables, je ne pourrais me les procurer qu'à prix d'or.

J'y avais aussi rangé un beau choix de volumes acquis d'un fonds de librairie que m'avait cédé à bon compte la librairie Marquis, de Montmagny. C'est avec tous ces livres comme témoins qu'en cogitation, face à un feu de cheminée, j'ai décidé, in extremis, de m'en départir pour pallier le refus de Household Finance, à seule fin de réaliser mon projet. J'ai longtemps, très longtemps regretté de l'avoir fait, mais n'en ai pas moins maudit H.F., détesté son logo, abhorré ses couleurs... C'est ainsi que j'ai sacrifié des œuvres d'Edmond Rostand, un *Napoléon le Petit* de Victor Hugo, les *Contes* d'Andersen, ceux de Daudet, *La Semaine sainte*, *Les Yeux d'Elsa* et *Le Crève-Cœur* d'Aragon, et deux éditions de luxe: *Les Fleurs du mal* et *Le Grand Meaulnes*; *Les Grands Cimetières sous la lune* et *Le Journal d'un curé de campagne* de Bernanos; et conservé, par simple curiosité, *La terre qui meurt* de René Bazin – je saisirai plus tard l'enjeu du conflit des générations entre l'oncle et le neveu –, *Voyage au bout de la nuit* et *Mort à crédit* de Céline, *Histoire sainte* et *Histoire de l'Église du Christ* de Daniel-Rops (pour voir), *Les Raisins de la colère* de Steinbeck, *L'Adieu aux armes* et *Pour qui sonne le glas* d'Ernest Hemingway, puis des ouvrages de moindre importance mais qui m'intriguaient, tels *Les Grandes Amitiés* de Raïssa Maritain et *Du crétin au génie* du docteur Serge Voronoff. Je passe délibérément sur des œuvres de Camus sacrifiées aussi dans le lot mais que je pourrai toujours retrouver sous une forme ou une autre (dans la Bibliothèque de la Pléiade, notamment). J'arrête ici la nomenclature de ce qu'un jour un mauvais coup du sort m'a fait perdre, car il ne me chaut pas de m'étendre sur le sujet.

Je me souviens seulement d'avoir eu la larme à l'œil quand, du haut de la mezzanine de ma librairie, je les ai vus partir un à un. Ma seule consolation aura été de voir quelques-uns de mes bons clients s'emparer d'ouvrages de prix, de reliures d'époque, et j'ai souri de contentement à voir Germaine B. choisir deux œuvres de Paul Morand sur papier vélin de luxe, numérotées, *Ouvert la nuit* et *Fermé la nuit*, deux titres qui m'intriguaient et dont je ne saurai jamais ce qu'ils recélaient.

Ainsi dépouillé de son âme, ma bibliothèque liquidée, mon «château en Espagne» n'avait plus pour moi son attrait des beaux jours. Je l'ai gardé quelque temps, dans l'espoir de voir se raviver en moi sa cote d'amour. Puis, las d'entendre ses pierres me reprocher de l'avoir amputé de sa raison d'être, je l'ai vendu pour un plat de lentilles.

Adieu, veaux, vaches, cochons, couvée... Il est des rêves qu'il faut avoir le courage d'abandonner.

Et, pour le reste de mes jours, quand il m'arrivait d'avoir à repeindre la façade d'un modeste chalet de campagne... ou tout accessoire, je n'ai pu accepter d'utiliser les couleurs de la H.F., soit le jaune et le bleu... ou leurs dérivés.

Un jour, en tentant de les annihiler l'une par l'autre, ça a donné du gris. Alors, j'ai joui à constater que, des pires situations, on peut toujours tirer profit.

# IV

Il était sans doute écrit quelque part que, même coiffé, je n'étais pas né pour une vie de tout repos; ou simplement pas fait pour l'une de ces existences orchestrées de façon à ce que l'on meure sans avoir vécu, tels ces gens qui se satisfont de vivre simplement parce qu'ils sont nés.

Ou alors j'ai forcé mon destin en n'acceptant pas d'être la cinquième roue de mon carrosse. Mais force m'est de conclure que les résultats escomptés arrivent rarement à point nommé. Mes livres dispersés, liquidés, mon sacrifice n'allait pas pour autant stabiliser ma position – autant dire un cataplasme sur une jambe de bois – mais, le temps que j'y ai cru, le temps qu'a duré mon holocauste, que parte le dernier de mes livres, j'ai dû très tôt reprendre le bâton du pèlerin.

Quelque peu alerté par mes débuts en chute libre, je ne m'attendais pas à une réponse massive à mes encarts publicitaires. Après n'avoir fait qu'une fois le tour de mon indolente province, après avoir récolté mes quatre recrues à Saint-Raymond, obtenu mes «escomptés» dans la métropole, saigné à blanc le potentiel de l'arrière-pays, je n'aurais jamais cru – mais les paradoxes nous étonnent toujours – que mon principal pourvoyeur pût être le *Bulletin des Agriculteurs*.

Je ne me serais pas non plus figuré mettre une décennie pour atteindre le strict minimum de lecteurs qui puisse s'ajuster aux attentes des Presses de la Cité, prêtes à me consentir les soldes dont j'aurais besoin, et à celles de Robert Laffont, pour les droits d'auteur à m'être cédés. Encore fallait-il que je puisse leur garantir un débit qui vaille le papier sur lequel nous apposerions nos signatures.

Nous consoler à voir nos cousins d'outre-mer s'agiter pour reconquérir un marché amoché par des années de guerre et d'occupation n'était pas une excuse à nos maux. Mais je me plaisais à croire qu'il était plus facile pour eux de reconquérir que pour nous de tabler sans références sur une situation en devenir. Mais «comparaison n'est pas raison» pour cicatriser ses plaies avec les panacées des autres.

Pourtant, la France nous consentait des conditions exceptionnelles en nous accordant des escomptes marginaux en plus de «boulanger» ses douzaines et de nous exempter de sa TVA[1], tous avantages qu'elle n'accordait pas souvent aux siens. Les marges de crédit nous étaient pratiquement illimitées; à nous d'en profiter. Ce n'était donc pas d'obtenir des livres de Paris qui nous était ardu, mais de les écouler.

Il est vrai que la France, en ces années-là, avait un tel besoin de nos dollars qu'elle était prête à nous aider au-delà de toute logique. Il est vrai aussi qu'elle avait tout à gagner à nous voir «bûcher du bois», elle qui avait tant à se faire pardonner depuis Voltaire, consciente surtout que, si nos efforts étaient un jour couronnés de succès, elle en serait la première bénéficiaire. Logique en somme: on ne pose pas de gestes vraiment gratuits quand on est pécuniairement engagé.

Mais le temps passait... J'avais, me semblait-il, suffisamment d'années derrière moi pour, en principe, devoir jouir d'une relative rentabilité. Au lieu de cela, j'en étais toujours à écumer mes fins de mois: pirater Granger[2] pour régler mes comptes chez Beauchemin, jouer du coude avec les éditions de la Maison française à New York, profiter de l'Exposition provinciale pour y solder mes soldes. Et tourne le manège, on recommence!

Tout ça parce que mes apathiques contemporains restaient à l'écart, n'entraient pas, se contentant de piétiner à la porte de mon cénacle. En réaction, il me fut facile de conclure que tout seul je n'y

1. Taxe à la valeur ajoutée.
2. Grossiste en librairie.

arriverais pas. Il était par trop risqué d'offrir mes flancs à l'injuste vindicte d'une hiérarchie cléricale trop bien structurée et d'un régime «totalitaire» auquel elle était acoquinée et qui se prêtait à tous ses caprices. Décidément, trop de pandores pour une si petite proie.

Je tentai une approche avec la librairie Garneau, que je soupçonnais d'envier ma tangente. La marginalité ayant plus d'affinités avec ma ligne de pensée que la haute direction, c'est aux gauchistes en herbe qu'étaient Paul Saint-Cyr et Robert Saillant que j'ai pu faire partager mes vues.

Entre-temps, de nouvelles librairies profanes avaient vu le jour: Raffin, Tranquille, Lapierre et Ménard à Montréal, Tardivel à Québec, Ayotte à Trois-Rivières. Ensemble, nous avons fondé une association dont, faute de combattants, je fus élu président. Cette association nous vaudra plus tard d'obtenir l'abolition d'une taxe douanière à l'entrée des livres français au pays. Ironie du sort, il aura fallu un Premier ministre anglophone, John Diefenbaker, pour nous accorder ce qui, de tout temps, eût dû nous être un acquis.

Avec Paul Saint-Cyr et Robert Saillant, la librairie Garneau laissa tomber son appellation cléricale et devint de plus en plus une librairie profane; mais, avant que cela ne se fît, beaucoup d'eau devait couler sous les ponts et d'autres tenants d'une discutable assise allaient se manifester, en lutte contre l'envahissement de leur terrain par de pseudo visionnaires.

À trop permissif laisser-aller, le risque était pour eux de voir les colonnes de leur temple s'effriter. On préférait, d'un côté, tenir les têtes sous le boisseau pendant que notre premier magistrat[1], avouant n'y rien connaître pour mieux se désister, se targuait d'avoir atteint les sommets sans avoir jamais lu un seul livre.

Sachant mes rares confrères à la merci des mêmes problèmes, leurs efforts confinés au même contexte, je décidai d'«ouvrir les vannes» et de m'attaquer au marché des magasins à grande surface. Si, pour trouver un livre, on devait traverser la ville, à nous d'y mettre assez d'étalages pour qu'on ne puisse marcher sans buter sur au moins l'un d'eux.

---

1. Maurice Duplessis

Le hasard, à qui il fait parfois plaisir de donner le ton, voulut à cette occasion jouer du cor pour moi. En effet, le gérant d'une succursale des magasins Kresge, un certain M. Lapierre, était aussi un bienfaiteur de ma famille. Il avait payé la dot de l'une de mes sœurs pour son entrée en religion, souscrit à l'achat de son trousseau, et était même allé jusqu'à prendre en charge les paiements de la maison familiale, statuant pour son ego que, béni du ciel, il était appelé à protéger cette famille prédestinée.

Ce fut donc avec un empressement non dissimulé qu'il acquiesça à ma demande et qu'il mit à ma disposition tout l'espace dont j'avais besoin pour faire une sérieuse expérience de la vente du livre dans un endroit généralement réservé à l'étalement de babioles.

Sans être un érudit, cet homme savait apprécier. J'aurais voulu lui soumettre un projet plus terre-à-terre, telle la promotion de pistaches enrobées ou de quelque autre produit, qu'il se serait récusé, j'en suis sûr. Mais je ne crois pas me tromper en affirmant qu'il éprouvait une certaine fierté à parrainer ce volet du savoir, à constater l'intérêt de ses clients pour l'œuvre de Gabrielle Roy ou celle de Roger Lemelin et à se sentir partie prenante de l'éducation de nos jeunes, en plus de s'instruire lui-même des prédictions de Stefan Sweig qui promettait au Brésil un brillant avenir, de Jean-Jacques Servan-Schreiber lançant un défi aux Américains. Oui, ça faisait contraste mais en mieux, cet étalage d'un mètre sur dix, plein de ces valeurs dont hier encore on ignorait l'existence. Et M. Lapierre se félicitait d'avoir répondu à l'appel en souscrivant aux besoins de cette famille talentueuse, car «qui donne aux pauvres prête à Dieu».

De temps en temps, je me rendais à «son» magasin, j'y repérais «mon» comptoir, et je n'éprouvais de parfaite satisfaction que je n'aie vu une ou deux passantes s'y arrêter. Le moment de surprise passé, l'achalandage du magasin et la curiosité aidant, bien des gens succombaient au seul attrait du livre, se laissant tenter par lui, de sorte que mon comptoir devint bientôt un pôle d'attraction où, soit par intérêt, soit par snobisme, il était bon d'être vu, de flâner, de prendre un livre, de le feuilleter comme pour vérifier si le contenu était conforme à l'espoir que laissait naître le titre, puis, dans le contexte ou dans l'ordre des choses, de l'acheter.

Voilà, j'avais eu raison. Ici, le public était chez lui, c'était moi l'intrus; dans ma librairie, c'était l'inverse, d'où cette difficulté à m'imposer. Dans un grand magasin, on peut prendre un article, le soupeser, hésiter et le remettre en place sans déroger. En librairie, en principe, ça ne se fait pas; on sait pourquoi on y vient. Comme quoi rien n'est plus fragile que la susceptibilité d'un client; on n'a pas besoin d'être vendeur quand la marchandise sied à l'acheteur. Les principes de l'offre et de la demande venaient de m'être dictés, à moi de conjuguer.

Et je me tenais à l'écart, j'étudiais les réactions de cette nouvelle clientèle à laquelle je m'imposais, quoi qu'elle en pensât, et qui s'intéressait à la chose, aux livres de chez nous, à ces trois mentors qu'étaient Lemelin, Roy, Leclerc, qu'on eût dit s'être donné la main pour, à quelques années d'intervalle, ouvrir les digues pendant que sommeillaient André Giroux, Yves Thériault, André Langevin.

Pour tout dire, je valsais d'aise. J'avais fait les premiers pas, j'étais allé à la montagne, j'avais élargi mes horizons, enclenché de nouveaux points de vente, forcé le succès du Kresge, ce qui permettrait à d'autres d'emboîter le pas, jusqu'à ce que Charles Trenet lui-même s'étonne de trouver de tout dans nos pharmacies... et jusqu'au jour où la France nous imiterait elle aussi avec ses drugstores.

Mais j'anticipe. De retour à ma librairie, dans ce recoin qui me servait de bureau et qu'il me faudrait agrandir et réaménager pour mieux recevoir MM. Nielsen et Laffont qui viendraient m'y serrer la main, après avoir une énième fois constaté que le jeu en valait la chandelle, après m'être fait «pété» les bretelles et frotté les mains d'aise, je tentais de mettre un peu d'ordre et de réalisme dans ce nouvel univers et je me reprochais de n'y avoir pas pensé plus tôt, ce qui m'aurait évité l'humiliation subie chez H.F., la liquidation de ma bibliothèque, quelques nuits blanches et des mois perdus à jongler.

* * *

Mon public conquis, je me devais d'aller à Paris m'emparer de ce marché qui s'offrait; mais, cette fois, j'avais besoin de quelque chose de plus tangible que la sympathie et les bons vœux de mon banquier. Comme il valait mieux oublier ce dernier et que H.F. était forcément mise au rancart, il ne me restait qu'à recourir aux services d'un *shylock*[1], genre de quidam au perpétuel sourire, affable jusqu'au bout des ongles, qui prête à tout venant sans pratiquement poser de questions, à la primordiale condition que vous ne sachiez pas courir.

Et j'en connaissais un – on ne saurait toujours être la marionnette du destin – qui lui aussi me connaissait bien, qui demeurait tout près (la porte à côté, pour tout dire), et, ce qui ne gâtait rien, se trouvait être le gendre de mon propriétaire: une recommandation de premier ordre. Je n'ai pas eu besoin de lui faire un dessin. Il était prêt à m'aligner quatre mille dollars contre un remboursement de six mille étalé sur six mois, en douze versements semi-mensuels de cinq cents dollars. Le pactole, quoi!

Merci, Moïse Darabaner. J'empoche et je pars pour Paris car j'ai vite calculé que sur six mois ça pouvait aller. C'est un bon délai si on compte qu'il peut se passer bien des choses en six mois. On peut réaliser un coup de maître, encaisser une recette inespérée, gagner à la loterie... Mais, surtout, aller à Paris payer tous mes créanciers, leur en mettre plein la vue avec mes dollars: repartir à zéro.

Du treize à la douzaine, j'en pourrai obtenir à la tonne: les Presses de la Cité pourront m'allonger des soldes par milliers, les Messageries du Livre m'accorder deux fois quatre-vingt-dix jours pour payer. Mission accomplie. Non, monsieur Darabaner, vous n'aurez pas à faire travailler vos hommes forts pour me courir après, d'autant plus que j'ai appris, par ouï-dire, qu'à Paris on pouvait sur le marché noir obtenir jusqu'à deux francs pour le prix d'un, moyennant que la transaction se fît en dollars. Encore une fois, un rapide calcul me fait conclure que, Darabaner remboursé, j'encaisserai un surplus de quelque deux mille dollars.

1. Usurier.

Et c'est ainsi que, gonflé à bloc, je suis parti pour Paris. C'était au début des années cinquante, à l'ère des avions à hélices, dans lesquels il valait mieux avoir bon cœur, bon foie à cause des poches d'air subies dans un aller et retour sans préavis de deux mille à cinq mille pieds d'altitude. On entendait dans l'avion des ouf! et des ah!, des appels au secours auxquels les hôtesses s'empressaient de répondre du mieux qu'elles pouvaient, en titubant, et le plus souvent trop tard.

On mettait de douze à treize heures pour atteindre Paris: de Montréal à Gander, à Shannon, à Londres, à Paris; et près de dix-sept heures pour revenir – trafic aérien oblige – car il nous fallait faire un détour par les Açores.

À l'embarquement à Montréal, j'eus l'agréable surprise d'avoir pour compagnon de route Robert Laffont, de retour de New York où il était allé calmer la patience de ses associés qui s'irritaient de la lenteur que mettait sa maison d'édition à faire un succès des best-sellers américains dont on lui cédait les droits de traduction en langue française.

Je palpais instinctivement mes quatre mille dollars qui d'un coup en valaient le triple, à simplement constater que l'un de ces éditeurs parisiens que j'enviais avait des problèmes financiers dix fois supérieurs aux miens; pendant que je m'en allais chez lui avec toute la confiance du monde, il faisait le même trajet avec la semonce que, s'il n'obtenait pas ce succès de prestige doublé d'une réussite financière qu'on espérait de lui à court terme, il n'en mènerait pas large aux prochaines tractations; j'ai poursuivi mon voyage en ne cessant de palper mes dollars et, malgré les poches d'air et les soubresauts de l'appareil, de sourire béatement.

* * *

À mon arrivée à Paris, j'appris par je ne sais plus quelle indiscrétion qu'il était préférable pour nous, Canadiens, d'aller troquer nos dollars chez les pères de la Fraternité sacerdotale, rue des Saints-Pères, où nous serions bien accueillis, bien traités, et où, quoique moins généreux, on pouvait nous consentir le cours du jour, car il en existait un au marché noir comme à la Banque nationale de Paris.

Chez les pères de la Fraternité sacerdotale, je rencontrai Félix Leclerc et Richard Verreault, que je saluai du couvre-chef, ne les connaissant que de réputation et n'entrevoyant pas de titre sous lequel me présenter. Le religieux qui me reçut consulta la cote du jour et m'offrit, en francs français, la valeur de six mille dollars, que je m'empressai d'accepter.

Mal m'en prit: quand je me présentai à la librairie Plon et aux Messageries du Livre pour acquitter mes comptes, on me signifia qu'on ne pouvait accepter mes francs; on m'avait consenti d'exceptionnelles conditions dans l'attente d'être payé en dollars: des billets français, on en avait à ne savoir qu'en faire. D'un coup, j'ai compris d'où venait leur magnanimité, mais je n'allais pas chiquer la guenille; chacun prêchant pour sa paroisse, je me devais de souscrire à la doctrine d'autrui.

Ne me restait qu'à retourner chez les pères de la Fraternité pour leur raconter ma mésaventure; et, comme preuve qu'on ne peut mettre toutes les soutanes dans le même sac de lavage, j'y ai été civilement écouté: on a accepté de me «ristourner» mes quatre mille dollars sans rien exiger pour le dérangement, tout en me signalant qu'une aumône était toujours la bienvenue. J'y laissai un pourboire de mille francs, trop heureux de m'en tirer à si bon compte, car ma petite fortune aurait bien pu, à ce stade-ci, se trouver éparpillée aux quatre coins de Paris, de la place Vendôme à celle de l'Étoile. Tel un condamné venant d'échapper à la guillotine, je me serais vu contraint de retourner au Québec avec mes dettes, prisonnier de problèmes devenus cette fois pratiquement insolubles.

Malgré tout, je ne m'en tirais pas si mal. Le seul fait d'avoir étalé ces milliers de dollars à la convoitise de mes fournisseurs me conférait une sorte d'aura qui aurait pu me suivre durant des années. Je laissais derrière moi l'image d'un fils à papa qui, contrairement à la légende, savait se débrouiller; à preuve cette percée dans les grands magasins.

Il ne suffisait pas seulement d'y penser, encore fallait-il réussir l'aventure, mais voilà, c'était fait. Je n'avais plus qu'à convaincre d'autres magasins à grande surface d'emboîter le pas et je prospectais déjà en pensée Dupuis Frères, Eaton, Simpson, Woolworth et compagnie, *the sky was the limit*.

Je me suis bien gardé de faire entrer mon sponsor dans le portrait. Darabaner demeurait mon problème: j'y mettrais douze mois au lieu de six et mon usurier serait bien heureux d'allonger, lui aussi, ses arrhes.

Darabaner ayant accepté ce compromis, j'avais hâte de me retrouver chez moi, dans une atmosphère de grandeur que je m'étais fabriquée et qui ne demandait qu'à être confirmée. Et, cette fois, pour la première fois peut-être, j'avais les atouts et les outils qu'il fallait: l'argent, le nerf de la guerre essentiel à toute entreprise, et le potentiel que m'offrait ce bon M. Lapierre en me permettant un débit qui ferait tourner les ailes de mon moulin. Mais mon retour fut moins glorieux qu'escompté: un véritable coup de grisou m'attendait que je n'aurais pu présager ni cru possible de la part d'un curé qui se targuait d'avoir des lettres. Il était un inconditionnel de Pierre l'Ermite dont il défendait vigoureusement le style, glorifiait les thèmes, exaltait la «doctrine». Hors cette littérature, point de salut.

Son coup de Jarnac porté, j'ai compris – mais le mal était fait – que, profitant de mon absence – coup monté ou simple coïncidence –, l'abbé Pierre Gravel était allé visiter mon comptoir de livres au Kresge, à la suite de quoi, utilisant sa chaire comme tribune, un prône en guise de paravent, il avait condamné le livre de Roger Lemelin *Au pied de la Pente douce*, vouant l'œuvre et l'auteur aux orties, ceux qui le lisaient et ceux qui le vendaient aux enfers.

Ç'aurait été sans trop de conséquences dans le cadre d'une étude ou dans celui d'un forum où il y aurait eu un droit de réplique, mais, de la nef de son église à mon comptoir de livres, il n'y avait qu'un pas que treize commères à la douzaine s'empressèrent de franchir pour aller «charitablement» prévenir M. Lapierre que, en permettant la vente de ce livre, il risquait de perdre son âme, d'être frappé d'anathème. Car celui qui tient le sac n'est-il pas aussi coupable que celui qui l'emplit?

Le sang de catéchumène qui circulait dans les veines de ce bon M. Lapierre ne fit qu'un tour; sans me laisser la possibilité d'en faire valoir le non-sens, il me somma d'aller chercher *tous* mes livres, arguant qu'il n'était pas qualifié pour trancher et faire un tri. C'est la rage au cœur que j'ai dû m'exécuter, sans en tenir rigueur à ce mécène en herbe, car il usait de ce privilège accordé aux néophytes et dont il faut respecter les carences.

J'ai su, par la suite, que mon curé en avait profité pour mettre ses ouailles en garde contre les chats de Colette, la chaleur du nid de Magali et ces travestis que s'avéraient être George Sand et Max du Veuzit. Quand on n'a pas le courage d'afficher ses couleurs...

Quand je reprochai au curé Gravel de mélanger les pommes et les oranges, de n'avoir pas lu les ouvrages qu'il condamnait, il me rétorqua que les titres et les auteurs lui suffisaient.

Mauvaise foi, manque flagrant de déontologie, ou carence de culture? Va savoir! Mais tu te retrouves devant une déclaration de guerre sans motif. C'est alors que je me suis juré que, si ce curé s'était promis d'avoir ma peau, en revanche j'aurais sa soutane; s'il se voulait ma mouche, je serais son coche. Mais, n'ayant pas de tribune d'où j'aurais pu lancer mes grenades, je dus battre en retraite, en me disant que patience et longueur de temps valaient mieux que force et que rage, qu'il était préférable de procéder par étapes et de laisser le temps faire son œuvre, le jugement arbitraire du curé ne reposant que sur des arguties. J'ai donc préféré satisfaire sa faim (il ne me servait à rien d'aviver son ardeur, de bander les cordes de son arc), estimant que de le laisser sur un sentiment de victoire le forcerait à gaffer.

Ne reste souvent au vaincu qu'à se consoler en se rendant compte qu'il possède ce dont le vainqueur est privé. À mon curé gavé, «chasublé» de la tête aux pieds, nourri, logé aux frais de sa condition pastorale, prémuni contre toute déveine, et pour qui chaque jour de la semaine était un dimanche, il eût été illusoire de disputer un quelconque avantage dans le diagramme de ses acquis. Je me surpris toutefois à sourire en songeant qu'il en était un qu'il ne saurait me disputer.

La loi du talion ne m'étant pas ici préconisée, je me suis recommandé de celle de Bacchus, car je n'avais pas encore atteint cette perversité qui m'eût fait imaginer qu'un curé qui condamnait en chaire *Madame Bovary* puisse loger en son presbytère une «hirondelle» avec qui partager sa couche. Il pouvait bien tenter sa chance avec sa bougresse de servante, cela ne me regardait pas, mais réussirait-il à la «sauter» qu'il ne ferait que profiter d'une laissée-pour-compte sans avoir connu les plaisirs de la chasse. Déjà, sur lui, j'aurai eu cet avantage de la liberté de choix, de n'avoir pas eu à subir de figure imposée. Et j'en avais écarté, des vierges folles, avant d'arrêter mon choix.

Mon curé pouvait bien, au mieux, connaître de bonnes soirées au coin du feu, à siroter une menthe, à rêvasser, il ne connaîtrait jamais ce bonheur que j'avais à saisir au passage ma dulcinée, à soulever sa jupe et à m'immiscer dans ses affaires. Elle avait un instinctif mouvement de recul, vite réprimé pour se laisser aller au bien-être que procure l'abandon. Longtemps nous restions ainsi ensemble à nous donner du bon temps, à exciter notre libido, une félicité en principe interdite aux diacres.

Parce que mon curé, lui, s'il en arrivait à cajoler ainsi son obligée, il ne pourrait jamais le faire qu'en catimini, à la sauvette, et le plus souvent avec une pie endormie. Jamais il ne pourrait se pavaner avec elle, étaler son bonheur, la regarder aller devant lui en se dandinant sur de hauts talons; car une servante de curé, c'est connu, se chausse de sabots.

C'est pourtant se faire un cadeau de Grec que de jouir de ce dont l'autre ne saurait même pas soupçonner l'existence. Mais ce m'était un prix de consolation qui valait son pesant d'or: en ce domaine, je pouvais me gorger d'un fruit qui ne m'était pas défendu. Qui, mieux qu'un pauvre, peut apprécier la valeur de ses avoirs...?

Sa semonce servie, le curé Gravel pouvait se retrancher derrière la satisfaction du devoir accompli et s'attaquer à d'autres contraires, son statut de pasteur lui promettant l'immunité.

Mais l'écho, parfois, porte loin: je ne saurai jamais par quel cheminement il a rejoint un père rédemptoriste œuvrant à Sainte-Anne-de-Beaupré, lequel s'est empressé de pondre un éditorial sur trois colonnes dans le journal à fort tirage qu'était alors *L'Action catholique*, fustigeant les tendances de ma librairie.

En sus de «mon abbé Pierre» qui ne voulait rien céder à Magali, à Gustave Proulx ou à Roger Lemelin, le père Lefebvre, lui, stigmatisait Balzac, Flaubert, Victor Hugo. C'était déjà marquer des points, annoncer de plus valables couleurs, montrer un minimum de culture.

Le problème était de déterminer lequel des deux aurait le plus d'impact, le second n'ayant manqué de souffle qu'aux portes de l'archevêché. La trajectoire était parfaite, la règle de trois observée: d'une cure à un lieu de pèlerinage, pour aboutir à l'archevêché, la boucle était bouclée.

Des frasques du curé Gravel, il y eut très peu de retombées locales: elles portaient à plus long terme et sur une plus grande échelle, réduisant à néant ou presque mon projet de conquérir le monde... Mon Kresge englouti, toute poursuite de mon rêve s'estompait. Il n'était pas question de relancer ma chance avec Woolworth; on ne provoque pas le diable, mon abbé Pierre s'y pointerait. En attendant, me consoler à déduire qu'ayant deux fois mon âge il partirait avant moi et qu'alors (dussé-je attendre mille ans) le petit monde de ce Don Camillo à la manque aura évolué. Et je pourrai alors ramer en des eaux plus calmes. Car tout vient à point à qui sait attendre...

Simpliste réconfort, car il en fut autrement pour l'édit du père Lefebvre, endossé par *L'Action catholique*. Même s'il ne s'agissait que d'une lapalissade, je ne pouvais le contredire: les auteurs qu'il citait étaient à l'Index, et l'Index, en ce temps-là, c'était l'interdit.

S'il est vrai que les paroles s'envolent et que les écrits restent, pour tonitruante qu'elle fût, la voix du curé Gravel s'était tue depuis longtemps que l'édit du père Lefebvre valait encore et nourrissait l'ardeur des mangeurs de balustres, tel cet étudiant en théologie nommé Dupont, grand, mince et dégingandé, venu fracasser d'une pierre l'une des vitrines de ma librairie. Cet illuminé, qui cherchait sans doute à accoler à son nom une épithète qui, pour la postérité, l'eût distingué des autres Dupont, ne fut heureusement suivi par aucun des pleutres qui bravement, mais sous le couvert de l'anonymat, prirent la relève pour me harceler par des lettres, des appels téléphoniques, des menaces, des graffitis. Rien ne me fut épargné de ce qui peut faire les beaux jours de qui trouve son courage à se battre dans l'anonymat.

Ce début d'émeute fit que la gent estudiantine déserta ma librairie. Exode qui fut bientôt suivi par celui des séminaristes, à qui l'archevêque du temps, Mgr Camille Roy, intima l'ordre de ne plus fréquenter ma librairie, sous peine de sanctions. Une vague en attirant une autre, les «cornettes» imitèrent les séminaristes, qui jusqu'ici avaient été leurs mentors.

Ayant une clientèle plus que restreinte, il nous était aisé d'en étudier le comportement. Ainsi, nous avions remarqué que les religieuses, que nous appelions les «cornettes», ne venaient jamais en solitaires. Elles étaient toujours par groupes de deux ou trois, et nous les voyions se promener de l'autre côté de la rue, surveiller le va-et-vient de la librairie. On eût dit qu'elles hésitaient à entrer seules, même à quatre... Elles choisissaient leurs partenaires et ne semblaient se décider qu'elles n'aperçoivent quelques séminaristes. Alors, elles traversaient la rue en sautillant, à la file indienne, s'empressaient d'entrer, soupirant d'aise la porte franchie, comme si elles venaient d'accomplir un acte de bravoure. Elles ne se sentaient chez elles chez nous qu'il n'y ait achalandage, de préférence dominé par des clercs.

Quand toute cette poussière fut retombée, que ma librairie eut retrouvé sa désertique vocation, que ces chers séminaristes furent rentrés dans le rang, que les «cornettes» se furent envolées, j'ai souhaité – «mais c'est mal, mon fils, très mal» – que meure ce journal qui m'avait vendu, et que sainte Anne cesse ses miracles, ne fût-ce qu'en réprimande aux élans de ferveur de son rédemptoriste.

«Ils» avaient réussi à vider ma librairie de ses récentes conquêtes, satisfaits, sans doute, d'avoir gagné une bataille sans se préoccuper des possibles retombées pour leurs successeurs. En revanche, alors que j'étais plus ancré que jamais dans mes convictions, ils m'apportaient aussi la preuve que la tâche à laquelle je m'étais astreint valait; et que, pour briser leur morale à court terme, il me faudrait y aller par un plus long chemin.

Il est connu que l'enfer est pavé de bonnes intentions; on peut faire le mal en croyant faire le bien, s'attribuer des compétences que l'on n'a pas, ce qui me justifierait de brandir ma vipère au poing, de souhaiter («voilà qui est mieux, mon fils, beaucoup mieux») que chacun reste dans sa cour, car la nature humaine est ainsi faite que bien des gens emploient une partie de leur temps à faire perdre celui des autres. Ainsi, chacun demeurant chez soi à s'occuper de ses oignons, les chèvres de M. Seguin seraient mieux gardées.

Mon père vieillissant avait du mal à triompher; ma mère, séchant ses larmes, ne comprenait pas, et d'avoir à me consoler de cette douleur-là, à moi aussi ça faisait mal. «Ils» étaient tous retournés à leurs tâches de tous les jours, me laissant seul sur la place, touché mais non rendu, l'argile ne se solidifiant qu'avec le temps.

J'aurais voulu posséder ce mince filet d'espoir et de foi qui anime un «alcoolique anonyme» lorsqu'il implore Dieu de lui donner la sérénité d'accepter ce qu'il ne peut changer, le courage de changer ce qu'il peut et la sagesse d'en connaître la différence. Mais le cœur n'y était pas, non plus que la raison. Et si un soupçon de flamme vacillait encore au fond de moi, je le sentais si fragile qu'un rien eût suffi pour l'éteindre. Je me suis satisfait de cette rage de vivre qui malgré tout m'habitait pour espérer être encore là le jour où l'histoire éclaterait de rire!

# V

Les bourreaux, c'est connu, oublient plus aisément que les victimes. Je résolus donc de garder ma haine bien au chaud, d'attendre mon heure, de rester coi pour qu'ils m'oublient, de leur laisser croire qu'ils avaient gagné la guerre, de ramasser mon baluchon et de composer avec mes restes. Après tout, je ne leur avais pas demandé de tirer les premiers.

Me croyant hors circuit, mon «triumvirat» (un curé, un rédemptoriste, un évêque) pourrait s'attaquer à d'autres calamités, tendre ses énergies vers d'autres coups d'éclat, pendant que, profitant d'un temps d'arrêt, je pourrais fourbir mes armes sur un semblant de recul.

J'avais fondé une Société des Libraires dans la conviction que l'union fait la force, mais j'ai dû, à défaut d'une prise de position ferme, me satisfaire de marques de sympathie prononcées derrière un paravent de positions à sauvegarder.

N'importe, ça bougeait, nous étions maintenant six contre trois. Dans la métropole aussi, on s'agitait; aux éditeurs qui désespérément s'accrochaient (Parizeau, Pilon, Brousseau, Valiquette et Simpson) était venu se joindre Pierre Tisseyre, un jeune Français d'origine, en transit de New York. Lui aussi devrait très vite répondre de ses actes au futur cardinal Léger.

Mais, dans l'immédiat, se consoler avec des appuis moraux, une citation d'auteur ou d'artiste, une satire par-ci, une allusion par-là, à la limite de la décence et de l'interdit. On se permettait de railler tantôt le clergé, tantôt les règles de l'Église, et l'on se moquait gentiment de nos processions, du fruit défendu, baptisant le «péché» de la chair «péché de la province». C'était à qui oserait le plus, de Gratien Gélinas dans ses *Fridolinades*, de Félix Leclerc dans ses chansons (son curé se plaignant que sa paroisse était pleine d'impies non pas à cause des péchés mais parce que les dîmes n'étaient pas payées) ou de Rina Ketty reprochant à son *Padre* de lui avoir menti...

J'éprouvais, je l'avoue, un sensuel plaisir à jumeler ces flèches décochées en douce et qui révélaient au perverti que j'étais qu'un feu d'émancipation couvait sous la cendre. Si, parce qu'il ne fallait pas y toucher, ces ironies sans grande malice faisaient rager nos prudes, elles posaient pour un temps un engageant sourire sur nos lèvres. Il devenait de plus en plus irrationnel que tout ce petit monde qui trouvait plaisir à se moquer n'ait pas raison quelque part. De fait, le Vatican allait abolir l'Index une décennie plus tard, intimant ainsi au clergé l'ordre de prendre une voie d'évitement pour laisser passer le train. C'était peut-être aussi pour nous épauler que, de l'autre côté de la «Grande Mare», François Mauriac incitait les siens «à lire, ne serait-ce que des romans», ajoutant: «Vous y trouverez toujours quelque chose», pendant qu'ici on rétorquait: «Pour quoi faire?»

Ma librairie *almost gone with the wind*, j'ai dû me replier sur les abonnés de mon Club de Lecture, dont l'apport était à la limite de ce qu'il fallait pour colmater la brèche faite à mon bunker. À deux milliers d'adeptes près, le potentiel de mon club était saturé; le public adulte étant rassasié, je décidai de prendre les autres au berceau et fondai un Club Fémina. En y mettant beaucoup d'artifices, de la grâce, du charme et un soupçon de sex-appeal, je m'adresserais aux ingénues aussi bien qu'à ces âmes timorées qui auraient aimé lire mais qui s'en abstenaient de crainte de pécher. Pierre Tisseyre emboîta le pas avec un Cercle romanesque; une autre boucle était bouclée.

De plus, mes clubs de lecture m'apportaient une évidente ration de sérénité, en ce sens que je m'y sentais beaucoup moins vulnérable. Parce que, pour venir jouer dans ma cour, il «leur» faudrait cette fois faire le tour de la province, courage qu'«ils» n'auraient pas car, s'il en faut beaucoup pour encaisser la persécution, il en faut très peu pour la faire.

Éviter surtout de tomber dans le panneau. Mon Club Fémina épuré de l'Index, je n'allais pas leur proposer de lire *Les Confessions* de saint Augustin ni les inciter à chercher leur raison d'être ou de ne pas être à travers *L'Être et le Néant* de Jean-Paul Sartre ou *L'Immoraliste* d'André Gide, mais leur faire comprendre qu'ils étaient parce qu'ils pensaient et qu'ils pensaient parce qu'ils lisaient.

J'ai même songé un temps à leur offrir *Le Chant de Bernadette*, une biographie romancée de l'enfant chérie de Lourdes, mais j'y ai renoncé. Non pas que le récit qu'ait fait Franz Werfel ne m'ait été d'aucun intérêt (je ne lisais alors qu'en fonction de ce qu'y pourraient trouver mes lecteurs: écriture, suspense, agencement de situations, etc.) mais parce que, dès la première apparition de la Vierge à Bernadette, cette dernière, après avoir vu le gave de Pau se changer en artère commerciale, en est devenue si bouleversée, tout son être tellement éclos, tendu vers le monde, qu'un doux attendrissement a pénétré son corps «jusqu'aux pointes de ses seins naissants».

Décidément, je ne pouvais pas y toucher. C'eût été risquer de m'attirer les foudres des dames du tiers-ordre... et le ballet serait reparti de plus belle. J'ai préféré mener mes lecteurs tranquillement dans le monde du profane, dans celui d'Henri Troyat, de Roger Martin du Gard, de Georges Duhamel.

Conscient de respecter ainsi leur potentiel, je pourrais satisfaire les espérances des Presses de la Cité et celles de Robert Laffont, et filer mon tricot dont la perfection ne saurait se passer d'une seule maille. Et leur laisser l'espoir que Daniel-Rops, même en perte de vitesse, pourrait leur écrire l'histoire d'une Église dont ils avaient préparé la décadence. Qu'ils sachent!

Les diatribes du curé Gravel n'avaient peut-être réussi à tonner que le temps que met l'écho à se taire, faisant rire Lemelin sous cape, je refusais pour ma part d'être changé en statue de sel, n'ayant participé ni aux bacchanales de Sodome ni aux orgies de Gomorrhe.

Revenu du Kresge avec mes livres en vrac, disposés en tas dans un coin, j'ai soudain ressenti un sentiment de culpabilité pour le destin que je leur avais imposé. Je les retrouvais vieillis, poussiéreux, sales et manipulés, et j'avais honte et je me sentais petit et misérable de les avoir ainsi exposés à des mains profanes alors que leur toute fin eût été de se retrouver sur les rayons d'une bibliothèque, à ne souffrir d'autre poussière que celle du temps. Je récupérais mes livres avec le sentiment que peut éprouver un éboueur face à des déchets oubliés. J'en considérais l'amas comme sans doute une mère chatte peut regarder sa portée de chatons mort-nés.

Et j'éprouvais soudain une immense solitude, un sentiment d'impuissance et, pour tout dire, une rancœur contre ceux qui de leurs théories font des pratiques abusives, des exceptions font des règles. Il y avait de quoi devenir anticlérical, comme on est d'instinct contre toute classe de la société dont on abhorre les comportements.

Dois-je l'avouer? Je me sentais bien à haïr. Pourtant, conscient que c'était là une passion qui ne pouvait mener nulle part, je prenais tout de même plaisir à imaginer que, par télépathie, je pouvais les rejoindre dans leurs retranchements pour leur faire sentir combien je les exécrais. («C'est très mal, mon fils, très mal. – Oui, je sais, mais je n'y peux rien.») Ce m'était à ce point virulent que j'aurais accepté de subir une encéphalite si j'avais été sûr que, par transmission de pensée, mon martyre eût pu leur inoculer une infime partie de mes «papillons noirs».

Mais à m'acharner ainsi sans savoir si ma haine porterait, je me suis vite rendu compte que c'était sur moi qu'en retombait le crachin, au point que j'aurais voulu disparaître, rentrer sous terre, m'anéantir. Pour me venger, publier beaucoup d'ouvrages interdits avant de partir, ne rien me refuser de tous ceux répertoriés à ce jour, mettre en circulation ce que le monde du livre pouvait compter de plus insalubre ou de plus immonde (ne pas oublier *La Chienne de Buchenwald)*, histoire de leur donner raison de me condamner une fois pour toutes.

Pour sûr, je divague; mais de là à chercher comment faire pour n'être plus, il n'y a qu'un pas. On pense aux remous des rivières, au train qui, réglé comme une horloge, passe à deux pas d'ici et qui pourrait, en quelques secondes, vous emporter pour l'éternité.

Oui, mais dans quel état! À vous prêter à l'image d'un macchabée tuméfié que vous laisseriez derrière vous, de dégoût vous renoncez au train. Reste l'eau; mais les cours ne sont plus ce qu'ils étaient et de morts propres ne sauraient se louer.

Alors quoi? Pas facile de trancher. À bien y penser, sauront-ils jamais que c'est à cause d'eux que vous vous êtes liquidé? S'il en est qui n'œuvrent que pour la postérité, au bord du gouffre vous réalisez soudain que vous devez au moins protéger la vôtre de l'aversion.

Un transfert des valeurs s'imposait donc; cette télépathie qu'à prime abord je voulais vengeresse pouvait bien devenir positive si j'acceptais d'en faire un appel au secours qui, mieux dirigé, pourrait atteindre une meilleure cible. Je ne savais vers qui ou quoi lancer mon cri, ne pensant à personne en particulier, non plus qu'à une situation donnée. Je laissais simplement ma «folle du logis» voguer à la dérive, telles ces bouteilles à message qu'on lance à la mer dans le secret espoir qu'elles toucheront une rive accueillante.

Reprendre la prière de la Charlotte? J'avais perdu cette naïveté de l'enfance qui nous fait croire qu'il suffit de crier pour être exaucé, qu'en y mettant un accent de sincérité l'on sera cru. Je savais pourtant que, plus mercantiles sont les suppliques, moins elles ont de chances d'être entendues. Malgré tout, je m'accrochais. N'ayant pas d'oncle d'Amérique, je ne pouvais espérer d'autres miracles que farfelus. Désespérément, je ne voulais pas connaître la détresse et le sort d'un mien cousin que la famille et toute la paroisse destinaient à la prêtrise et qui, son cours terminé, opta pour le génie forestier. Sa mère eut beau le supplier, son père rater un suicide, le curé le sermonner, rien n'y fit; mon cousin ne se sentait d'amorces que pour l'ingénierie. Le curé lui objecta que, ayant jusqu'à ce jour payé ses études à même une caisse sacerdotale, il ne pouvait décemment utiliser ces fonds à d'autres fins. Mon cousin en fut quitte pour s'exiler et tenter sa chance sur un lopin de terre généralement octroyé aux plus démunis. Il peina tellement à le défricher et à le cultiver que lui-même devint légume.

Ma supplique terminée, je dus me rendre compte que mon sixième sens ne répondait plus et, le temps que met l'éclair à nous tonner sa présence, je me culpabilisai de n'être pas entré dans les ordres le jour où les frères m'avaient «appelé»: invite qu'avec ironie j'avais repoussée; ce n'était tout simplement pas dans mes vues. Si j'avais succombé au prestige évoqué, j'aurais sans doute fait un mauvais frère. Tout compte fait, il était préférable d'être un mauvais libraire, encore que de le proclamer n'impliquait pas que ce fût vrai. N'empêche que, pour l'heure, je restais seul avec mes cauchemars et, comme ma sœur Anne, je ne voyais rien venir.

Que ce soit par masochisme ou par inconscience, je m'obstinais à rester dans ce champ d'action que j'avais choisi, avec pour seul critère la certitude d'être dans mon élément et pour seule excuse celle de n'avoir pas vu que les avenues en étaient limitées: même après en avoir fait le tour, je ne voulais pas admettre que je m'étais fourvoyé.

Je continuais, malgré l'évidence, à me nourrir d'illusions, dans l'utopique espoir que me viendrait comme ça, en claquant des doigts, une idée qui tiendrait de l'exploit, me permettant de reporter aux calendes grecques la pensée qui m'était venue de passer l'arme à gauche. D'avoir résisté à l'appel de ma dernière heure me serait sans conteste un crédit que le destin se devrait de porter à mon compte. Et, sans doute pour justifier mes prémonitions, ou par un juste retour du pendule, mon appel au secours reçut son écho de la librairie Beauchemin, qui sollicita mon appui pour un projet d'édition. Comme quoi on a toujours besoin d'un plus petit que soi, ne serait-ce que pour se faire envier dans un domaine donné.

Chez Beauchemin, on avait cessé depuis belle lurette de faire de l'édition autrement qu'à compte d'auteur, formule qui eût risqué de mettre hors de combat l'auteur sans le sou qu'était Yves Thériault et de reporter à des millénaires la parution de son roman *La Fille laide*. Beauchemin était donc à la recherche de quelqu'un qui pourrait en acheter quelques milliers d'exemplaires, ce à quoi, grâce à mon Club de Lecture, je pouvais souscrire.

L'affaire fut confiée à celui que nous appelions tous le père Issalys, alors directeur littéraire de la maison. Il était, pour nous, débutants, celui à qui l'on ne pouvait rien refuser. De fait, grand-papa Issalys n'eut pas à me tordre le bras et c'est plutôt moi qui l'ai fait pleurer en exigeant le maximum de la transaction, car, lecture faite du manuscrit, je fus emballé par le style de l'auteur et souscrivis à son projet, trop heureux de faire ainsi d'une pierre deux coups: je permettais au père Issalys de redorer sa chancelante fonction de directeur littéraire et je devenais partie prenante du lancement de la carrière d'Yves Thériault.

Je n'ai jamais vu M. Issalys aussi heureux que ce jour-là. Son dernier coup d'éclat avait été de reprendre le flambeau des éditions Pascal, qui avaient déclaré forfait malgré la parution de *Bonheur d'occasion* (Gabrielle Roy ne connaîtra le succès et la gloire que beaucoup plus tard).

Pour l'heure, si certains écrivains continuaient de «scribouiller», les éditeurs, eux, changeaient leur méthode, pratiquaient l'abstinence, ne misaient plus. Ces dernières années avaient vu les survivants déposer leur bilan et liquider leurs fonds; le marché du livre en étant devenu un de soldes, il n'était guère plus reluisant pour les écrivains, qui ne savaient plus à qui proposer leurs textes.

Pierre Tisseyre, qui avait décidé de prendre la relève, n'avait pas encore réussi à s'imposer ni à faire ses preuves. Pour tout dire, en plus d'avoir à composer avec les réprimandes du clergé, il lui fallait, suprême injure, lutter contre le chauvinisme de certains. L'on se méfiait de cet immigré qui fut peut-être le premier à être traité de «maudit Français».

Ne restaient que les éditions Beauchemin (à compte d'auteur) et Fides, que l'on savait être à la solde de la caisse «sélective» de l'oratoire Saint-Joseph (plus coincé que ça, tu meurs), ce qui limitait nos écrivains dans leurs ébats.

C'est dans ce monde on ne peut plus en déroute que je débutai dans le domaine de l'édition. Mais à moi on ne la ferait pas: je saurais briser les tabous, franchir les barrières, faire culbuter les résistances et vaincre, même à Waterloo!

Une victoire en appelant une autre, j'apprends, par une notule à potins, que Roger Lemelin récidive en publiant *La Famille Plouffe*, qu'il fait imprimer à ses frais chez Louis A. Bélisle, éditeur. Je soumissionne pour deux mille exemplaires et me voici, par un simple concours de circonstances, avec deux auteurs de talent: Yves Thériault, qui promet, et Roger Lemelin, qui s'affirme.

Une seule ombre au tableau: Lemelin, ayant été échaudé par son premier éditeur avec *Au pied de la Pente douce* et réalisant qu'il n'était guère d'éditeurs à la ronde qui puissent le promouvoir, décide de prendre ses affaires en main. Il les gardera jusqu'à la fin de ses jours, même lorsque à la longue je lui aurai prouvé ma bonne foi et que nous serons devenus les meilleurs amis du monde. J'éditerai donc et rééditerai la plupart des œuvres de Lemelin, ma raison sociale n'y étant que pour la frime: je ne serai en fait que son imprimeur. Thériault étant libre, je lui fis signer un contrat d'exclusivité en pariant que si, un jour, il tenait les promesses de sa *Fille laide*, je ferais partie du décor.

Ces deux énergumènes aidant, le virus de l'édition me rendit braque: j'étais sonné pour le reste de mes jours. Je ne m'en sortirais que «premier de cordée» ou «dernier des Mohicans», me jurant que si, un jour, il n'en restait qu'un, je serais celui-là.

Ma rage de vaincre m'est peut-être venue d'un peu beaucoup de vanité, mais il m'était nécessaire de me sentir d'équerre sur la ligne de départ; ce n'est qu'au fil d'arrivée que je pourrais évaluer mon cheminement. Pour l'instant, espérer que mon balancier était en équilibre. S'il avait été logique, à mon retour d'outre-mer, d'avoir le cafard, il n'était qu'équité qu'après la pluie vienne le beau temps.

Après tout, ce ne pourrait m'être plus onéreux que de m'éparpiller sur une panoplie d'auteurs à censurer. Je n'aurais qu'à centrer mes efforts sur un bon numéro et à attendre qu'il éclate! Mais la prudence est de rigueur: on a connu en ce domaine tant de mises plus suicidaires les unes que les autres, avec, pour prix de consolation, un enterrement de première classe. Malgré ces déboires à faire pleurer un clown, je restais fasciné par cette profession. Je saurais bien détecter les perles rares: que l'on me donne une chance à la *Maria Chapdelaine*, je saurai bien en profiter.

Ma première expérience se fit avec le roman *Isabelle de Frêneuse* de Charlotte Savary. Le roman en lui-même ne m'avait pas emballé; la langue était pure et sans emphase, dans la facture de qui n'a rien à dire mais arrive à le faire correctement. J'y ai souscrit parce que l'auteur promettait.

C'est pour une tout autre raison que j'acceptai de publier *Le Grand Retour* de Marcel Clément. L'auteur était un laïc engagé dans la bonne parole et possédait un don de persuasion auquel obéissait une clientèle hypnotisée par son verbe. Il était sollicité de toutes parts, surtout des mouvements à caractère religieux. Ce n'était pas ma corde sensible, mais un éditeur se doit de souscrire aux tendances du temps.

Marcel Clément n'avait pas l'auditoire que peuvent avoir les pêcheurs d'âmes d'aujourd'hui, mais, à l'échelle du temps, il était, pour cette période donnée, l'un de ceux pour qui une telle tribune était faite. S'il n'a pas eu de succès chez moi, c'est qu'il avait frappé à la mauvaise porte. Il eût mieux valu pour lui aller chez Fides, une maison d'édition faite sur mesure pour son propos. La leçon tirée fut de constater que ma clientèle n'était pas plus convertie que la sienne.

Cette expérience ne me fut pas si néfaste qu'il peut sembler à l'abord. Elle me laissait sur une consigne, dont tirer leçon de ce qu'il ne faut pas faire: tracer sillons dans les champs qui ne font pas partie de ses savoirs. Dommage toutefois de laisser derrière soi un auteur malheureux, mais il n'était pas en mon pouvoir de lui garantir le succès, malgré que la parution de son livre ait coïncidé avec le décret qu'avait fait Pie XII de proclamer année sainte l'an 1950.

Il m'était d'autant plus facile d'encaisser ces deux échecs qu'ils me seraient d'un bon savoir pour l'avenir. Ainsi, j'abordai cette année qui tranchait le siècle en deux en éditant un autre livre dont je savais pourtant ne rien devoir tirer d'autre que pitance. Le titre était accrocheur au possible. Son auteur, Gustave Proulx, avait eu la main heureuse en l'intitulant *Chambre à louer*. Les abonnés de mon Club de Lecture m'aideraient à en écouler l'édition tout en y trouvant leur profit, car la trame en était ténue, légère et sans prétention.

Ce ne pouvait être qu'un plus pour ma maison d'édition et ça me confirmait que, dans ce métier, il faut apporter beaucoup d'eau pour que tourne le moulin. Ce roman de Gustave Proulx n'était ni un livre à déclencher une polémique ni à faire s'entre-déchirer les critiques. Un livre simpliste s'il en fut, d'une sentimentalité à la guimauve et tout juste destiné à des «élèves de première année».

Je n'aurais jamais cru que ce livre pût servir d'exutoire à la rogne par trop longtemps retenue de «mon abbé Pierre». Il devait sans doute trouver rares les occasions de s'afficher comme gardien des bonnes mœurs et fustigeur des dépravés. Je l'ai plutôt soupçonné, en cette occasion, de vouloir garder bien vivante dans la pensée de ses «embaumeurs» l'esprit de son épitaphe.

Je croyais pourtant avoir réussi à me faire oublier; les faits prouvèrent qu'il m'avait gardé bien au frais, surveillant mes faits et gestes pour, au moindre prétexte, se souvenir que, en plus d'être le gardien de mon âme, il se devait de protéger celles des autres. Du sommet de sa «montagne», il fustigea le livre, l'auteur et son éditeur (ça ne coûte rien d'en mettre), déconseillant fortement à ses ouailles de le lire, cataloguant ce pauvre Gustave Proulx comme un auteur à proscrire.

Quelques jours plus tard, rencontrant le curé Gravel au hasard de sa promenade quotidienne, je lui demandai ce qu'il avait trouvé de si répréhensible dans ce livre pour enfants de chœur. Il me répondit qu'il ne l'avait pas lu, que le titre lui suffisait, que chacun savait ce que cachait une telle appellation...

Louis Jouvet avait cet art d'user d'un faciès bien à lui pour répondre à une assertion qui ne demandait pas de réplique. J'aurais voulu avoir ce talent, mais je doute que mon curé eût pu en saisir l'astuce. Je me contentai de lui servir un sourire caustique et je continuai mon chemin.

En un temps où le thème de la censure n'intéressait personne – on préférait qu'un curé nous cause du péché de la chair et qu'il nous en raconte une bien bonne –, la «descente aux enfers» d'un livre laissait de marbre l'audience; mais un jour viendrait où le seul fait pour un livre (ou un film) d'être «descendu» par un curé lui vaudrait d'intéresser les foules plus que ne l'eût fait la plus maligne des approches. Ce jour-là, ce jour-là seulement, la «docte» (?) pastorale cessera ses diatribes en constatant qu'elles portent à faux. Le jeûne ne saurait être un remède à l'anorexie.

# VI

J'ai envié ce jour-là ceux à qui le destin alloue un tri. Quant à moi, je n'avais que deux options: ou bien je continuais la lutte pour sauver ma librairie ou bien je la laissais aller son boiteux chemin jusqu'à ce qu'elle trébuche à ne plus pouvoir se relever et je mettais mes énergies au service de l'édition. Ce m'était un dilemme parce que je savais que la raison du plus fort n'était pas du bon côté de la barricade. Aussi, quand le rationnel fait défaut, il est d'usage de s'en reporter au vécu des autres, à leur science, de même qu'aux sentences et maximes appropriées à la croisée où le destin a fait se rencontrer vos chemins.

La logique conseille de ne pas mettre tous ses œufs dans le même panier, de ne pas courir deux lièvres à la fois. Mais, plus près de moi, de mon *American way of life*, une facette de ma nature qui me venait sans doute d'un grand-père dont la légende voulait qu'il ait été plus ou moins aventurier, bourdonnait une maxime vite rejetée parce que aberrante: «*If you can't beat them, join them*.» Très peu pour moi.

Me restait suffisamment de jugeote pour admettre que rentrer dans le rang eût été pour moi la plus avilissante des solutions. Autant prendre la bure. Comme imposture, c'eût été au moins plus sécurisant, mais ma décision était prise: je ne quitterais pas le navire qu'il ne coule, j'en colmaterais au mieux chaque brèche pour garder à flot ce bastion qu'était ma librairie. C'était mon socle. Même si je me trouvais dans une position précaire, j'étais prêt à me battre: pot de terre contre pot de fer. Une bataille perdue d'avance ? À voir. Suffirait d'avoir la patience de la mule du pape[1], d'encaisser d'autres plombs dans l'aile pendant que ma librairie, sans crier au miracle, ferait voir les aveugles, entendre les sourds, parler les muets. On a bien franchi le Rubicon, pris la Bastille, vaincu le mur du son. Alors...

Il était donc dans la virtualité des choses que ma fourmi de librairie, si elle tenait le coup, ait un jour voix au chapitre, qu'elle soit partie prenante d'une ère nouvelle, fer de lance pour supprimer des tabous afin que soit permis ce qui était alors interdit sans valable raison.

Ceux qui prendraient une telle relève devraient le faire sans artifices ni cravache, et chercher à comprendre comment leur navire a pu se perdre en mer, pourquoi ces bancs d'église que la veille encore on vendait aux enchères ne trouvent plus preneurs.

Quand souffle le vent de l'absurdité, quand les dialogues sont de sourds, mais que vous êtes convaincu que le déni de vos valeurs est mal fondé, il suffit parfois, pour parfaire votre mission, de changer de rampe de lancement. Ayant déjà un pied dans l'étrier, il me fut aisé d'opter pour l'édition. J'y pourrais poursuivre mes ambitions, jouir de mes affinités et, par surcroît, rêver d'une pléiade d'auteurs à succès.

Heureusement que le destin a de ces subtilités dont il ne semble avoir cure. Il ne se préoccupe pas de savoir si la droite a plus de mérite que la gauche, son allié le plus fidèle étant le hasard, sur lequel il rejette tous les torts que, par dépit, on lui impute, si bien que, en bout de ligne, on ne sait plus à qui dire merde ou merci.

Ainsi, il s'en fut de bien peu que le livre de Thériault, *La Fille laide*, ne m'ait pas fait larguer les amarres, ne m'ait pas crié : « Attention, les plaies d'Égypte ont précédé les pyramides, le Vésuve a longtemps dominé Naples avant d'ensevelir Pompéi. » Il est peut-être bon pour la petite histoire d'en signaler le parcours.

L'auteur étant de ces natures qui n'acceptent pas de tutelle, il avait jusqu'à ce jour ballotté sa vie d'un expédient à l'autre, part entière malgré lui d'une société qui n'avait d'odeur que pour ses saints et qui répudiait ou presque tout ce qui était marginal. Victime

---

1. Voir *Les Lettres de mon moulin*, d'Alphonse Daudet.

d'une époque sans quartier, Thériault lutta désespérément pour se tailler une place au soleil dans un domaine pour lequel il se sentait le plus d'aptitude: l'écriture. Il vivotait d'écrits mal payés, de récits, de contes et nouvelles, de romans à dix sous expédiés aux quatre vents, sans assises.

D'un tempérament soupe au lait, déçu de l'accueil réservé de la critique, son éditeur original ayant déclaré forfait et le public n'ayant pas marché, Thériault, après l'échec de ses *Contes pour un homme seul*, s'est retrouvé plus seul qu'avant, diminué par cette disparition de l'espérance qui est le lot de tout rêve avorté.

Parce qu'il n'y voyait pas d'autre raison, il en tenait rigueur au public, ignorant d'où venait l'apathie de ses contemporains pour la chose littéraire. Ayant été élevé loin des balustres et des homélies, il ne pouvait concevoir qu'il en puisse naître un interdit. Poussant plus loin son analyse, il constatait que, pour être lu, il suffisait parfois d'être évêque ou abbé et de savoir porter la robe.

Convaincu que ses *Contes* ont une ligne de pensée, qu'ils sont valables et surtout dans la veine d'un renouveau, il démissionne. Sa décision est prise: il mettra ses énergies au service d'autres causes, maudissant tout le monde et son père, décrétant que le grand perdant c'est encore ce monde en ébullition qui préfère les exploits sportifs et les joutes oratoires aux écrits qui restent. En un mot comme en cent, ce n'est pas l'écrivain qui est laissé pour compte, mais le public et les médias, tous attirés par ce qui brille sans se soucier si c'est de l'or; tous sauf Michelle, sa femme, qui savait de quoi était capable son homme et qui, jusque-là, avait partagé ses peines, les joies ayant été trop éparses pour en faire une gerbe.

Longtemps resté sourd aux appels du rejet, Thériault avait ignoré ce double de soi qui nous fait brûler aujourd'hui ce que nous adorions hier et nous empêche d'entendre la voix de la raison qui seule pourrait y changer quelque chose. Il savait pourtant qu'il ne sert à rien de chasser le naturel. Pendant que se tramait le destin de ses *Contes*, il avait nonchalamment repris sa plume, tracé ici et là sur des bouts de papier un destin de femme qu'il ne pouvait que peindre laide, à l'image de ce qu'était sa propre vie.

De temps en temps, il en reprenait le fil, modulant le cours de la vie de cette créature jusqu'à ce que le portrait qu'il en voulait faire fût bien fidèle à celui qu'il avait imaginé. Quand ce fut terminé, il en rangea le manuscrit au fond d'un tiroir, à l'infantile image d'une mère qui refuse à son enfant la tartine qu'il réclame parce qu'il a boudé son potage. Pour tout dire, Thériault n'avait plus le cœur à la constance. Il était d'autant plus déçu qu'il se croyait destiné à porter nos lettres à bout de bras, persuadé d'être celui que notre littérature attendait pour la sortir du terroir et lui donner un accent d'universalité.

Puis, un jour, comme elle le faisait pour chacune des œuvres de son mari, Michelle reprit le manuscrit pour le corriger, le polir, le remettre à neuf comme on le fait d'un vêtement défraîchi, car Thériault était un frustre: son travail avait besoin d'être passé au crible avant d'être envoyé à l'analyse. Les deux se complétaient, Michelle étant l'ébéniste de son menuisier de mari.

Elle connaissait son homme, elle savait que ce manuscrit n'était que *part of the game*, tellement son mari avait en lui de potentiel et de verve pour aller à l'aise au fond des choses et des êtres. Il lui en racontait souvent les trames quand, le soir à la veillée, toute rancœur apaisée, il lui confiait comment il décortiquerait celle-ci, tisserait celle-là. Elle lui connaissait un rare talent d'auteur pour décrire un sujet par déduction, en explorer les méandres, analyser les réactions, extrapoler et jouer de véracité à chaque fois.

Tous mauvais coups du sort par orgueil encaissés, Michelle savait que, même à ce prix, Yves n'accepterait pas un nouvel échec, ne supporterait pas un nouveau refus. C'est donc à son insu qu'elle s'empara du manuscrit et s'en fut le soumettre à M. Issalys. On connaît la suite: en acceptant d'en acheter deux mille exemplaires, j'en garantissais l'édition et, par ricochet, j'entrais dans le monde des Thériault qui, à cette époque, au tout début des années cinquante, n'était guère financièrement reluisant. Je les ai vus, en catimini, se partager une dernière cigarette.

Je n'ai cependant que de fugaces souvenirs de mes premiers contacts avec Yves. Je présume que, de par nos intérêts communs, nous nous sommes attardés à nous louanger mutuellement, à préconiser nos compétences, évitant surtout de mettre au tableau l'ombre de la mévente du livre.

Sans que nous nous l'avouâmes l'un à l'autre, notre première rencontre nous fut des plus bénéfiques en ce sens qu'elle nous ouvrait à chacun une porte par où laisser passer nos voies respectives et en même temps connexes. Ma librairie en quarantaine, il ne me restait rien d'autre que l'édition. Yves pouvait se remettre à espérer grâce à Michelle, qui n'avait pas voulu que *La Fille laide* devienne un laissé-pour-compte dont on dirait cent ans plus tard que ce livre eût dû paraître cent ans plus tôt.

De mon côté, le clergé avait fait à ma librairie assez de publicité pour que je puisse la laisser filer sur son erre avec un certain détachement et espérer que mon troupeau revienne enfin brouter de mon herbe !

Pour les écrivains, le problème ne se posait pas. Ils pouvaient franchir ma porte la tête haute, parfaitement comptables de leurs écrits, car si pour eux un coup de fouet avait été donné, il s'est perdu dans le vent ; le son n'a pas porté.

Roger Lemelin venait de temps à autre me rendre visite, par la grande porte, comme s'il avait voulu cautionner ma position. Je n'ai jamais regretté d'avoir accepté d'être éditeur à *ses* conditions. J'accolais le nom de ma maison au sien et non l'inverse. Ma raison sociale[1], si clamante qu'elle fût, n'avait pas encore atteint sa vitesse de croisière, et si Lemelin ce n'était pas la fin du monde, ce pouvait bien être le commencement du mien, mon cheval donné.

Mais même d'avoir Thériault sous contrat, et que Lemelin soit des mieux disposés, ce n'était pas suffisant pour consolider ma maison d'édition. Il me fallait donc, avant qu'elle ne donne de la bande, piger chez d'autres éditeurs des auteurs de prestige pour combler les attentes de mes abonnés en attendant qu'éclate le talent des nôtres dont le clapier, pour l'heure, était loin de déborder. À croire que ce qui était à dire avait déjà été dit.

C'est ainsi que j'ai pu obtenir les droits de réimpression d'ouvrages qui en ce temps-là connaissaient leurs heures de gloire, tels *Sayonara, Pour qui sonne le glas, Les Raisins de la colère, Nous sommes restés des hommes, Ouragan sur le Caine* et tant d'autres qui nous ont permis de passer du bon temps, jusqu'au jour où

---

1. L'Institut littéraire du Québec.

Adrienne Choquette m'apporta un recueil de nouvelles pour fins d'édition. Je me suis vite rendu compte que ce manuscrit, intitulé *La nuit ne dort pas*, était dans les visées de ma maison, qu'il m'apportait le prestige que je recherchais. Malheureusement, mes finances, avant que d'être au service du mécénat, se devaient d'avoir des assises que seul un best-seller pouvait apporter. À l'opposé de ceux qui savent dire non sans raisons, je n'avais pas le droit, même à la limite de mes forces, de refuser un livre d'une telle qualité.

Adrienne Choquette, dont le précédent éditeur avait lui aussi quitté la piste, venait chez moi avec toute la désespérance du monde, avec son trac, ses doutes et ses yeux de biche traquée, sachant très bien qu'en sortant de chez moi recalée elle n'aurait nulle part où tenter sa chance de nouveau. J'acceptai, en la prévenant que je n'avais pas de public pour ce genre de littérature, si valable fût-il, et qu'à moins d'un miracle elle devait se contenter d'un à-valoir de principe.

Elle s'en foutait. Tout ce qu'elle voulait, c'était que de ses textes je fasse un livre, lequel au moins risquait de perpétuer sa mémoire, la vie ne lui ayant guère apporté que des matins qui déchantent. Une santé fragile, un interdit à la maternité (eût-elle pu le contourner que je ne crois pas qu'elle en eût usé, tellement elle se sentait responsable des gestes posés), tel était son lot. Elle était atteinte d'un mal qui ne pardonne pas et je n'ai su que beaucoup plus tard ce qui l'avait emportée, heureux d'avoir pu lui procurer une dernière joie en publiant un autre ouvrage d'elle: *Laure Clouet.*

Tout au long de ces années qui ont vu nos liens s'enchevêtrer comme les ramures d'un lierre, je ne l'ai jamais vue entrer dans mon bureau sans afficher une joie de vivre que trahissaient ses fossettes, finissant par éprouver pour elle une «pitié dangereuse», ce genre de sentiment qui nous fait souhaiter être prévenu à l'avance de l'heure du départ, pour être là, à simplement lui tenir la main, afin qu'elle sache qu'elle ne partait pas seule. Il reste d'elle aujourd'hui son œuvre et un prix littéraire qui porte prestigieusement son nom.

Elle m'aura appris qu'il faut savoir accepter les contretemps contre lesquels on ne peut rien et marcher face au soleil si l'on veut que l'ombre reste derrière soi. Elle m'aura appris à mépriser l'envie parce que la personne enviée ne sait pas qu'elle l'est et qu'en définitive c'est à soi que l'envie fait mal.

Autre son de cloche pour *Le Tombeau des rois* d'Anne Hébert, qui est une longue plainte à travers laquelle se dévoile l'auteur, qui déclare être une fille maigre, avoir de beaux os, affirme que les morts l'ennuient, que les vivants la tuent, et demande à sa vie de retourner sur ses pas. Comme si la beauté et l'élégance dont la vie l'a comblée ne lui suffisaient pas... Victime elle aussi de la faillite de son premier éditeur (L'Arbre), et de la chute de Beauchemin après *Le Torrent*, elle se retrouve, *Le Tombeau des rois* terminé, démunie, ne sachant à qui s'adresser. Elle se confie alors à Roger Lemelin, qui avait été son compagnon d'infortune aux éditions de l'Arbre. Ce dernier lui dit alors: «Donne-moi ton manuscrit, j'en fais mon affaire.» Et c'est ainsi que Lemelin m'apporta le manuscrit du *Tombeau des rois*.

Il est toujours injuste de mettre deux auteurs en conflit, deux tendances en lutte, mais je savais d'expérience que je n'avais pas le public voulu pour les démarquer. Cette fois, Lemelin me posait un cas de conscience. Il aurait été dommage, en effet, qu'un ouvrage d'une telle qualité trouve une fin lamentable pour une simple question d'argent. Je voulais bien miser sur Anne Hébert, qui «promettait», mais je ne pouvais non plus risquer un échec financier pour ne récolter que des applaudissements, ni offrir à mes abonnés, fût-ce un chef-d'œuvre, un genre de littérature pour lequel ils n'étaient pas disposés. D'autant plus qu'à la même époque j'avais à l'étude le projet d'éditer un ouvrage d'André Giroux, un autre rescapé des défuntes éditions Variétés.

Après que j'eus soumis mon dilemme à Roger Lemelin, celui-ci me proposa une solution à la Salomon: «Et si on s'y mettait à deux?» Je lui ai répondu que ce ne serait pas suffisant, qu'au mieux il nous faudrait être trois, car, à moins de tirer à trois mille exemplaires, le coût d'impression serait faramineux. Lemelin se chargea donc de nous trouver un troisième larron, en l'occurrence M^e^ Guy Roberge, de l'étude Taschereau & Fortier. Guy Roberge nous était un ami commun et, à nous trois, nous avons pris charge et frais, à parts égales, des trois mille exemplaires du *Tombeau des rois*.

Je n'ai jamais su ce que Guy Roberge et Roger Lemelin ont fait de leurs mille exemplaires respectifs (car j'acceptai, bien sûr, ce compromis), mais si, comme ils se proposaient de le faire, ils les ont conservés pour les offrir à des amis en cadeau, ils ont dû en avoir pour des années, si je me base sur celles qu'il m'a fallu pour vendre à l'unité le lot de mille que j'avais pris à ma charge. Mille exemplaires d'un même titre pour une seule librairie, c'était alors tout un poème.

Quand on songe qu'il aura fallu se mettre à trois pour éditer un tout petit livre d'à peine une centaine de pages (quoique d'une rare qualité, et signé par un auteur qui avait pourtant fait ses preuves) et qu'en plus il aura fallu en donner les exemplaires en cadeau pour qu'ils trouvent preneurs... Me restait au moins l'espoir qu'avec un tel talent l'auteur me reviendrait un jour pour remettre en selle mes «songes en équilibre».

Mais l'auteur n'est jamais revenue ni ne m'a soumis de nouveaux textes. Je n'ai jamais compris pourquoi. Nous n'avions, ni elle ni moi, dérogé à une clause contractuelle, car tout s'était fait entre amis, comme je viens de le décrire, à la bonne franquette. Je n'ai rencontré l'auteur qu'à deux reprises, dans l'encadrement de la porte de son logis, en allant porter et reprendre les épreuves de son livre en voie de production. Je me contentais de la savoir satisfaite, heureuse, et je retournais à mes transes quotidiennes avec la satisfaction que procure toute tâche accomplie.

Nous n'avons donc pas eu à nous disputer ni à nous congratuler, simplement à nous consentir des sourires de circonstance: mission accomplie, mais sans lendemain. Et pourtant je l'aimais bien. Serait-ce qu'entre nous le courant n'arrivait pas à passer?

Il est vrai que ma mission était de donner au livre la meilleure tenue typographique possible, d'aérer le texte, de le mettre en valeur; tâche si bien réussie qu'on ne pouvait rien y trouver à redire. Aujourd'hui encore, quand je reprends ce livre, je ne changerais rien au physique que je lui ai donné il y a plus de quarante ans.

Enfin, c'est peut-être un peu, beaucoup ma faute. J'aurais probablement dû lui faire signer un contrat. Mais comme elle n'était venue chez moi que par procuration, nous n'avons eu à discuter ni d'avant ni d'après, si bien que chacun n'est resté de l'autre que l'obligé d'un service rendu.

Quelques années plus tard, ayant transporté ses pénates en France, Anne Hébert s'installa à Paris pour y poursuivre la brillante carrière que l'on sait. Elle s'en fut aux éditions du Seuil proposer une édition «parisienne» de son *Tombeau des rois* sous le titre général de *Poèmes*.

Je dois avouer que ce me fut un choc, que j'en eus un pincement au cœur – il m'eût été tellement plus agréable de lui donner un droit qu'au fond elle n'avait pas à me demander –, mais je me suis fait une raison, sachant bien que je ne pouvais lui offrir ce que Paris pouvait lui donner et devant pour une fois admettre que dans le champ du voisin l'herbe était plus verte. N'empêche, il est toujours frustrant de devoir ajouter au débit de ses échecs.

En même temps, ou presque, que *Le Tombeau des rois*, j'avais édité un roman d'André Giroux, *Le gouffre a toujours soif* (1953). Il faut croire que les contraires s'attirent, car, le jour où j'appris à l'auteur que j'étais prêt à éditer son livre, lui ne l'était pas. Rachelle, sa femme, me confia qu'il me faudrait le harceler, car il était obsédé par le souci de la perfection et ses textes n'étaient jamais finis. Je préférais cette attitude à celle de qui se dit satisfait d'un premier jet. À l'invite de Rachelle, nous avons formé un comité de lecture composé des plus exigeants critiques, dont Jean-Marie Laurence, Jean Marchand et Jean-Charles Falardeau. Nous nous sommes joints à eux, Rachelle et moi, à titre de soutien moral, ce qui ne nous empêchait pas de temps à autre d'entrer dans la danse. Nous avons ainsi, tous ensemble, passé des soirées à reprendre chacun des chapitres du roman dans une ambiance des plus chaleureuses et décontractées, ayant un plaisir fou à patauger ainsi dans un texte dont Hervé Bazin dira plus tard: «Il est sans bavures.»

À travailler ensemble, nous sommes devenus, André et moi, de bons copains, mieux, des complices, sans jamais qu'aucun des deux tente d'imposer à l'autre sa vision des choses. J'aurais souhaité pour lui qu'il acceptât le minimum d'agnosticisme que l'on s'accorde pour se convaincre qu'il est inutile de chercher à comprendre.

André s'accrochait à ses points d'interrogation, il ballottait sa vie entre les voies de Mauriac et de Camus, de Bernanos et, plus près de lui parce que de sa génération, de Gilbert Cesbron. Je crois que son obsession de la recherche de la Vérité lui faisait trop scruter les opinions des uns et des autres et que, n'en pouvant tirer clarté, il s'embrouillait dans ses propres déductions.

Ce n'était pas pour m'imposer en théoricien que timidement je tentais de lui inculquer mes vues. Il aimait Camus mais il en doutait lorsque ce dernier, levant les bras au ciel, disait à Sartre: «Et dire que ça ne répond pas!» André se ruinait à chercher une preuve de l'existence ou de la non-existence de Dieu. Espérant mettre ses anxiétés en veilleuse, je lui ripostais que, d'une façon ou d'une autre, il en faudrait Un, ne serait-ce que pour ceux qui en ont un viscéral besoin. Mais c'est un domaine par trop personnel pour être imposé. C'est un très rare privilège que d'acquérir une conviction dont on peut faire fi que le monde entier soit contre. Pour répondre à ses angoisses, pour lui prouver qu'il n'y avait rien au-delà ou qu'il y avait Quelqu'un, il eût fallu à mon Thomas d'André que le ciel s'évapore avec tous ses astres, expédiant le Soleil en Asie, la Lune en Sibérie, les étoiles au fond des océans, et qu'apparaisse une ouverture dans la voûte céleste pour qu'on voie derrière ce qui s'y trouvait... ou n'y était pas.

Malgré cette infranchissable barrière entre nous, André Giroux aura été, de tous «mes» écrivains, le plus draconien. Il l'était non seulement dans sa perception des choses (il n'a eu qu'une fille, se refusant à récidiver, effrayé par la responsabilité inhérente au pouvoir de donner la vie) mais dans ses convictions. Nous l'avons vu, le père Ambroise et moi, repousser lors d'un banquet le plat qu'on venait de lui servir, à la soudaine pensée de la famine dans le monde. Je le revois quitter la table, se rendre au vestiaire pour y prendre son feutre à la Chamberlain, enfiler sa cape et partir tel un homme que l'on vient d'insulter. Ne lui manquait que le parapluie pour qu'on puisse l'imaginer allant se promener au bord de la Tamise sans déparer.

Ceux qui l'ont connu admettront que je n'invente ni n'exagère rien. Il a écorché bien des amitiés à simplement défendre ses idées. Il en a aussi irrité d'aucuns, dont le rédacteur en chef du journal *Le Soleil*, à l'occasion de la parution de son livre.

Il était alors d'usage, à l'occasion du lancement d'un livre, d'inviter les gens de lettres et les chroniqueurs littéraires dans le cadre d'un cinq à sept, ce qui nous apportait une publicité plus ou moins gratuite. Mais, pour ce qui est d'André Giroux, ce n'était pas son genre. Il détestait ces sourires forcés, ces séances de bavardage, et il me suggéra de laisser tomber.

À la place, on fêterait l'événement en catimini dans l'atmosphère monacale de mon bureau avec Roger Lemelin, cet ami qu'il «détestait» bien. Ainsi fut fait. Après avoir sablé le champagne chez Kerhulu avec les copains, nous nous sommes retirés à trois dans mon bureau pour continuer la fête, à trinquer en discourant sur les aléas de nos métiers et à jouir en toute quiétude de ces rares moments de bonheur que procurent l'amitié, les connivences et, pour finir, le complet désaccord sur nos façons respectives de régler le sort du monde et en particulier celui de la littérature.

Roger Lemelin fut le premier à partir, et nous ne pouvons donc pas l'accuser d'avoir été complice de notre supercherie. Conscient de mes responsabilités d'éditeur, j'ai dit à André Giroux qu'il m'incombait de faire un communiqué de presse à l'occasion du lancement de son livre. André, riant déjà sous cape, prit un bout de papier sur lequel il écrivit textuellement ceci: «Hier, aux bureaux de l'Institut littéraire du Québec, a eu lieu le lancement du dernier ouvrage d'André Giroux: *Le gouffre a toujours soif*. Étaient présents, outre l'auteur et son éditeur, M. Duros, M. et Mme Larrocque, M. l'avocat Peyrecave, auxquels s'étaient joints, chers à l'auteur, les invités de marque que sont Bernard et Thérèse Desqueyroux.»

À cette liste exhaustive, m'esclaffant, j'ajoutai pour la forme le nom du maire de la ville, ceux des conseillers municipaux, et y mis, comme pour faire un peu plus vrai, plusieurs noms d'habitués de cette sorte d'événements, ceux de quelques pique-assiettes, et, pour terminer en beauté, celui de Mme A.A. Boivin, cette dame patronnesse des arts et des lettres, présidente à vie de ses propres Jeudis artistiques.

Il était moins une lorsque j'arrivai au journal avec mon papier, si bien que le rédacteur en chef n'eut que le temps d'y jeter un bref coup d'œil avant de le confier au typographe. Et c'est ainsi que le lendemain on put lire notre communiqué de presse en première page de section... et dans sa version intégrale.

La nomenclature de la première partie des invités était issue de l'imagination de l'auteur, tous personnages d'un roman de François Mauriac, ce qui explique que notre joie d'écoliers en mal de mauvais coups fut de courte durée. À peine remis d'une nuit «typographiquement» blanche, le rédacteur en chef me téléphona dès l'aube pour se plaindre d'avoir été berné, jurant de mettre mon nom sur sa liste noire, assuré ainsi qu'on ne l'y reprendrait plus.

Je lui rétorquai que, malgré tous ces petits malheurs qui nous tombent quotidiennement dessus, il fallait conserver un certain sens de l'humour, sans quoi la vie serait intenable. Je fis amende honorable, lui présentai mes excuses, car le coup n'avait pas été monté contre lui et ne se voulait qu'une boutade offerte à l'astuce d'une infime partie de ses lecteurs. Au fond, on n'avait voulu se payer la tête de personne. Après tout, il est parfois des choses par trop simplistes pour avoir été pensées par des génies. De m'être ainsi fait humble fit tomber sa rogne et, bon prince, il accepta de passer l'éponge, mieux, d'en rire avec nous.

* * *

Dommage que, dans la vie, les moments d'euphorie soient le plus souvent rançonnés. Après avoir apporté mon écot à la carrière d'André Giroux, force me fut de réaliser que ce ne serait pas encore cette fois-ci que j'allais conquérir le monde, malgré que l'œuvre de cet écrivain fût à la hauteur des critères de qualité que je comptais maintenir après avoir édité Adrienne Choquette et Anne Hébert, ma seule lucidité étant de constater que le commerce et les bons sentiments font rarement bon ménage.

Si bien que je m'accordais comme prérogative que si jamais il y avait décision plus idiote à prendre, il n'y aurait que moi pour le faire. Ainsi, en dépit de la leçon tirée que même avec les meilleures munitions on n'est pas assuré de toucher la cible, j'acceptai d'éditer *Bousille et les justes* de Gratien Gélinas, pour la qualité de l'œuvre, considérant que j'étais très chanceux qu'un auteur de cette trempe, alors en pleine gloire, vienne frapper à ma porte.

Et pourtant, malgré ce qu'il représentait, il ne m'apportait pas ce dont j'avais le plus pressant besoin: un succès financier sur lequel, par la suite, édifier mon œuvre. Pour pouvoir prétendre détenir les droits d'auteur, un éditeur se doit de découvrir un talent et de l'exploiter. Or, il y avait belle lurette que Gélinas s'était découvert et, par voie de conséquence, exploité lui-même.

J'y allai donc pour la gloire et acceptai d'éditer *Bousille et les justes*. Le prix à payer viendrait bien assez vite et de fait fut au rendez-vous dès les premières rencontres avec l'auteur. Ce fut le début d'une bataille de coqs. En ce qui me concerne, j'ai senti, d'entrée de jeu, que nous n'avions guère de points communs, aucune affinité entre nous. On eût dit deux êtres que, sans le jeu du hasard, rien n'eût fait se rencontrer.

J'avais accepté mon boulot qui était d'aider Gélinas à trouver le mot juste, sa propriété, le fondé de son emploi. Cela m'était assez facile d'approfondir la discussion, mais là où ça n'allait plus, c'était que Gélinas n'arrivait jamais à se décider qu'après d'interminables palabres. C'était bien son droit de n'être jamais satisfait de son texte, mais qu'il repense constamment un mot ou un terme sur lequel nous avions mis deux heures à nous entendre, j'en avais les nerfs en boule et j'imaginais ce que ce serait en bout de ligne lorsque le correcteur d'épreuves, le typo et l'imprimeur auraient à leur tour à remettre cent fois sur leur métier son ouvrage.

Cette corvée infligée aux autres ne dérangeait nullement Gélinas. Il disait se lever à cinq heures du matin pour prendre l'avion de sept heures à Montréal, j'allais le chercher à son arrivée à Québec à huit heures et nous nous mettions ensuite au travail pour polir la scène III du deuxième acte, après quoi, se frottant les mains d'aise, il déclarait vouloir revenir sur une partie donnée du premier acte sur laquelle nous nous étions pourtant entendus la veille.

Mais le plus ardu restait à venir. Quand enfin nous sommes tombés d'accord pour la dernière réplique de la dernière scène, je n'ai pas eu le temps de pousser un soupir de soulagement que Gratien Gélinas annonça: «Et maintenant, la ponctuation.»

Sur scène, il en allait tout autrement que pour l'écrit. Il suffisait de mettre un tiret là où l'auteur voulait que l'acteur fasse une pause avant d'enchaîner, mais dans l'écrit, c'est avec la ponctuation (lire: virgule) qu'il faut jouer. Et Gélinas, de crainte de rater son coup, mettait des virgules partout, puis, réalisant qu'il en avait trop mis, en rayait la moitié, non sans exprimer le regret d'en avoir trop enlevé. Alors commençait, pour chacune d'elles, une interminable discussion: pourquoi laisser celle-ci et enlever celle-là? Difficile à décider. À chaque virgule conservée, discussion en règle. Après s'être convaincu qu'il fallait la garder, Gélinas se demandait s'il fallait la placer avant ou après le mot.

C'était alors une véritable danse de Saint-Guy, car si je disais préférer la placer avant, il m'en demandait la raison, et si je ne trouvais pas de règle précise, il me lançait: «Alors, pourquoi pas après?» De guerre lasse, je décidai de le laisser trancher. Il m'accusa alors de manquer de conviction, d'être incapable de prendre une décision. Je le laissai ergoter jusqu'à ce qu'il s'épuise, non sans l'entendre me reprocher mon apparente lassitude, mon indifférence, mon manque de respect pour son œuvre.

Je lui fis remarquer que son attitude n'était plus la recherche de la perfection mais qu'elle frisait l'obsession d'aller au-delà de la synthèse, qu'il dissertait sur l'emploi de la virgule comme il l'eût fait d'un cas de conscience, de l'immortalité de l'âme, de la destinée. Quant à moi, j'en avais assez de jouer au ping-pong. Je lui dis que je voulais bien discuter texte et facture, et que, s'il voulait me voir abandonner ma face de carême, nous n'avions qu'à nous en tenir aux compléments directs et indirects, aux participes présents et passés, mais que, pour la ponctuation, je rendais les armes.

C'était mal connaître Gratien Gélinas car il abandonna le besoin qu'il avait de pérorer sur la ponctuation, les accents, les guillemets, les parenthèses et, suivant mon conseil, décida d'aller voir ailleurs si j'y étais. Si bien que, la correction du texte terminée, Gélinas s'en fut sans demander son reste ni jamais revenir. Mon aventure avec lui (j'ai finalement édité son livre «sans peur et sans reproche») s'est fait hara-kiri sans que pour autant ni l'un ni l'autre en ait de regrets. Il me laissait le souvenir d'un Ugolin de Marcel Pagnol qui se refusait à écrire une lettre d'amour à Manon des

Sources simplement parce qu'il ne savait pas où mettre les virgules.

Gratien parti, j'avais hâte de retrouver le calme et la sérénité de mes relations avec André Giroux ou Roger Lemelin qui, à cette époque, travaillait à son roman *Pierre le Magnifique*. Ce n'était un secret pour personne que ce livre représentait un défi pour Lemelin. Il voulait prouver qu'il était capable d'écrire autre chose que du roman populaire, de faire lui aussi dans l'intellect, dans le roman à message, et que son «pire ennemi», André Giroux, n'était pas le seul à pouvoir le faire.

Avec le recul du temps, je me rends compte que ces deux compétiteurs, qui se trouvaient aux antipodes idéologiques, s'aimaient bien malgré leurs fréquentes prises de bec et surtout se respectaient. On eût pu, selon une expression chère à Doris Lussier, les qualifier d'ennemis intimes.

À l'occasion, André Giroux venait me voir, sans raison précise, comme ça, en passant. Nous avions toujours plaisir à nous retrouver, à discourir de tout et de rien, à faire des projets. Mais, ce jour-là (c'était en 1976, je m'en souviens), André proposait, l'heure de la retraite venue, de s'associer comme le font les membres d'une étude juridique, de louer une suite de bureaux, lui pour continuer à écrire, et moi pour... on verrait. Nous aurions chacun notre bureau où aller et venir sans déranger l'autre, avec, entre les deux, une antichambre où trônerait une jolie secrétaire-téléphoniste dont nous nous disputerions les faveurs...

Mais le sort en a décidé autrement. Un an plus tard, André Giroux a laissé son destin sur une autoroute après avoir confondu une entrée avec une sortie, ou l'inverse, on ne l'a jamais su. Lui dont l'existence avait été perturbée par une éternelle remise en question de l'au-delà, il y est allé en se trompant de chemin. On pourrait conclure qu'il a raté sa sortie, mais je préfère, comme l'eût fait Daniel-Rops, demander à la mort où est sa victoire.

# VII

Quand on est, envers soi-même, dépositaire d'un serment dont personne d'autre n'est tenant, les promesses auxquelles on s'est engagé sont difficiles à respecter. La nature humaine nous propose mille raisons d'y déroger: il y a la loi du moindre effort, l'aisance du laisser-aller et, pis encore, le désir de faire relâche.

Je luttais désespérément contre ces constantes pressions qui m'incitaient à hisser le drapeau blanc. Pour me soutenir, me revenait à l'esprit cette sentence bien française: si c'est possible, c'est fait; si c'est impossible, ça se fera. Ce à quoi je parvins à me résigner cependant fut de concéder à ma rancœur un moment de répit, car à trop la nourrir je risquais le sort de la prétentieuse grenouille.

J'aurai eu pour soutien ce que d'aucuns appellent l'état de grâce pour me retrouver pieds et poings liés dans ce domaine complexe qu'est l'édition. J'aurais pu bifurquer ou, à la rigueur, ne rien voir venir et me satisfaire de prendre la route de Berthier, comme le cantonnier de la chanson.

Le possible ayant été fait, il m'incombait de ne pas rater l'impossible. L'édition (véritable miroir aux alouettes) étant, selon ses humeurs, fille de pauvre ou de Crésus, je pouvais m'autoriser cette forme d'incartade qui me permettait d'embrasser l'une sans renier l'autre. Il était d'importance cependant que ma prétention s'avère fondée et que je décroche un best-seller, seule palme qui pourrait éventuellement confondre mon banquier, qui conservait toujours ce sourire en coin, marque de commerce de ceux qui se moquent des ambitions dont les preuves restent à faire.

Que je sois, à ce jour, satisfait des succès d'estime obtenus ne l'impressionnait pas. Ça pouvait jouer pour moi à long terme, mais d'évoquer qu'il ne saurait y avoir de fresques sans ébauches ne l'ébranlait pas non plus. Il était de ces banquiers qui ouvrent toutes grandes leurs voûtes aux casinos mais ne prêtent pas aux joueurs.

Ma librairie, telle une maîtresse sous le charme, m'attendrait, je le savais. Elle ne profiterait pas de mon désintéressement passager pour me tromper; j'avais trop espéré d'elle, je l'avais entourée de trop d'attentions pour que l'idée de me faire cocu puisse l'effleurer. Elle saurait attendre son heure pour me passer la bague au doigt, supportée dans sa passivité par mon attrait avoué pour l'édition, à laquelle j'accordais maintenant mes faveurs.

Après dix années d'espoirs atrophiés, je m'étonnais malgré tout de croire encore en mon étoile, ne regrettant nullement d'avoir dit oui à l'impératif appel de mes fibres les plus sensibles. Je conservais, même au plus creux de mes vagues, la conviction que surgirait un jour un ressac qui me ferait, comme Diogène, trouver mon homme. Je trouverais bien dans le temps un allié, car on ne saurait indéfiniment faire obstacle à l'évolution, garder tout un peuple sous le boisseau.

Une nouvelle décennie – et celle des années cinquante fit partie du mythe – est toujours porteuse de neuves espérances, comme si le seul fait de s'engager dans un autre cycle allait changer le cours des choses. Cependant, nous étions toujours dans la mouise, auteurs, libraires et éditeurs, alors qu'une classe au-dessous de nous, dépendante de nous, s'agitait. La venue imminente de la télévision amplifiait les espérances que nous avions de nous en sortir.

Ce qui prit le pas sur la lecture, ce fut ce soudain intérêt pour tout ce qui était scénique et/ou se rapportait au spectacle. Il nous fallait être prêts à répondre aux besoins du petit écran. Encore jeune de ses dix ans d'existence, le Conservatoire d'art dramatique allait connaître une période faste d'artistes en puissance. Toutes les formes d'art, de la musique à la danse en passant par le théâtre et le chant, allaient permettre aux maîtres de ces disciplines de justifier leur raison d'être.

Les craintes que nous avions d'une forme de compétition ne se sont heureusement pas concrétisées. Avec les tâtonnements de ses premiers pas et le peu d'heures d'antenne des premières années (dix-huit heures par semaine en 1952, trente en 1953), l'avènement de la télévision ne nous affecta que sporadiquement. En fait, nous avons eu plus de peur que de mal. Avec les années, ces nouveaux modes d'expression que furent la radio et la télévision devinrent nos meilleurs alliés, mais, en attendant, il nous fallait tous ensemble passer par cette période de rodage qui nous ferait comprendre qu'il était préférable d'être complices, et, à certaines âmes timorées, qu'il importait de fréquenter nos salles de théâtre même au prix d'avoir ensuite à s'en confesser.

Je me souviens notamment des chroniques des pères Desmarais et Legault, ce dernier ayant fondé une troupe de jeunes acteurs sous le nom de Compagnons de Saint-Laurent, qui tint le coup de 1937 à 1952. Dans leurs propos, plus tribuns que prédicateurs, ils citaient souvent, pour appuyer une thèse, Péguy ou Claudel. Je revois cette cliente que j'avais sortie des griffes de Richepin pour l'amener à Maupassant ou à Pierre Loti et qui, intriguée par ces références du père Legault qui citait Claudel, m'exprima un jour le désir de lire *Le Soulier de satin*. Heureusement que Gallimard en avait fait une édition abrégée ; autrement, décidée comme l'était ma cliente, il eût été risqué de la lancer dans l'intégral univers de Claudel.

Ces deux prêtres-là rachetaient à leur façon les ratés des autres. Ils ont beaucoup fait, au grand dam de certains évêques, pour donner des réponses à ceux qui acceptaient de se poser des questions. On eût pu difficilement concevoir, pour qui avait droit de parole, couple mieux équilibré en ces années de tripotage intellectuel, le père Desmarais s'adressant à la masse tandis que le père Legault entrouvrait les portes du théâtre classique, de Molière à Marivaux. On n'avait rien vu de pareil depuis la venue au Québec de Sarah Bernhardt qui, pour tromper l'aversion du clergé qui la traitait de bête de l'Apocalypse, décida, pour la prude Amérique, de jouer *La Dame aux camélias* sous le titre de *Camille*. Le Capitole d'aujourd'hui s'appelait alors l'Auditorium de Québec.

Les pères Desmarais et Legault auront été, eux aussi, parmi les précurseurs de la Révolution tranquille, ayant œuvré à contre-courant en ces années de «grande noirceur». Je trouve trop frustrant d'en attribuer la seule paternité au Premier ministre du temps, Jean Lesage. Je ne veux citer, de crainte d'en oublier, les noms d'écrivains qui ont secoué le pommier et dont les écrits, en leur temps, ont porté. Je pense notamment à ces «révoltés» de *Cité libre* que furent Pierre Elliott-Trudeau et Jacques Hébert, aux abbés O'Neil et Dion, à ces «illuminés» de la revue *Regards*, aux chroniqueurs de certains journaux de centre gauche tels *Le Devoir* ou *Le Droit*, chacun à sa façon tentant de remettre les pendules à l'heure. Tous ensemble, ils l'ont drôlement préparée, cette Révolution tranquille.

Tout ce branle-bas m'aidait à tenir le coup moralement, mais, à l'intérieur de l'enveloppe, le corps, lui, réclamait sa pitance. De libraire, je n'avais guère que le nom, et, comme éditeur, mes preuves restaient à faire. L'idée me vint d'aller voir ailleurs comment se passaient les choses. J'avais, à ma grande honte, annexé à ma librairie un débit de tabac, ce qui s'avéra être, sinon le pactole, du moins un apport appréciable. De là à conclure que si moi, libraire, je pouvais vendre des tabatières, mes concurrents en ce domaine pouvaient vendre des livres, il n'y avait qu'un petit pas à franchir.

Il se trouvait comme par hasard, mais surtout pour concrétiser mon plan, qu'une chaîne de tabagies (Jos Côté, pour ne pas la nommer) possédait quatorze succursales dans la seule ville de Québec. Si, mouton noir ciblé, je ne pouvais sans risques m'attaquer aux magasins à rayons, je pouvais tenter ma chance sur quatorze petites boutiques, non?

La suite est de l'histoire ancienne. Mon projet se réalisa grâce à l'appui de M. Pony (mon fournisseur de livres «cochons»: *Le Droit à l'amour pour la femme, Pour toi, jeune homme, Pour toi, jeune fille).* Ne voyant pas ces tabagies offrir du Marcel Proust, je conclus un accord avec lui (M. Pony, pas Marcel Proust), selon lequel j'aurais soixante jours pour le payer, alors que j'en accordais trente à Jos Côté. Le profit, étant celui d'un intermédiaire, restait minime, mais il me permit de mettre du beurre sur mon pain et à ma librairie d'avoir l'air habitée. On parvient, en certaines circonstances, à accepter la vision de choses que l'on eût cru au départ trop dissemblables pour être fusionnées. Ainsi, très vite, ma honte s'estompa.

Bien structurée, l'affaire y trouva son compte, surtout avec l'arrivée au pays, quelques années plus tard, d'un représentant des éditions Marabout, qui étendit la formule à la grandeur de la province; comme quoi, de l'extérieur, on voit toujours un peu mieux les choses. Tel fut le début du commerce du livre tel qu'on le connaît aujourd'hui. Je suis retraité, les tabagies Jos Côté n'existent plus, M. Kasan de chez Marabout est retourné chez lui, mais d'autres ont pris la relève... et le livre est resté.

* * *

Des œuvres qu'à ce jour j'avais éditées, je ne voyais rien sourdre qui pût me faire espérer m'en sortir, si j'excepte Thériault (j'y reviendrai) qui, chaque fois que nous nous rencontrions, ne cessait de me dire qu'il avait quelque chose en tête, qu'il allait se mettre au boulot, mais il ne bougeait pas.

Ce ne serait pas non plus ce défi que Lemelin se lançait à lui-même de prouver au reste du monde qu'il pouvait lui aussi faire dans l'intellect. Je dis «lui aussi» parce que secrètement il admirait André Giroux dont il enviait le style dépouillé.

C'est au début des années cinquante que Lemelin décida de donner un coup de barre à sa carrière. Jusque-là, il s'était fait connaître comme écrivain populiste, mais il souffrait de n'être inscrit qu'au palmarès des rigolos, désirant être placé sur le même pied que des auteurs comme André Giroux ou Adrienne Choquette, qu'il soupçonnait être tenants de la loi du moindre effort. De l'incisif pour peaufiner des nouvelles de plus en plus courtes et des romans ramassés sur eux-mêmes, tout ça porté aux nues parce qu'à la toute dernière phrase ces auteurs à court terme, comme il les appelait, livraient un message.

La vivacité d'esprit avec laquelle Lemelin menait sa barque lui permettait d'espérer qu'il lui suffirait de modérer ses ardeurs, de freiner son trop-plein d'imagination, pour entrer dans le jeu: user de plus de sobriété dans ses échappées, abréger ses chapitres, pour faire une intrigue dépouillée; n'est-il pas dit que ce qui se conçoit aisément s'énonce clairement?

Ainsi est né *Pierre le Magnifique*, mais l'auteur, bien qu'il ait tenté de mater sa fougue, n'en fit pas moins une brique de près de quatre cents pages dont au moins la moitié fut produite, d'instinct, par un retour au galop de son naturel. Ce qui n'empêche pas ce roman de compter dans l'œuvre de Lemelin et de lui avoir fait connaître ses limites. Il me confia à cette occasion qu'il n'y pouvait rien; ça venait, dans son esprit, plus rapidement que le rythme auquel il pouvait pianoter sur sa vieille Underwood.

Quand son roman fut terminé, Lemelin m'invita à son camp de chasse pour y polir son texte pendant que je profiterais d'un magnifique été indien pour couvrir quelques sentiers de son immense domaine, en quête d'un gibier. J'eus la chance d'abattre un chevreuil de bonne taille, ce qui nous valut, à notre retour à Québec, de nous faire photographier avec notre trophée. La photo parut dans le journal du lendemain, avec une légende disant que la bête avait été la proie de l'écrivain. Il était évident que si je pouvais, moi, revenir bredouille d'une partie de chasse, l'auteur des *Plouffe*, lui, ne pouvait se le permettre...

Son *Pierre le Magnifique* n'ayant pas eu le succès de prestige escompté, Lemelin accepta l'idée de Guy Beaulne de faire de ses *Plouffe* un roman radiophonique. On connaît la suite. Pourtant, *Pierre le Magnifique* reste l'une des œuvres les plus «poussées» de l'auteur.

On a beaucoup écrit sur l'écrivain et son œuvre, mais très peu sur l'homme. Lemelin était un self-made-man dans la plus pure des traditions. Tant pis pour ceux qui croient à la réincarnation, Lemelin, lui, n'y croyait pas. Pour ce faire, il eût fallu qu'il acceptât d'être la réincarnation de quelqu'un d'autre, et cela, il ne l'eût jamais admis, persuadé d'être le premier d'une dynastie. Et ce n'était pas par suffisance ou prétention; ça lui venait tout simplement du fait qu'il était issu de la plèbe, qu'il s'en était sorti et surtout qu'il s'était élevé bien au-dessus des autres.

Nous avons parcouru ensemble un bon bout de chemin. Parties de chasse ou de pêche, voyages d'affaires ou de plaisir, il m'accompagnait parfois à Paris pour y saluer Hervé Bazin qui nous était devenu un ami commun, puis chez Swen Nielsen. Lemelin voulait voir comment j'opérais. Si c'est en voyage que l'on apprend le mieux à connaître les gens, je suis bien placé pour endosser le portrait qu'en a fait Laurent Laplante du journal *Le Soleil* et dont j'extrais ici quelques passages :

> *À un degré que de très rares humains sont les seuls à atteindre, Roger Lemelin avait la présence désarmante. L'approcher, c'était d'avance lui accorder l'avantage du terrain, presque lui donner déjà raison. Certains, à distance, pouvaient le trouver excessif; je n'en connais pas qui aient réussi à le détester de près.*
>
> *On avait beau, avant de discuter avec lui, bien se remettre en mémoire toutes les roueries de ses argumentations passées, il parvenait, sitôt qu'il nous avait devant lui, non par calcul mais par une sorte de surabondance de chaleur et de vie, à bousculer les divergences vers la touche.*
>
> *Vivant, il l'était constamment, puissamment, généreusement. Rien en lui n'était étriqué, mesquin, petit. Ni les rancunes qu'il avait considérables, ni les amitiés qu'il savait regonfler d'une rencontre à l'autre, ni les convictions qu'il avait définies à jamais, ni les ambitions qu'il déployait sur les terrains les plus inattendus.*

C'était bien dans le tempérament de Lemelin de ne rater aucune occasion de faire parler de lui. Il était un inconditionnel du «Parlez-en en bien, parlez-en en mal, mais parlez-en !», même parfois au prix du ridicule. En cela aussi, il n'était pas deux êtres plus dissemblables que Lemelin et Giroux. Je citerai, en exergue à ces portraits que j'ai tracés de Lemelin et de Giroux, la disparité de ces deux êtres dans leur perception des choses à mon endroit. Giroux souhaitait ardemment que j'obtienne au plus tôt un succès de librairie qui me permettrait une fois pour toutes de stabiliser ma situation financière. Lemelin, lui, sans y être indifférent (ou alors il était par trop conscient de mon utopie), terminait chacune de nos rencontres en tranchant: «Au moins, avec moi, tu ne perds pas d'argent.» C'était vrai, comme l'était aussi cette lapalissade qu'en affaires on ne saurait se contenter d'un si simpliste bilan, tel celui d'être «encore en vie un quart d'heure avant sa mort». Cheval qui piaffe n'avance pas.

Mon plus grand regret restera de ne m'être pas rapproché de Lemelin ces dernières années, comme j'ai maudit le sort qui a fait qu'André Giroux nous a quittés si prématurément. Des amis, des vrais, je n'en connais pas beaucoup qui en ont plusieurs. Et en perdre deux sur deux...

Somme toute, je me foutais pas mal qu'il y ait eu erreur sur la personne dans la légende de cette photo de partie de chasse. Lemelin avait une réputation à soutenir alors que j'en étais encore à m'en créer une. Jusqu'ici, le seul exploit qui m'avait valu une gloriole (et je choisis bien mon terme) avait été celui d'offrir sporadiquement à la clientèle de ma librairie ces livres en solde des Presses de la Cité. D'aucuns se souviendront de ces montagnes de livres à trente-cinq cents dont regorgeaient alors mes étalages. J'en parle aujourd'hui parce que les principaux clients intéressés par ces ventes étaient des étudiants dont l'argent de poche provenait d'économies réalisées moyennant de petites servitudes quotidiennes.

On se privait, par beau temps, de prendre l'autobus, on partageait, à titre de revanche, la brioche d'un copain, on se prêtait des manuels scolaires, on épargnait sur tout ce qui pouvait se partager. C'était la seule façon de garnir ses poches de menue monnaie pour mieux profiter des ventes de l'Institut littéraire.

On évoquera avec nostalgie ces comptoirs pleins à craquer d'ouvrages de Robert Gaillard, de Georges Simenon, des sœurs Brontë, de Jane Austen, de Frank Slaughter, ces romans du «Fleuve noir», de Marie des Isles, les «Caroline chérie», et l'œuvre forcément inachevée de Caryl Chessman, tous ouvrages qui, en leur temps, ont connu leurs heures de gloire et qui, pour la plupart, sont devenus des «incunables»; les lecteurs d'alors trouveraient aujourd'hui fada de comparer *Le Rouge et le Noir* avec *Les oiseaux se cachent pour mourir*. Ce qui prouve qu'il n'est de meilleur maître que le livre, et qu'il ne saurait y avoir d'escalade sans premiers pas. J'ai rencontré récemment l'un des ces assidus de mes ventes de livres, qui m'avouait s'être monté une bibliothèque de plus de deux mille titres dont il ne se départirait pas pour tout l'or du monde, une bibliothèque qu'il n'a pas classée par ordre alphabétique d'auteurs, mais par périodes d'achat, simplement parce qu'à la consulter il se rappelait le chemin parcouru.

Pour en finir avec *Pierre le Magnifique*, disons que ce livre ne connut pas la carrière qu'en avait espérée l'auteur et que le peu de poussière soulevée serait vite retombée si, un mois après son lancement en grande pompe au Cercle universitaire de Québec, un jeune libraire de Granby, Lucius Laliberté, ne nous avait invités pour une séance de signatures dans sa toute jeune librairie.

Nous avons accepté d'emblée, parce que les occasions de s'afficher étaient rares. Il faut dire que nous étions à l'automne 1952. Les émissions de télévision, les critiques animées, les Salons du Livre, tout cela ne viendrait que beaucoup plus tard. Pour l'heure, il ne fallait rater aucune occasion, même au prix d'avoir à faire trois ou quatre cents kilomètres pour acquiescer à la demande d'un libraire ayant besoin de se faire valoir.

Nous savions d'expérience que l'aventure n'en vaudrait pas l'effort, mais il n'était pas dans notre intérêt: a) de refuser la chance d'être à la une d'un journal, fût-il de banlieue; b) de rejeter l'offre que nous faisait un jeune, désireux d'embarquer dans notre polka. Le seul inconvénient que nous ayons eu à subir fut d'avoir à faire le trajet dans une vieille bagnole des années quarante qui nous gratifia d'une crevaison entre deux villages, avec pour tout expédient un pneu de rechange à vide. Le tout sur une route dont une partie était en poussière de cailloux, conséquence d'un enjeu politique entre le Premier ministre du temps, Maurice Duplessis, et T.D. Bouchard, l'homme fort du parti adverse.

Malgré eux, malgré tout, nous parvînmes à atteindre Granby, où nous attendaient Lucius Laliberté et une poignée d'invités dits de marque, après quoi nous fûmes invités à aller signer le Livre d'Or de la ville où trônait l'«éternel» maire Boivin.

Puis nous prîmes le chemin du retour, après n'avoir vendu qu'une douzaine d'exemplaires de *Pierre le Magnifique*. Nous n'étions cependant pas déçus de l'expérience: Granby était alors en pleine période de rodage avec un maire des plus dynamiques, et le siège de la seule librairie entre Québec et Montréal, si on excepte Ayotte à Trois-Rivières.

Nous étions d'accord, Lemelin et moi, pour compatir au sort de ce jeune homme dont on eût dit que la mue de la voix était encore à venir et qui ne nous semblait pas avoir tellement d'envergure, en sus d'être isolé dans ce qui donnait l'impression d'être davantage une ville en rupture de ban que la cité d'art qu'elle allait devenir.

Lucius Laliberté y fut certes pour quelque chose, ne serait-ce que de lui avoir donné, avec le maire Boivin, l'élan dont elle avait besoin pour sortir de l'ombre. Lucius Laliberté ne quittera Granby (pour s'installer à Québec, quinze ans plus tard) que sa ville ne soit capable de parfaire seule sa culture.

Cette séance de signatures m'avait donné l'occasion d'évaluer (selon une expression chère à Colette) ce «blé en herbe» qu'était alors la librairie Laliberté. Il n'y avait pas «à l'œil» de commune mesure entre la toute petite librairie Laliberté – je parle d'espace physique – et le monstre qu'était devenue la mienne. J'ai cherché à comprendre, pendant que Lemelin animait la place, ce qui avait amené ce jeune homme à devenir libraire et je le plaignais par avance pour les difficultés qui l'attendaient. J'ai compris plus tard que son curé lui avait foutu la paix. Relevant du diocèse de l'évêché de Saint-Jean de Nicolet, Mgr Martin, de la graine d'évêque que j'aurai l'occasion de mieux connaître plus tard, était un homme de sens pratique, en prescience du temps à venir, dont il sentait les premiers bouillonnements qu'aucune autorité ne saurait endiguer. À croire qu'il ne voulait pas voir son nom au bas de la liste de ceux qui auraient un jour à crier aux machines «En arrière, toutes» au moment où il serait trop tard.

Sa réputation n'ayant pas été ternie, il sera permis à Lucius Laliberté, en cette année même[1] où l'Église décidera de mettre l'Index «à l'index», d'offrir ses services aux bibliothèques paroissiales, un marché du livre qu'il m'eût été insensé de seulement tenter de percer. Il y excellera avec tout le doigté nécessaire, ayant la sagesse de savoir en doser la progression. Je n'aurais pas su y faire, Lucius Laliberté. Chapeau!

---

1. Décembre 1965.

J'aurai aussi l'occasion de côtoyer un autre «curé» en la personne du révérend père Georges-Henri Lévesque, qui m'aidera à sortir ma petite famille de la bigoterie. Mais, pour ma propre conversion, il sera trop tard, le mal étant fait. «La mer y serait passée sans effacer la souillure, car la tache était au fond.» Ce nous aura été quand même (je veux parler ici de ce petit groupe de marginaux que nous formions, les Bonenfant, Marchand, Lemelin, Giroux, Bergeron, Falardeau et compagnie) un précieux appui que d'avoir en tête de liste ce dominicain qui jamais ne refusa une invite à nos activités littéraires. Il nous était, sans que nous ayons à le crier sur les toits et de par sa seule présence, la plus rassurante des cautions. Mais les occasions de nous manifester étaient rares et le champ de nos aspirations se trouvait toujours en friche. Ai-je le droit de déplorer qu'en bout de piste mon révérend ait décidé de troquer son froc contre un habit de clergyman? Pour une fois que l'habit faisait le moine!

La suite de mon histoire m'oblige à décréter ici un armistice à ma nostalgie. Que l'on s'en souvienne: nous étions toujours dans les années cinquante. Ayant terminé mes études en librairie (entendez par là que cette putain n'avait plus rien à m'apprendre), je décidai qu'en édition je pouvais passer des éléments latins à la syntaxe et qu'il était temps de cesser d'ergoter.

Le tour de mon jardinet fut vite fait. J'avais bien dans mon rétroviseur un Hervé Bazin que j'avais d'abord connu par correspondance, alors qu'il me remerciait d'avoir réimprimé l'un de ses livres pour mon Club de Lecture, et un Yves Thériault auquel j'allais devoir botter les fesses. Hervé Bazin, quant à lui, doublement lié aux éditions Grasset et à celles du Seuil, ne saurait m'apporter que du prestige; mais il arrivait tout de même dans ma vie d'éditeur à un moment où j'en avais marre de ne travailler que pour la gloire. Ce qui ne nous a pas empêchés de devenir copains, moi d'être reçu chez lui, et lui chez moi.

À l'occasion de son premier voyage au Canada, il prétendit être venu principalement pour voir une tempête de neige; mais j'ai vite compris qu'il voulait surtout se procurer cette pilule miracle qui était alors en vente libre ici (et introuvable en France) et qui faisait s'annihiler les conséquences du droit à l'amour pour la femme. Comme quoi les grands de ce monde ont aussi leurs petits problèmes, dont l'existence faisait dire à Churchill: «Il n'est pas de grand homme pour son valet de chambre.»

L'ennui, avec la problématique de la vie, c'est qu'il n'y a pas de mode d'emploi. On a beau connaître la prescription «aux grands maux, les grands remèdes», la recette n'est pas toujours facile à suivre car il est des plaies que seul le temps peut guérir. Pour nourrir sa joie, il faut compter sur les trous de mémoire de l'adversité, si anodins et isolés qu'ils soient, et prendre au vol les petits bonheurs qui passent. Le meilleur baume quand rien ne va plus restera toujours l'espérance.

Même fugaces, j'en ai connu de ces petites félicités, comme de voir ces grappes d'étudiants et d'étudiantes envahir ma librairie aux rares jours fastes de mes ventes à rabais. Il ne m'était pas de plus grande jouissance que de les sentir «en chaleur» et de les voir se bousculer de crainte de rater un titre ou un auteur préféré. J'ai connu aussi la joie de voir arriver, chaque fois qu'elles venaient à Québec, des vedettes du petit écran telles Dominique Michel et Denyse Filiatrault. Elles ouvriront la porte à des artistes de grande envergure, de passage au cabaret *Chez Gérard*. C'est ainsi qu'un jour Édith Piaf vint bouquiner chez moi, mais une Édith sur le retour, car – ce n'était un secret pour personne – elle n'était plus la même depuis la mort de Marcel Cerdan. N'empêche que, toute débraillée qu'elle fût et maquillée à la va comme je te pousse, le rouge dépassant largement le contour de ses lèvres, elle n'en semait pas moins l'émoi chez mon personnel.

À toute cette gent qui faisait tourner les têtes, je préférais, et de loin, la visite de la petite fleuriste d'en face. D'abord parce qu'elle était jolie, mais aussi parce qu'elle venait plus assidûment. Il n'était guère de fin de semaine qu'elle ne vînt feuilleter des revues de décoration intérieure, d'art floral, d'antiquités, ce qui révélait une certaine culture. Cependant, elle n'en achetait pas souvent. À d'autres, j'en aurais tenu rigueur; à elle, pas. Sans qu'elle en fût consciente, chacune de ses venues m'était comme un rayon de soleil perçant mes nuages. J'avais du bonheur à simplement la regarder, sans pourtant la déshabiller des yeux, comme pour la garder intacte et ne rien lui enlever de son mystère. Mes distances, je les gardais parce que je n'avais rien à lui offrir; encore qu'il n'eût pas fallu qu'elle me provoquât. Mais, paradoxe (et c'était de là que me venait sa séduction), elle ne posait pas. Je préférais laisser au destin le plaisir de faire se croiser nos chemins.

Les critères de beauté n'étant pas absolus, les miens étaient en parfaite harmonie avec ce qui émanait d'elle. J'en arrivais à me persuader que le temps jouerait pour moi, que se tisserait un lien de cause à effet, comme il arrive, sans le voir, de sentir un regard posé sur soi. Me restait à la considérer comme un cadeau du ciel, un fantasme que je pourrais réaliser un jour, peut-être...

Pour en terminer avec les petits bonheurs, il ne me faut pas oublier que c'est ma librairie qui m'a mené à l'édition, un domaine pour lequel je me sentais d'attaque. Les quelques expériences faites à ce jour – aucune d'elles n'ayant été véritablement un four – me prouvaient que j'avais les atouts pour réussir. C'est en étudiant les best-sellers de cette époque que je crus en connaître la recette, ce à quoi attribuer leur succès: un sujet que personne à ce jour n'a abordé, et un vécu hors du commun, car, à de très rares exceptions près, le quotidien n'intéresse personne, quoique, toute règle ayant ses exceptions, Sloan Wilson ait fait un tabac avec *L'Homme au complet gris*.

On doit tenir compte des goûts du public, des courants. Les exigences des lecteurs étant sensiblement les mêmes partout, il faut leur apporter du neuf, des émotions fortes. À preuve la vogue des polars, lesquels touchent presque toutes les classes. D'un autre côté, certains lecteurs sont tellement gavés (ou apathiques, c'est selon) qu'il leur faut *L'Expédition du Kon-Tiki* ou *Une excursion à l'île de Pâques*. Somme toute, rares sont ceux qui ne recherchent que le purisme dans ce qu'ils lisent.

Il y a les bouches en cœur et les forts en gueule, les uns n'étant pas forcément les antagonistes des autres. Ainsi, on comprendra mieux les succès obtenus par *Jane Eyre, Le Journal d'Anne Frank, Une femme en enfer, Les Carnets du major Thompson* ou *Le Petit Monde de Don Camillo*. Mais pour qui vise le haut du pavé, il faut être en tête de liste, car il en est pour la littérature comme pour toute autre discipline: il faut être premier de classe. Tous se souviennent du nom du premier homme qui a traversé l'Atlantique: Charles Lindbergh; mais qui se rappelle le nom du deuxième?

Décortiquer tout cela et tirer profit de cette panoplie de bonnes fortunes aiderait peut-être un Yves Thériault à se distinguer, lui qui affirme pouvoir écrire sur n'importe quel sujet. Peut-être faudrait-il en causer?

# VIII

Dans la mesure où je n'avais pas eu besoin de la méthode de Dale Carnegie pour me faire des amis, je n'avais pas non plus besoin d'Émile Coué pour remettre en question ma métaphysique, mais j'ai dû relire Alexis Carrel *(L'Homme, cet inconnu)* et le comte du Noüy *(L'Homme et sa destinée)* pour me persuader que, pour mythique que ce soit, chacun de nous a un destin, ce nébuleux despote auquel on obéit en croyant commander. Ce qu'il a de commun avec Dieu ou Allah, c'est que l'on ne peut en prouver ou nier l'existence que par déduction. Dans les deux cas, la meilleure des données est d'être convaincu de ce sur quoi on s'est arrêté pour entretenir cette certitude. Une trop constante remise en question ne saurait apporter que frustrations et concessions à ce que, en définitive, l'on ne peut changer. Ne nous reste qu'à exceller ou à nous dépasser; toute autre lutte ne saurait être que stérile ou chimérique.

Certains naissent avec un diamant dans la gorge, d'autres l'ont au doigt, d'aucuns sont gratifiés de la bosse des mathématiques alors que d'autres naissent physiciens, pendant que le commun des mortels doit peiner pour se tailler une place au soleil et s'en satisfaire.

Toute cette discutable rhétorique pour attribuer à Yves Thériault un indéniable don naturel d'écrivain. Il tâtera de tout avant d'accepter de l'assumer, mais, dès ses premiers pas dans l'écrit, il s'en convaincra malgré le peu d'intérêt que manifesteront ses contemporains pour ce talent qu'il a et qu'il voudrait voir reconnu. Il était une force de la nature tant physique (il ira jusqu'à fréquenter les arènes de boxe) que morale.Sa mère, qui l'a allaité jusqu'à plus soif, a dû le trouver beau dès son premier rictus, intelligent dès son premier rot. Je n'ai rencontré cette femme qu'à deux reprises, mais elle était de ces êtres qui ne savent cacher ni leurs qualités ni leurs carences et qui n'ont d'autre souci que celui de se perpétuer à travers leur progéniture. Volubile, déterminée, elle s'imposait du haut de sa superbe à son entourage, n'acceptant aucune controverse, sûre de posséder la Vérité.

Telle était la mère d'Yves Thériault, telle fut sa façon bien à elle de le conduire d'une main ferme jusqu'à ce qu'il s'en libère, devenu homme. Et, si la force de caractère se cultive, Thériault savait jardiner.

Séduit, pour ne pas dire fasciné, tant par son talent que par son potentiel (entendez: vitesse de croisière), j'attendais fébrilement que l'ours sorte de sa tanière pour m'apporter un manuscrit. À la place, j'apprends que son hibernement lui a permis d'écrire un roman, *Le Dompteur d'ours*, et que, ayant rencontré Pierre Tisseyre par hasard, il lui en a parlé et, profitant de l'occasion «pendant que le fer était chaud», a signé une entente avec lui, oubliant délibérément notre contrat à peine refroidi.

Je ne saurais dire si ce fut par abnégation ou servilité que je le laissai filer son coton avec Pierre Tisseyre sur la promesse de me revenir avec un autre manuscrit, lui rappelant qu'à son dire il n'avait pas suffisamment de doigts pour compter les sujets de roman dont il voulait traiter.

Il me cita, entre autres, *Les gerbes sont lourdes, Kesten, Ashini, Aaron, Les Journées d'Annette, Le Collier, La Montagne d'Antoine, La Faim et la Soif, Goliath dans la Cité*, etc., me décortiquant pour chacun d'eux les thèmes à élaborer; oui, les gerbes seraient lourdes pour ceux qui auraient à faire la moisson, pleine d'ivraie, laissée en héritage par les autorités d'alors, tant sur le plan politique que religieux. J'en pris bonne note.

Son *Dompteur d'ours* n'ayant pas eu chez Pierre Tisseyre le succès espéré, Thériault revint pleurer sur mon épaule. J'en profitai pour lui faire part de ma dissertation sur le pourquoi du comment se font les best-sellers, pour le convaincre d'écrire au goût du jour sur un sujet que personne encore n'avait osé examiner à la loupe, tout un chacun se contentant d'y faire allusion.

Des projets qu'il m'avait exposés, on aura compris que, de tous, *Les gerbes sont lourdes* m'intéressait plus particulièrement. Je lui fis remarquer que, puisqu'il aimait œuvrer pendant que le fer était chaud, c'était peut-être le temps de s'y mettre. Sur sa promesse d'y penser sérieusement, je lui proposai, puisqu'il fallait bien se soumettre à ce qu'il appelait les affres du quotidien, d'écrire un livre – assuré qu'il pourrait le faire en quelques jours – d'après le scénario d'un film que l'on annonçait à grand renfort de publicité et qui portait sur un sujet dont à peu près tout le monde avait entendu parler: le martyre d'une petite fille prénommée Aurore.

Si ce n'était pas une histoire à faire le tour du monde, couvrirait-elle la province que c'eût pu apporter à Yves de la menue monnaie en attendant le gros lot. Le sujet, voire même la façon de le traiter, ne commandait ni d'intenses recherches ni de dictionnaire du bon langage, mais des mots, rien que des mots alignés sur la fabulation, plus nombreux que n'en demande le client, le tout sous le couvert de l'anonymat: un pseudonyme pour l'auteur, une raison sociale inventée pour l'éditeur, le but n'étant pas de monter d'un cran dans nos réputations respectives mais de renflouer quelque peu les finances de l'auteur, de lui permettre de respirer et d'ainsi canaliser ses efforts sur la moisson à venir. J'y trouverais mon compte par l'apport de mes quatorze débits de tabac et une demande créée par la sortie du film. Bref, cela permettrait à Thériault de bouffer pour un temps sans devoir vider mon frigo.

Le manuscrit me fut livré à temps par l'auteur, sous le pseudonyme de Benoît Tessier; je demandai à mon imprimeur d'y aller à toute vapeur, de ne pas trop se préoccuper des fautes de frappe, si bien que, toutes connivences concertées, nous sommes arrivés avec un produit relativement fini avant la sortie du film.

Je n'ai jamais su quel relatif échec avait eu Pierre Tisseyre avec *Le Dompteur d'ours*, mais ce que j'ai su très vite, c'est qu'un autre écrivain (inutile de retenir son nom car il a certainement usé lui aussi d'un pseudonyme) et un autre éditeur (Beauchemin, et au grand jour, parce que là on pouvait se permettre de perdre des plumes) avaient eu la même idée. Si bien que nous nous sommes retrouvés à deux pour nous partager un marché plus chimérique

que fondé. Je réussis tout juste à faire mes frais, alors que Thériault dut se contenter des trois cents dollars que je lui avais versés.

La raison de l'échec étant on ne peut plus facile à détecter, l'auteur ne pouvait, pour une fois, reprocher à son éditeur de ne pas avoir mis le paquet ni ce dernier reprocher à l'auteur d'avoir écrit un navet. Ce qui, en bout de ligne, nous a rapprochés, sans autre raison que celle d'avoir été copains d'infortune dans l'aventure.

Il n'est pas dans la déontologie de la profession d'éditeur d'exiger que tous ses auteurs soient faits sur le même moule. Je percevais bien que je n'avais pas avec Thériault les mêmes affinités qu'avec Lemelin ou Giroux. Par contre, Thériault à lui seul avait plus de potentiel, de talent et d'avenir que les deux réunis. Et si je voulais rester fidèle à ma ligne de conduite, je me devais de l'aider en toute priorité, car Lemelin et Giroux pouvaient, eux, se débrouiller tout seuls.

Plus marquée, peut-être, était cette similarité de vues que nous avions face aux limites imposées à nos presque homogènes conceptions des choses par la censure et les interdits, qui provoquaient les mêmes frustrations. Je l'ai décelée chez Thériault lorsque nous avons cherché à établir ce qui fait d'un livre un best-seller. *Les gerbes sont lourdes* était beaucoup plus près de mes crottes au cœur que ne pouvaient l'être les ambitions de *Pierre le Magnifique* ou les quiproquos d'André Giroux.

Plus tard, beaucoup plus tard, nous avons découvert que nous avions, avec Giroux, fréquenté la même école, deux ou trois années de suite, en la paroisse Saint-François-d'Assise, à Québec. Évoquant cette époque, nous constations l'incroyable phénomène de nous être côtoyés pendant quelques années sans qu'aucun des trois se souvienne des autres. Il faut sans doute en expliquer l'originalité par le seul fait qu'en cette période des années vingt les classes étaient abécédaires. Il faut croire que Thériault était en sixième A, Giroux en sixième B et moi en sixième C, ce qui nous replacerait dans l'ordre des valeurs alors en puissance.

Si le destin n'existe pas, j'aimerais savoir pourquoi trois écoliers ont vécu ensemble au moins deux ou trois années scolaires sans se connaître et se sont retrouvés quelque vingt-cinq ans plus tard dans la même ligne de pensée pour ensemble servir une médecine de repos aux lecteurs fatigués aussi bien qu'une dose d'adrénaline aux indolents.

Thériault prit en bonne part ma suggestion de courtiser la chance dans le domaine des best-sellers en s'attaquant au thème des *Gerbes sont lourdes*, tout en changeant le titre, qui devint *Les Vendeurs du temple*, parce que plus percutant. Il ne voulait pas non plus tomber dans le piège que s'était forgé Jean-Charles Harvey avec *Les Demi-civilisés*.

À celui-ci, né un quart de siècle avant nous (c'était beaucoup en ces temps où tout était d'une lenteur désespérante et où chaque année semblait en mettre deux ou presque à s'écouler, chacune s'accrochant au statu quo de la précédente, alors qu'aujourd'hui, dans la hâte de changer de siècle, tout va si vite qu'une année se consume en six mois), j'aurai eu, dans ma vie d'éditeur, le plaisir de donner l'occasion non pas de se racheter – le mal était fait – mais de prouver, avec *Les Paradis de sable*[1], qu'il était l'un des meilleurs stylistes de notre époque. Son handicap aura été d'avoir eu, à la limite des interdits des années trente, les défauts de ses qualités; ses thèses ne se prêtaient guère à la rigolade. À sa décharge, il faut peut-être préciser que l'époque était plutôt grise, comme si cette décennie avait à payer pour les années folles de la précédente.

Je quittai Yves et Michelle avec la satisfaction de leur avoir fait partager mon hypothétique perception du roman à succès. Sur le chemin du retour, j'ai connu quelques heures de béatitude à rêver que peut-être, avec un titre comme *Les Vendeurs du temple*, on arriverait à secouer l'indifférence du public pour la chose écrite. Je reprenais en pensée le cheminement de l'auteur, qui m'avait fait un schéma de ce que serait le livre. Il ironiserait plutôt que de condamner, il en ferait un roman et non un pamphlet. Avec le talent que je lui connaissais, je savais qu'il saurait accoler fiction et réalité.

Cependant, ce que Thériault avait omis de me dire, c'est que, en allant chez Pierre Tisseyre pour faire publier son *Dompteur d'ours*, il s'était engagé pour deux autres romans, ce qui était dans les normes... pour l'éditeur. Comment l'auteur allait-il pouvoir se

---

1. Institut littéraire du Québec, 1953.

libérer de cet engagement pour être en droit de m'apporter *Les Vendeurs du Temple*? Lorsque je lui fis part de mes craintes, il me répondit de ne pas m'en faire, qu'il n'était pas de contrat sans faille.

Je ne saurais dire comment Thériault a pagayé pour se dégager de ce contrat signé avec Pierre Tisseyre, mais le fait est que, quelques jours plus tard, je reçus une lettre de Pierre Tisseyre libérant provisoirement l'auteur pour trois ou quatre des romans cités plus haut et qu'Yves, à la volée, lui avait promis. Ce qui m'étonna le plus, ce fut de constater cette facilité avec laquelle l'auteur avait pu se libérer de Pierre Tisseyre, qui avait pourtant de solides atouts pour lui. Luttant comme moi pour s'imposer comme éditeur, comment avait-il pu laisser partir ainsi un auteur si plein de talent et de promesses? Cela me dépassait et en même temps me laissait perplexe, car je songeais que peut-être Thériault un jour me ferait le même coup. En garde, moussaillon!

Pour l'instant, fort de sa promesse de me livrer ce manuscrit dont j'espérais beaucoup, je passai avec lui un contrat d'édition en bonne et due forme, après quoi il ne me restait qu'à attendre le remake de Michelle, ce qui me fit repousser bien loin la possibilité d'une mésentente ou d'un déni de signature entre l'auteur et moi.

La difficulté de mener à terme ce projet ne me vint pourtant pas de cette crainte exprimée mais d'un aspect que j'aurais été à cent lieues de concevoir, compte tenu de l'imagination habituellement débordante de l'auteur. Thériault, qui dans son écriture avait depuis longtemps acquis la maîtrise du court-bouillon, des formules ramassées tant dans ses nouvelles que dans ses romans à dix sous, se retrouvait devant ce qui lui semblait être une corvée, un pensum à accomplir. Ça l'obligeait à se remettre en cause et ça n'était pas dans sa nature, car il estimait ses classes terminées.

À telle enseigne que Michelle sentit le besoin de me téléphoner devant le désarroi de l'auteur, qui menaçait de tout lâcher. Yves étant porté sur la dive bouteille quand ça n'allait plus, Michelle craignait qu'il ne se mette à boire pour oublier qu'il était une bête de somme. Le roman à demi élaboré, elle voyait son mari peiner à la tâche, lui qui d'habitude débordait d'énergie. Je lui conseillai de ne pas insister, de tout laisser en plan et de venir chez moi passer quelques jours, pour changer d'air. Ils furent enchantés de mon invitation et je vis arriver ces deux amateurs de camping quelques jours plus tard avec tout leur attirail.

Yves était détendu, Michelle rassurée, et je crois avoir été en cette occasion un hôte à la hauteur. Mon seul point d'interrogation aura été de ne savoir que faire pour le repas du soir, que nous prenions toujours ensemble, mais Michelle me rassura en me confiant qu'Yves ne se laissait dominer par la boisson que lorsqu'il était seul; elle ne l'avait jamais vu déroger en bonne compagnie. Ce problème résolu (capital pour qui reçoit), une ambiance de camaraderie s'établit, qui permit à Yves de se revitaliser. Ils restèrent une dizaine de jours, au cours desquels nous avons appris à nous connaître un peu mieux et à resserrer des liens que la distance rendait parfois un peu lâches. Comme quoi l'amitié, comme tout ce qui se veut durable, se cultive.

De retour à Montréal, Yves se remit au boulot avec une ardeur qui fit que Michelle remercia le ciel et ses saints, heureuse que cette escale dans le temps ait permis à son homme de reprendre le collier. Si bien qu'à quelque temps de là je reçus le texte intégral et finalisé par Michelle, rassuré par la satisfaction qu'elle en éprouvait. J'étais prêt pour une mise sur orbite de première classe. Comme d'habitude, j'utilisai tous les moyens de communication disponibles: encarts publicitaires payés et complaisants.

Dans les années cinquante cependant, très peu de journaux ou de revues avaient des pages dites de critique littéraire. À leur décharge, il vaut peut-être de signaler que nous étions les uns et les autres dans un cercle vicieux, en ce sens que, pour entretenir une rubrique des arts et lettres, il aurait fallu une plus grande production. Or, nous n'étions officieusement que deux à produire. D'où l'impératif qui nous commandait de continuer malgré tout si nous voulions que reviennent les beaux jours des années quarante, alors que Montréal, la deuxième plus importante ville française du monde, avait pris la relève des éditeurs français dispersés par la guerre, l'Occupation ou l'exil.

La preuve avait alors été faite par les éditeurs d'occasion que furent Valiquette, Variétés, Simpson et compagnie que, malgré le clergé et les moustiques qui s'y collaient, un certain rayonnement culturel pouvait s'exercer. La France ayant repris ses droits avec la fin de la guerre (plus précisément en 1946), nous sommes tombés cliniquement morts et sommes restés dans un coma qui dura plus de cinq ans. Pendant ces années, rien d'autre n'a passé que le temps; les éditions de l'Arbre, Pascal et Pilon ont vainement tenté de reprendre le flambeau.

Que, durant cette léthargique période, Gabrielle Roy, Roger Lemelin, Anne Hébert, Yves Thériault et André Langevin nous aient permis de rêver ne faisait que nous imposer à Tisseyre et à moi de maintenir la flamme. Ce que nous savions tous les deux, c'est qu'il nous fallait à tout prix un best-seller, un vrai qui pût ébranler la baraque, un succès qui en ferait rêver d'autres et leur donnerait le goût d'œuvrer à leur tour et de tenter leur chance. Au bout de chacune de nos éditions pendait l'espérance. On eût dit que plus la marée était basse, plus il nous fallait garder la dragée haute. Avec la détermination que nous avions, et ces cordes à nos arcs qu'étaient Langevin et Thériault, atteindre la cible ne saurait tarder.

Il y avait bien, en aparté, les éditions de l'Homme, fondées par Edgar L'Espérance, un capitaine de navire cherchant sa voie, rénovée, il est vrai, mais beaucoup plus tard, par son fils Pierre, et les éditions Beauchemin qui compensaient leurs ratés par le succès annuel de leur *Almanach du peuple*. Ne tenait vraiment le coup que la librairie Pony, avec ses livres genre courrier du cœur et en plus le gain de quelques milliers de lecteurs avec *Un homme et son péché* de Claude-Henri Grignon. En fin de compte, un bilan qui n'avait vraiment pas de quoi faire s'éclater les pages littéraires de nos quotidiens.

Une anecdote au sujet de Claude-Henri Grignon, que j'ai rencontré chez lui, invité à Sainte-Adèle par Maurice de Goumois. Au cours de la conversation, Grignon m'a fait part qu'on lui avait proposé le prix David pour son roman à la condition qu'il y remplace le mot «fesses» par «postérieur». Il s'esclaffa en disant que, pour cinq mille dollars, il aurait même rayé les deux.

C'était devenu, entre Tisseyre et moi, une course contre la montre. Sans nous l'avouer, nous surveillions d'un œil presque jaloux nos communes tentatives de percée. Avec *Les Vendeurs du temple*, j'étais sûr d'avoir une longueur d'avance, mais j'ai vite déchanté en constatant qu'après seulement quelques mois le lancement du livre était resté sans écho. Pas de remous, pas de vagues; le calme plat. Ce nous fut une dure réalité d'avoir à constater que n'est pas Guareschi ou Daninos qui veut. Bien que Thériault eût donné sa pleine mesure, le livre était vite tombé dans l'oubli.

En dépit de tout, ni les méventes du Cercle du Livre de France ni celles de l'Institut littéraire ne nous décourageaient pour autant. Tout n'était peut-être qu'une question de temps, quoique l'espérance, pour vive qu'elle soit, nourrisse rarement d'autres facultés que morales. Une étude du marché nous fit conclure que le problème était plus profond que nous ne pensions: il n'y avait pas assez de lecteurs en puissance pour quelque œuvre que ce soit. L'on se partageait, à parts égales ou presque, les frasques de Thériault et de Lemelin, de Gabrielle Roy, de Félix Leclerc et d'André Langevin, les fans des uns n'étant pas forcément ceux des autres. Découvrir un écrivain qui rallierait les affinités de chacun nous semblait un rêve pour le moins utopique.

Cette nouvelle perception des choses n'aida pas Thériault à devenir un auteur conciliant. Il décida de revenir au genre pour lequel il se sentait le plus d'aise, soit la nouvelle et le roman synthétisé, et me jura qu'il n'accepterait de s'attaquer à une commande importante que nous n'ayons, nous les éditeurs, défriché assez de terrain pour qu'il en sorte une légion de lecteurs qui sachent différencier une œuvre d'art d'un pamphlet, ajoutant que ce n'était pas aux écrivains mais aux éditeurs de paver la route. Vlan!

Finalement, Thériault me livra, quelque temps plus tard, un court roman intitulé *Aaron*, qui, pour dépouillé qu'il fût, ne remplissait pas, à mon avis, les discutables critères sur lesquels tout éditeur base la survie de sa maison. J'éditai *Aaron*, et Thériault dut se contenter de l'a-valoir de mille dollars que j'avais promis de lui verser. Je demeurais convaincu que ce ne serait pas là non plus l'œuvre qui m'autoriserait à traiter de haut mon toujours récalcitrant gérant de banque.

Après la déception mal encaissée de ce roman, le long silence de Thériault m'inquiéta et je sentis le besoin d'aller voir ce qui pouvait mijoter dans sa marmite. Auparavant, il ne se passait guère de mois qu'il ne m'appelât, mine de rien, pour prendre de mes nouvelles, mais c'était surtout pour s'enquérir si je ne pourrais pas lui faire une avance sur le produit de son prochain livre, ce à quoi j'acquiesçais parce qu'il s'agissait de petites sommes de dépannage (il savait que je n'aurais pas l'audace d'en déduire les montants des mille dollars promis, le moment venu).

Une autre raison, plus impérative celle-là, me commandait de reprendre contact avec les Thériault; je dis bien «les» Thériault, car ils formaient plus que jamais une équipe. Nous avions ainsi, Michelle et moi, des rapports presque identiques à ceux qui prévalent entre un auteur et son éditeur, ayant souvent à causer d'intérêts communs. Michelle m'avait fait part de la déprime d'Yves. Il était vraiment au bord du désespoir, ne ratant aucune occasion de discorde quotidienne, et allant jusqu'à lui opposer une menace de suicide.

C'est une arme dont Thériault a usé tout au long de sa vie et d'une façon si péremptoire que chaque fois, ou presque, nous sommes tombés dans le panneau, nous sentant comptables de ses états d'âme. Ce qui, cette fois, fit peut-être déborder le vase, c'est que, alors que l'écrivain croyait avoir retrouvé ses racines avec *Aaron* et que la critique avait été des plus favorables, retrouvant là le Thériault de *La Fille laide* et des *Contes pour un homme seul*, le grand public, lui, était resté de marbre; ce roman ne ralliait pas ceux qui ne juraient que par Lemelin, Giroux, Leclerc et compagnie. Et cela, plus que toute autre raison, avivait la frustration de l'auteur.

Pour la première fois dans ma courte vie d'éditeur, je perdais de l'argent avec cet écrivain, et je dus tenir une comptabilité distincte pour les sommes que je lui versais et que la vente de ses livres n'arrivait pas à compenser. Ce me fut un ajout aux motifs que j'avais d'aller voir d'un peu plus près si j'avais raison ou non de croire à sa faculté de produire selon ses prétentions.

N'ayant d'autre moyen d'évasion que le transport en commun dans la métropole, les Thériault avaient décidé de déménager leurs pénates dans les Laurentides et, dans la normalité des choses, j'en conclus qu'Yves avait besoin de s'évader de nouveau loin des bruits de la ville et de ses contraintes, en quête d'un peu de solitude. D'autant que les milieux littéraires et artistiques ne lui accordaient pas la place qu'il était en droit d'espérer.

Je les retrouvai tels qu'ils étaient, invité à partager leur frugal repas et m'offrant la chambre d'amis toujours disponible. J'étais de ceux avec qui Yves aimait étayer ses frustrations, sachant qu'il était un point de vue sur lequel nos concepts concordaient: celui de la censure. Je le laissais tenter de me convaincre qu'il en était plus touché que moi, rageant de ne pouvoir «détabousser» certains sujets. L'heure était venue, selon lui, de traiter d'autres thèmes que celui des arpents de terre à défricher ou celui du «Cachez ce sein que je ne saurais voir», bref, de se libérer de ce carcan que nous avait forgé l'hermétique triangle de l'État, de l'Église et de la Famille.

C'était pour nous deux un sujet sur lequel nous pouvions discourir sans fin, son intensité étant facilement détectable. Ce que Thériault encaissait mal, c'était de voir un Lemelin ou un Gélinas s'en moquer, atteindre des sommets sans avoir à composer avec des secrets d'alcôve. Lui qui brûlait de nous les présenter sur grand écran se savait d'avance frappé d'interdit et s'en insurgeait. Ce qui le faisait fulminer surtout, c'était, pour survivre, d'avoir à déguiser la vérité, de sorte que, inconsciemment, l'on développait une forme d'hypocrisie que n'eût pas désavouée Tartuffe. Tout le monde il était beau, tout le monde il était gentil, tout le monde il était parfait.

Thériault, je mettrai du temps à le cadrer, car il aimait fabuler. C'était l'un des atouts dont il usait à volonté, ayant pour le verbe autant de virtuosité que pour l'écrit. Ses dires dépassaient le plus souvent sa pensée, et ce à quoi il en imputait la faute, il ne s'en est jamais servi pour s'en sortir. Ce n'était pourtant pas le talent qui lui manquait; ses prétentions, il les avançait sans engager bataille. Se mettre au blanc pour la cause des autres qu'il prétendait aussi être sienne, ce n'était pas son genre. La mutinerie, très peu pour lui; il ne se sentait pas d'aptitude au martyre.Tout était intrinsèquement physique chez lui; de douleurs morales, je ne crois pas qu'il en ait eu de profondes. Et pourtant qui peut se vanter de pouvoir sonder les reins et les cœurs?

De ce séjour chez les Thériault, je sortais quelque peu meurtri, concluant, à tort peut-être, qu'Yves n'était homme à servir d'autres causes que la sienne. Si on ne brise pas impunément l'image d'une idole, je ne lui en tins pas rigueur pour autant. Il y avait une brèche dans l'admiration que je lui portais, soit, mais ma confiance en son talent n'en fut aucunement amoindrie. Il avait, en cours de route, évoqué le système de production à l'américaine du genre donnant, donnant: tu paies, je produis. Le système existait outre-frontières, Thériault ne m'apprenait rien, mais sa logique, pour désarmante qu'elle fût, me posait un garrot de cet ordre: tu as raison, je n'ai pas tort. Ce qui nous fit nous quitter sur un équivoque «Pensez-y bien».

À ce qui pour d'aucuns aurait été considéré comme une mise en demeure, j'ai préféré mettre en parallèle les exigences de Thériault et ce qu'il pouvait offrir en retour. Pour logique que pût être cette déduction, je savais par avance qu'elle ne serait d'aucun poids face à l'intransigeance de mon banquier, que rien d'autre qu'un succès financier ne saurait infléchir. Si bien que j'ai vite réalisé qu'il me faudrait, tel un acteur dans une scène apparemment sans issue, trouver une autre solution que celle d'une sortie côté cour ou côté jardin, pour me jeter carrément dans la fosse aux lions...

Je n'avais rien à offrir aux prêteurs sur gages, et me jeter de nouveau dans les pattes d'un usurier, si ça pouvait s'expliquer pour moi, le faire pour un autre ne me serait venu que d'un trop-plein d'altruisme. Je voulais bien admettre être quelque peu taré, mais pas au point d'y engager ma charrette. S'il est parfois des gestes que l'on ne poserait pas pour soi mais qu'on accepte de faire pour d'autres, je ne dirai pas que l'on s'y prête de bonne grâce mais on le fait avec beaucoup plus d'audace et moins de pudeur. Mendier est de ceux-là.

Après la mise en demeure du «tu paies, je produis», j'ai cru pouvoir normaliser une fois pour toutes la situation de Thériault en m'adressant à un pontife de la finance que je savais gérer une fortune à ne savoir ou presque comment l'utiliser.

Il y avait bien, au-delà de cette hypothèse, une démarche plus orthodoxe, celle des bourses Guggenheim, dont, entre autres, Lemelin et Giroux avaient bénéficié, mais cette faveur devait être sollicitée par l'auteur lui-même, ce à quoi se refusait Thériault. Il avançait qu'il avait fait ses preuves et n'avait pas besoin de s'abaisser, refusant la logique qu'une bourse de soutien ne s'accorde que lorsqu'on la demande. Et, pour lui, solliciter, c'était mendier.

Je décidai donc qu'il m'incombait d'aller frapper à la porte de ce maître d'œuvre qu'était Gérald Martineau, grand argentier du parti politique au pouvoir[1], duquel dépendait le sort de milliers de personnes. Il pourrait régler mon cas-problème d'un seul coup, lui pour qui ce geste à poser était partie intégrante de son quotidien.

J'ai d'autant plus vite saisi la malice de mon projet que, comme par hasard, le parti politique avait fait construire à deux pas de ma librairie – comme pour l'accoler à mon destin – une véritable forteresse dans laquelle empiler les pots-de-vin qui arrivaient de toutes parts. Il m'était impensable que Gérald Martineau n'en puisse soustraire une infime somme qui permettrait à Thériault de larguer ses amarres.

J'obtins facilement un rendez-vous avec ce monstre de la finance et si aisément que, chemin faisant, plus j'approchais du château fort, plus je me persuadais du bien-fondé de ma démarche. Ce que j'aurais à lui demander serait si ridicule en regard des millions qu'il manipulait qu'il ne saurait dire non à une cause aussi noble. En revanche, je savais qu'au poteau d'exécution c'est à lui que reviendrait le privilège de crier «feu!» ou de faire s'abaisser les armes, car il avait la réputation d'être radical.

Il me laissa débiter l'objet de ma visite, exposer la pertinence de ma requête. J'apportai, pour défendre ma cause, des arguments et une fougue dont je ne me serais pas cru capable. J'énoncai toute une panoplie d'arguments qui valaient tant pour l'homme que pour son œuvre, mettant en valeur l'apport des lettres à la culture populaire, la survie de la langue par l'écrit, et déplorant qu'il y eût si peu d'écrivains face à une légion d'ignares. Je poussai la thèse jusqu'à lui démontrer l'influence du livre, ayant connu des gens dont la vie avait radicalement changé à la suite de la lecture d'un seul livre.

Tout cela énoncé en un flot continu, sans failles ni hésitations, avec un accent de vérité qui ne se justifiait que parce que je défendais la cause d'un autre. Cette apologie de la culture, je la déclamais comme une leçon apprise en fonction d'un débat oratoire, bien décidé à remporter la palme. Tout au long de mon discours, je n'ai cessé de regarder bien en face ce mastodonte du pouvoir, qui, d'un geste ou d'un mot, pouvait détruire toute une vie ou la porter

1. L'Union nationale.

au pinacle de la réussite. Je surveillais son faciès pour y déceler une quelconque réaction, mais il restait de marbre, comme s'il n'avait rien d'autre à faire ce jour-là que d'enrober ma performance d'un minimum de civilité. Aussi, quand il décida que j'en avais assez dit, il mit un terme à mon plaidoyer en me demandant: «Mais, ce M. Thériault, il ne pourrait pas travailler comme tout le monde?»

J'ai compris qu'il justifiait son refus en rendant l'écrivain seul artisan de son malheur. J'ai aussi compris que la philanthropie était le parent pauvre de la politique et que ma cause, dans ce contexte aux antipodes, en était une perdue d'avance. Émule de son maître[1], cet homme ne connaissait en littérature rien d'Ève ni d'Adam, décrétant qu'on ne saurait gagner sa vie autrement qu'à la sueur de son front.

Je n'ai jamais fait part de cette approche à Thériault, qui, ne recevant rien de positif de ma part, est resté longtemps sans rien publier. Nous n'avions pas pour autant coupé les ponts entre nous, mais il n'était plus question de projets, comme si l'auteur avait voulu me prouver qu'il était capable de tenir sa parole du donnant, donnant. J'ai su plus tard que ce long silence était dû au fait qu'on avait requis ses services au ministère des Affaires indiennes.

Pendant ce temps, les choses étaient au point mort ou presque dans le monde de l'édition. Rien ne bougeait, si on excepte la création par Pierre Tisseyre d'un prix du Cercle du Livre de France et la parution chez moi d'un *Destin de femme* par Maurice de Goumois. Soudain se produisit un choc à tuer deux bœufs d'un seul coup. Le Québec connaissait enfin son best-seller! Du jamais vu, même pour *L'Almanach du peuple* ou le livre le plus «osé» de chez Pony. Dépasser en un temps record les cent mille exemplaires, si on excepte le tirage à répétition du *Petit Catéchisme* et ceux à long terme des *Anciens Canadiens* de Philippe Aubert de Gaspé et d'*Évangéline de Montbrun* de Laure Conan, ouvrages de base pour récompenses de fin d'année scolaire, cartonnés rouge sur tranche dorée, aucun livre québécois n'avait encore connu cela. Je revois encore l'éditeur en herbe qu'était Jacques Hébert remettre un chèque de vingt-cinq mille dollars en droits d'auteur à Mme Janette Bertrand pour son premier livre de recettes de cuisine.

---

1. Maurice Duplessis.

# IX

Il n'est pas nécessairement de rigueur de vivre selon son époque, surtout lorsque celle-ci ne se distingue pas de la précédente. Si celles qui se sont succédé depuis des siècles n'avaient pas apporté quelque évolution, nous en serions encore, l'accoutrement excepté, au temps des cavernes. Il n'est peut-être pas si sûr que j'exagère, car, si l'on avait à faire un quatrain pour s'en sortir, la rime pour le mot «caverne» serait toute trouvée.

Aujourd'hui comme hier, c'est à ceux qui voient par-delà la ligne d'horizon qu'il incombe de secouer le pommier pour qu'en tombent les fruits mûrs. La Vérité ne saurait être qu'une, et comme il appert que la fin du monde n'est pas pour demain, autant apporter à celui dans lequel on vit les réformes qui s'imposent. Il suffit de croire en la valeur du matériau dont on use et de ne pas se satisfaire d'être borgne au pays des aveugles. Il ne faut pas trop se réjouir que le jansénisme soit moins radical que l'Inquisition; la subtilité dans le prêche a souvent plus de poids que le pilon.

L'histoire elle-même a parfois de la difficulté à se retrouver; il faut souvent l'aider, car elles sont rares, les époques aux révolutions bénéfiques. Il importe de ne pas faire l'autruche, de faire ce qu'on doit le temps venu, de ne pas attendre d'être conscrit; il faut se porter volontaire. Il n'est pas de fleuve qui ne fasse que descendre, de marée qui ne fasse que monter.

Sans tomber de Charybde en Scylla, ce siècle qui s'effrite aura connu deux tourmentes au dénouement pacifique: la lutte des femmes pour une place au soleil et celle du prolétariat contre l'autoritarisme, toutes deux ayant d'autant plus de prix qu'elles ont été menées sans autres armes que le verbe et l'écrit. Ce qui aura été tenu au départ pour de l'insurrection n'aura été, en fait, qu'une recherche d'émancipation.

Rien ne se gagnant que de haute lutte, il aura fallu dans les deux camps des meneurs de claque et des têtes d'affiche secondés par tant d'acolytes que l'histoire y perd son latin. Il semble toutefois que, chez les féministes, on en soit venu à un consensus pour attribuer les palmes à Thérèse Casgrain et à Emily Murphy. Chez les hommes, j'ai déjà considéré comme militants les pères Desmarais et Legault, tous deux œuvrant dans des domaines connexes, mais s'adressant à des classes différentes. Les deux ont fait leur boulot avec tellement de subtilité, en ayant si peu l'air d'y toucher, que l'on ne peut attribuer la limite de leurs efforts qu'aux contingences avec lesquelles ils devaient composer.

Toute médaille ayant son revers, on verra, dans le camp des féministes, des adeptes profiter des buts atteints par leurs aînées pour largement dépasser la mesure, et, dans celui du prolétariat, on souffrira, pour avoir trop pourchassé tout ce qui se rapprochait des vendeurs du temple, de ne plus voir de coiffes dans nos hôpitaux. En partant, les religieuses auront emporté avec elles une forme de servitude qu'il nous faudra remplacer par du mercantilisme; c'est l'histoire qui prend sa revanche.

Y a-t-il quelqu'un dans la salle qui voit où je veux en venir? Quel est celui dont je brûle de mettre le nom en épigraphe sur une période aujourd'hui consommée mais qui se doit, comme toute chose accomplie, d'avoir été traversée? Parce que l'histoire a aussi ses faiblesses qui lui font commettre des erreurs de parcours. Ainsi, c'est au préjudice de ce quelqu'un d'autre que la paternité de la Révolution tranquille a été prêtée à Jean Lesage. Le temps est venu de rendre à César ce qui appartient à César et de décerner le titre de précurseur à cet homme qui fut le fondateur de la faculté des sciences sociales de l'université Laval, le très révérend père Georges-Henri Lévesque, né Joseph-Albert, et qui a signé son œuvre, j'oserais dire, d'un pseudonyme, le prénom de Georges-Henri étant celui qu'il a pris «en religion».

Je veux confondre ici ces éternels satisfaits de sentences vite rendues et leur expliquer pourquoi l'histoire doit refaire ses devoirs et accepter de réviser ses notes. Jean Lesage, pour libéral qu'il fût (sans jeu de mots), n'a eu qu'à suivre un courant, une école de pensée à laquelle le père Lévesque œuvrait depuis des lunes. Disons qu'à prime abord Jean Lesage a eu la chance d'être au bon endroit au bon moment. Je veux bien lui attribuer les accessits qu'il mérite et dont le plus valorisant est d'avoir été à l'écoute quand nous lui disions ce qui devait être remis en question.

Tout était depuis si longtemps stagnant que ce ne sont pas les secteurs à secouer qui manquaient; Paul Gérin-Lajoie sera le maître d'œuvre de la réforme de l'éducation dans un ministère (celui de l'Instruction publique) attaqué de toutes parts et fustigé par l'opportune sortie des *Insolences du frère Untel.* À la droite de Jean Lesage se tenait l'indélogeable chef de l'opposition qu'a été pendant près d'un quart de siècle Georges-Émile Lapalme, à qui le conseil des ministres confia le soin de créer un ministère des Affaires culturelles.

Ces trois «L» furent aidés dans leur tâche par des collaborateurs de premier ordre, dont Jean-Charles Bonenfant[1], grand spécialiste de la charte législative, qui échafauda des programmes de modification des lois existantes. Le système de l'éducation fut confié à une commission royale d'enquête présidée par Mgr Alphonse-Marie Parent, dont l'une des premières recommandations sera d'abolir la formule de l'Institut familial telle que conçue par Mgr Albert Tessier[2]. Ne restait à Jean Lesage qu'à endosser, avec l'appui de son conseil des ministres, les vues de ces réformateurs.

Je ne saurais dire par quelle porte le père Lévesque est entré dans ma vie, tellement mes souvenirs se confondent dans le temps. Quand on est gosse, l'on se demande, sans pouvoir le déceler, pourquoi la société est faite de couches. On voit bien que la courbe de vie de tel oncle – et, partant, de tel cousin – est aux antipodes de

---

1. Il n'est pas de discours d'importance prononcé par Jean Lesage qui ne fût rédigé par Jean-Charles Bonenfant.
2. Le but de Mgr Tessier était d'enseigner à nos jeunes filles des données d'art culinaire, sachant que celui de nos mères était d'y aller d'instinct: un peu de ceci, un peu de cela... Celles qui ont fréquenté ces Instituts (alors hautement cotés) auront au moins appris l'utilité des poids et mesures, sans pour autant mieux réussir leurs tartes aux pommes!

la vôtre. Chez ma tante Juliette, le luxe sortait par les fenêtres et c'est en cours d'adolescence que j'ai éprouvé ce qui me semblait être une injustice. C'était à l'époque où je cherchais désespérément à donner un sens à ma vie, et où malgré tout j'avais encore la foi; tout ce qui portait soutane m'était alors matière à envie, simplement pour le confort apparent de ces êtres définitivement casés. J'enviais aussi ceux que ces curés parrainaient en des tâches dont j'aurais pu m'acquitter, y compris, pour prosaïque que ce fût, celle d'un bedeau. Quand on traîne avec soi une âme de gosse, il est plausible de se satisfaire de rêves aussi terre-à-terre.

Plus tard, en ces années où j'œuvrais dans cette voie que j'avais choisie, une voie qui n'allait pas dans le sens des hermétiques horizons de ces spécialistes à jamais branchés sur une seule ligne, la droite, j'observais de loin l'épineux chemin emprunté par le père Lévesque pour dénoncer ces pandores d'une morale à œillères. J'ai alors, et plus profondément peut-être (parce que, pour s'en sortir, on scrute la vie des autres, et plus précisément celle de ses proches), envié mon cousin Jean-Pierre, dont le père Lévesque était le mentor. En observant la carrière de ce cousin, je suis forcément entré dans celle du père Lévesque. À bon maître, bon élève: Jean-Pierre devint son secrétaire particulier, rôle qu'il ne quitta (remplacé par Doris Lussier) que pour accepter un poste au Conseil supérieur du Travail à Genève.

Le destin a de ces sautes d'humeur qui font se croiser des chemins sans raison, si bien que nous nous sommes souvent retrouvés, Jean-Pierre, Doris et moi, à la table des vendredis, déjà bien occupée par mes auteurs. À son retour de Genève, Jean-Pierre obtint un poste de sous-ministre dans le cabinet de l'honorable Louis Saint-Laurent. Là encore, j'y ai vu la force de frappe de mon dominicain. Je soupçonne aussi qu'en revanche le père Lévesque a profité de la bonne table de ma tante Juliette, de l'hospitalité de mon oncle Lucien, de la chaleur du nid qu'était le château de mon grand-père. Il faut dire qu'en ce temps-là il n'était pas d'usage de placer nos vieux dans des foyers. Ceux qui, comme mon grand-père, possédaient fortune et château, hébergeaient, pour se faire choyer, un couple de leurs enfants et petits-enfants. Mon oncle Lucien et ma tante Juliette, les parents de Jean-Pierre, se sont soumis de bonne grâce à cette tâche.

Pour la suite de l'histoire, j'ai retrouvé le père Lévesque à chacune de nos rares manifestations littéraires, dont il était, pour nos habituels invités, un must qui ne s'est jamais dérobé. Puis, d'une façon plus intimiste, lorsque je suis allé le trouver pour lui demander de me libérer d'un poids que je ne pouvais plus supporter. J'y reviendrai.

N'ayant jamais été en conflit avec sa façon de vivre non plus qu'avec sa philosophie, si sporadiques qu'aient été nos rencontres, je suis bien placé pour tracer un portrait de cet homme que j'ai admiré et, par mes faibles moyens, tenter de lui rendre justice. Pour ce faire, il m'importe de causer davantage de son œuvre que de l'homme qu'il fut. Mieux que quiconque, il s'est défini lui-même avec une désarmante franchise dans ses entretiens avec Simon Jutras; comme s'il avait voulu, par avance, couper l'herbe sous le pied à d'éventuelles critiques.

À l'opposé de Jean Lesage, le père Lévesque a œuvré seul ou presque dans ses réalisations. Il n'était pas dans ses ambitions de refaire le monde mais d'en créer un nouveau, différent de celui dans lequel une forme d'élite vivotait, semblant se satisfaire de lauriers fanés. Quand Jean Lesage est arrivé au pouvoir, la faculté des sciences sociales existait depuis des lustres[1] et le père Lévesque avait sensibilisé nombre d'étudiants à l'action syndicale et à la démocratisation (qui s'imposait) de la société québécoise. Il n'est qu'à songer à Fernand Dumont ou à Gérard Bergeron, aux deux Dion, Gérard et Léon, aux deux Maurice, Lamontagne et Tremblay, ou aux deux Jean-Charles, Falardeau et Bonenfant. J'oublie délibérément Jean-Pierre Després, Doris Lussier et Gérard Pelletier, pour vous laisser sur le principe pyramidal et pour bien faire comprendre qu'en 1960 Lesage s'adressait à une armée d'érudits, tous disciplinés et dressés par l'enseignement du père Lévesque. Ce dernier restera donc, bien que nous soyons peu nombreux à le reconnaître, le véritable père de la Révolution tranquille, laquelle n'eût pu se faire avant, because Maurice Duplessis[2].

---

1. Officieusement fondée en février 1938.
2. Décédé en 1959.

On pouvait bien, dans la presse, lui tirer sa révérence, mais, pour une classe à part dont j'ai eu l'honneur d'être, il était tout simplement *le* père Lévesque. Il aurait été des plus étonnés que nous l'appelions «mon révérend».

Ce que j'ai le plus apprécié chez lui, c'est cette façon qu'il avait de discuter de tout sans pour autant toujours devoir y mêler Dieu et ses saints, comme si, pour le temps qu'il était sur terre, sa mission avait été de faire cadrer son enseignement avec la nature humaine. À tel point que je l'ai classé dans mon esprit davantage comme un partisan du libre arbitre que comme quelqu'un délégué par une force occulte pour enseigner ce dont on l'avait imprégné mais qu'il ne pouvait décemment pas encaisser. Ce lui était un cas de conscience suffisamment aigu pour faire comprendre qu'il aurait été malséant de l'inculquer aux autres. Il aura passé sa vie à tout remettre en question sans pour autant obliger quiconque à partager «son cinéma».

Ce qui m'amène, parlant de doutes, à une anecdote que je ne sais trop où placer dans le livre comptable de mes expériences. J'ai parlé plus haut des *Insolences du frère Untel*, alias Jean-Paul Desbiens, insolences qu'il a timidement exposées en de courts billets dans le journal *Le Soleil* au milieu des années cinquante, sans toutefois y déballer toutes ses rancœurs. Face sans doute à d'élogieuses réactions ou à des conseils d'amis, il décida un jour d'y aller à fond, d'étoffer ses allusions et d'en faire un livre. Sa tâche accomplie, il s'en fut porter son manuscrit chez Jacques Hébert, qui, redresseur de torts et censeur pour le plaisir de censurer – chez lui, c'était devenu une qualité –, fut emballé par son ouvrage et lui fit signer un contrat d'édition en bonne et due forme.

Ni l'un ni l'autre, j'en suis sûr, ne s'attendaient à ce qui allait en sortir. Imbu de l'aveugle confiance en soi que se doit d'avoir tout éditeur, Jacques Hébert se frottait les mains d'aise pendant que Jean-Paul Desbiens, dans un inexplicable geste d'affolement, faisait marche arrière et tentait de reprendre son manuscrit. Il expliqua à Hébert qu'il regrettait de l'avoir écrit (le temps était peut-être mal choisi alors que Jean Lesage faisait montre de si bonnes dispositions, allez savoir!), redoutant (à juste titre, comme on le verra plus tard) d'y être allé un peu fort. Malgré tout le doigté qu'il croyait y avoir mis, il doutait d'avoir touché le but qu'il poursuivait et, pour y avoir mis un trop-plein d'amertume, il craignait que son livre ne cause trop de vagues sur une mer dont il dénonçait pourtant les eaux dormantes.

Seulement voilà! Jacques Hébert refusa de lui remettre son manuscrit et d'en déchirer le contrat d'édition. L'auteur s'en retourna penaud, Jacques Hébert édita le livre... et on connaît la suite. Succès monstre d'édition, suivi d'une sanction punitive d'exil contre le frère Untel; on se serait cru au temps de Victor Hugo fuyant Napoléon le Petit ou à celui du *J'accuse* de Zola dans l'affaire Dreyfus.

Ce à quoi je veux en venir, c'est que si le frère Untel était venu chez moi pour faire éditer son livre, je l'aurais, bien sûr, accepté. Mais si d'aventure il était revenu quelques jours plus tard pour pleurer sur mon épaule, j'aurais aussi accepté de lui remettre son manuscrit et d'en déchirer le contrat d'édition... avec l'infus sentiment de bien faire ou alors avec le concours de l'une de ces fibres de nous-mêmes qui ne sait pas dire non. Un impulsif besoin de se sacrifier, dans un oubli de soi jamais satisfait, ou le souci de n'être bien dans sa peau que son prochain ne le soit... Allez savoir. En fin de compte, je n'interprète pas cela comme une erreur de jugement, mais bel et bien comme une résultante de l'éducation reçue. Cela n'a rien à voir avec le manque de flair ou le pourcentage d'erreurs auquel tout éditeur a droit et qui fit un jour refuser à Pierre Tisseyre un manuscrit qui est allé chercher le prix Goncourt et m'a fait en rejeter un qui a récolté le prix Médicis.

Cette anecdote évoquée, je reviens au père Lévesque car mon analyse du personnage n'est pas terminée. J'en avais beaucoup à apprendre, et lui, sans le savoir, en avait beaucoup à m'enseigner. Quand il eut terminé sa tâche de promoteur, la faculté des sciences sociales continua de prospérer sous d'autres auspices. Il y est resté seize années, dont quatre à titre de directeur et douze comme doyen. D'autres missions l'attendaient, dont celle de faire profiter sa congrégation d'une soudaine abondance de vocations religieuses qui eut lieu de 1950 à 1960, malgré de petites révolutions par trop éparses, faites en sourdine, et les activités jugées subversives des troubles-fêtes de mon genre, dont les effets ne se feront sentir que quinze ou vingt ans plus tard.

En cette décennie où tout était plus ou moins au beau fixe, les fidèles s'accrochant aux jubés des églises et les chaires tonnant les mêmes thèmes, je promenais ma petite famille d'une paroisse à l'autre, cherchant désespérément une cure dont le maître d'œuvre pût avoir un certain sens de l'équilibre. J'étais las d'avoir à reprendre les bavardages de certains prédicateurs, à expliquer aux miens le charabia pour ne pas dire le galimatias avancé par d'autres, à replacer dans leur contexte les mots «abstinence», «tempérance» et «tolérance» dont on abusait. Ça impressionnait tellement de jeter l'un ou l'autre de ces vocables-là dans un sermon, surtout quand le prédicateur avait le don de rouler ses *r*.

Au chapitre de l'éducation, j'ai mis un certain temps à me convaincre qu'un cerveau bien nourri n'a pas besoin d'être gavé et que, à compter d'un certain degré de maturité, il est préférable d'attendre que les ados, mis en confiance, posent des questions; servir une médecine dont on n'a cure ne saurait guérir d'un mal qu'on n'a pas. Laisser aller vaut mieux que mal diriger.

C'est presque en désespoir de cause que je suis allé chez le père Lévesque pour lui soumettre mon problème. Il était pour le moins paradoxal d'aller chez un prêtre pour lui annoncer que j'en avais ras le bol des prêtres. Ce fut pourtant avec un large sourire et une tape dans le dos qu'il accepta de nous recevoir chez lui pour la messe du dimanche. Il avait compris que je ne voulais pas rayer d'un trait l'éducation religieuse que mes enfants avaient reçue – il est quand même des valeurs que l'on ne saurait contester – mais que je voulais seulement les soustraire à une influence qui m'avait été néfaste, comme cette forme de charité à laquelle on nous demandait de tout sacrifier, y compris la mieux ordonnée, dont on apprendra trop tard qu'elle eût dû d'abord être pour soi-même.

Sans leur imposer le chemin qui avait été le mien, je voulais les laisser choisir eux-mêmes où nicher leurs aspirations, dans un mode de vie qui a rarement connu le juste milieu: c'était la sainteté, le cilice et tout le bazar, ou l'enfer.

Ce qui aida ma cause, ce fut que la communauté des dominicains avait acheté un hôtel (le Kent House) qu'elle transforma en maison de retraite, tantôt nommée villa ou manoir Montmorency, tout près de la chute du même nom. Le père Lévesque en était devenu le prieur pour ses frères en religion, et l'exécuteur des hautes œuvres pour les buts et la mission que l'on voulait y poursuivre. Il s'était d'abord occupé d'en aménager l'intérieur pour les besoins de sa confrérie mais aussi pour y recevoir des profanes en manque de solitude ou de recueillement, et d'autres en session d'études ou en convention. À cette fin, il avait fait d'une pierre deux coups avec la salle de bal, dont une moitié fut transformée en chapelle, l'autre en salle de conférences. Il y fit, avec l'aide de mécènes dont le sénateur Jean-Marie Dessureault, un boulot du tonnerre dont il ne m'appartient pas ici de vanter les mérites.

Avant que l'on me reproche de trop m'éloigner de mes problèmes de libraire et d'éditeur, je signale que, le jour même de mon entrevue avec le père Lévesque, celui-ci recevait un groupe de jeunes auteurs venus y tenir un colloque de trois jours. Parmi eux se trouvait Marcel Dubé, dont j'avais édité, toujours pour le prestige (décidément, j'y tenais), deux œuvres: *Un simple soldat* et *Le Temps des lilas*. Interrompant leurs délibérations, le père Lévesque leur avait présenté une toute jeune fille qui écrivait, pêle-mêle, des poèmes, des pièces de théâtre, des esquisses de romans. Il lui demanda de lire à ces écrivains des fragments de son œuvre, ce qu'elle fit sans emphase ni fausse pudeur, comme il le décrit lui-même.

Cette adolescente que le père Lévesque avait prise sous son aile pour la protéger, l'assister et l'orienter se nommait Marie-Claire Blais. J'y reviendrai plus loin. Je me dois, pour l'instant, de continuer le récit de cette belle complicité qu'il m'a été donné de vivre avec ce que j'appellerais «le dessus du panier» des prêtres que j'avais connus jusque-là, parce que, des règles à suivre, je n'acceptais pas toutes les contraintes.

De 1955 à 1960 et quelques[1], la maison Montmorency a été nourrie d'un feu roulant de congrès et de réunions plus ou moins denses, dont celle que je viens de citer fut l'une des dernières. Le

---

1. Le père Lévesque quittera la maison Montmorency pour aller en mission en Afrique en 1963.

père hérita, presque pour lui tout seul, des vestiges du court mais faste passé de cette maison. Je dis «presque pour lui tout seul» parce que les dominicains l'occupèrent jusqu'en 1974, alors qu'ils vendirent ce domaine au Gouvernement du Québec. Entre-temps, dans un dernier sursaut de bonne volonté, j'y emmenai ma petite famille pour la messe du dimanche. Nous étions, avec un jeune couple du voisinage, ses seuls paroissiens.

Il y avait dans cette chapelle d'un luxe mesuré tout ce qui fait d'un lieu saint un temple conforme aux canons romains, si j'en excepte l'encens et, sauf erreur de ma part, une lampe de sanctuaire. Il n'y avait pas non plus de stalles dans le chœur ni d'arcade pour séparer ce dernier de la nef. Pas de balustrade devant laquelle s'agenouiller pour y recevoir l'Eucharistie, pas de tables à lampions, pas d'harmonium. Il y avait cependant, dans un recoin, un confessionnal, duquel, forcément, je n'ai jamais vu sortir personne. Le père Lévesque y célébrait sa messe comme s'il avait été tout seul, semblant ne pas se soucier des réactions d'une si menue assistance.

Cependant, le moment de la communion venu, il se tournait vers nous avec dans ses mains un calice au-dessus duquel, de deux doigts, il tenait une hostie en offrande. Au début, ils étaient quatre à répondre à l'invite. L'homme du couple dont j'ai parlé y allait un dimanche sur deux, alors que la femme n'y allait jamais. Elle restait bien en place, immobile, les mains jointes, les yeux clos et la tête légèrement penchée, comme absorbée dans ses pensées.

Et puis, un jour, sans raison apparente, l'homme cessa d'y aller. Mes trois aînés y allaient régulièrement, pendant que, d'un œil détaché, j'observais la scène. Je restais en place, impassible, feignant l'indifférence, me réjouissant que l'évangile du jour soit lu, d'une voix sourde et monocorde, face au maître-autel, sans par après être commenté. Chez le père Lévesque, pas de sermon, pas de quête. Je préférais ce mutisme aux envolées de mes anciens curés pour lesquels tout était prétexte à semonce, y compris la semaine de la sécurité routière.

N'ayant rien d'autre à foutre en cette chapelle que d'y accompagner mes ados, j'eus tout le loisir de réviser mes premières impressions. Cette chapelle n'était pas luxueuse, elle rayonnait plutôt de sobriété : sa voûte, en toit cathédrale, ne disputait pas d'espace à un simulacre de fresque ; aux murs sans fausses corniches ne s'accrochaient pas non plus les quatorze tableaux des différentes stations d'un chemin de croix.

Un tour d'horizon architectural vite fait, parce que sans fioritures où chercher un style calqué, me fit conclure que cette chapelle, aujourd'hui déserte ou presque, se reposait tout simplement, sans housses sur ses meubles, de fatigues accumulées, comme quelqu'un qui, au soir de sa vie, sent venir sa fin. Elle me faisait une vague impression de laissée-pour-compte et je présageais que nous serions, à quelques variantes près, ses derniers visiteurs. Cette étrange sensation s'incrusta davantage à compter du jour où l'aînée de mes aînés cessa d'aller communier.

Le visage du célébrant resta de marbre. Il constatait seulement, avec le calme de qui en a vu d'autres, qu'il ne lui restait plus que deux hosties à offrir... puis une seule... jusqu'au jour où, s'étant retourné pour l'offrir, il vit que personne ne se présentait. Alors, et pour la première fois, j'ai cru saisir dans l'œil du père Lévesque une lueur de complicité que je me suis cru autorisé à traiter de tacite accord.

Comme j'avais toujours été pour les miens un pratiquant de façade, la deuxième étape de mon schéma avait été de cesser de les accompagner chez le père Lévesque, quitte à y retourner de temps à autre, ne fût-ce que pour ne pas couper radicalement les ponts avec ce religieux qui m'avait tant donné. Nous n'avions pas besoin, pour nous comprendre, de discourir sur nos attitudes respectives ; il saluait mes sporadiques retours comme si nous nous étions quittés la veille.

Il m'était facile de lui accorder un prix d'excellence, concluant que trois siècles de soumission suffisaient. Je n'ai d'ailleurs jamais compris pourquoi, des générations qui nous ont précédés, aucune ne s'est levée pour lancer un cri de ralliement. Il y eut, bien sûr, ici et là, des têtes à Papineau, un Louis Riel, un Chiniquy démesuré, un François Hertel qui, à la lutte, préféra la fuite, si bien que chacun, en son domaine, a raté son objectif. J'en ai d'autant plus apprécié les remous créés par le père Lévesque : sa faculté des sciences sociales, sa lutte pour l'équilibre des classes, son apostolat à la maison Montmorency, tout ce pourquoi, que je sois seul à le proclamer ou que j'aie des secondeurs, j'en fais le véritable père de la Révolution tranquille.

Parce qu'il a opté pour l'attitude indépendante d'un révolutionnaire pacifique, parce que son chemin a été le plus long, le plus ardu, parce qu'il ne s'est pas satisfait de protéger du vent les roseaux mais qu'il s'est attaqué aux racines du chêne que représentait le système, parce que son cheminement s'est fait sans bruit – si on excepte les tempêtes soulevées par ses adversaires –, sans tambour ni trompette, un peu beaucoup dans le «chut! ne le dites à personne», c'est finalement en fonction de ceci et en regard de cela qu'il s'est fait damer le pion par un autre.

Un jour, croyant les enfants chez le père Lévesque, je m'y suis pointé, pour m'y retrouver seul... Il me confirma alors qu'il leur arrivait souvent de sauter la clôture, de faire l'église buissonnière. Ils n'hésitèrent pas à m'avouer qu'ils se retrouvaient au restaurant du coin, le temps que s'égrène l'heure d'une messe basse. Très tôt, j'ai éprouvé un certain plaisir à faire comme eux et à les accompagner. C'était chaque fois la fête: entassés dans la wagonnette, nous allions allégrement sur la route, chantant à tue-tête *La Chanson des blés d'or* ou celle, plus martiale, d'Armand Foucher, *Le rêve passe*. Des années plus tard, j'entends encore «ma chorale» en reprendre le refrain:

*Les voyez-vous, les hussards, les dragons, la garde,*
*Glorieux fous d'Austerlitz que l'Aigle regarde,*
*Ceux de Klébert, de Marceau chantent la victoire,*
*Géants de fer qui s'en vont chevaucher la gloire...*
*Fiers enfants de la race, sonnez aux champs*
*Le rêve passe!*

«Mais surtout, mes enfants, faut pas le dire à maman, hein? C'est un secret entre nous.» Mais, avec la mère qu'ils avaient, ils n'ont pu longtemps s'esquiver, l'odeur des frites les ayant trahis. Parce que maman, pour l'odorat, personne ne peut rien lui cacher, ni même lui en passer une «p'tite vite».

Ce qui m'étonna le plus par la suite, ce fut d'apprendre que des copains et copines s'étaient joints aux miens. Ainsi donc, la vague était partie... Il n'avait pourtant pas été dans mes intentions de faire partager mes vues par les enfants des autres, mais de constater qu'ils entraient dans la danse me fut un baume sur des plaies encore ouvertes. Je n'avais pas cherché d'engouement, je n'avais voulu que protéger les miens. Avec le recul du temps, je ne suis pas loin de croire que tel fut « le début du commencement de la fin », les prémices du déclin d'un empire qui ferait se refermer sur elles-mêmes les portes des églises. Je ne fais qu'anticiper sur le proche avenir de ces enfants qui verront, sans regret et dans la plus fade indifférence, ces églises être sacrifiées pour le prix du terrain sur lequel leurs pierres reposaient, arborant encore un clocher au faîte duquel trônait un coq gaulois laissé désormais aux caprices du vent. Ils verront aussi nos presbytères changer de vocation pour ne laisser, aux curés de la relève, qu'une bicoque en guise de gîte. Que l'on n'impute surtout pas cette déchéance aux seuls gestes d'autodéfense posés (nous étions si peu à ruer dans les brancards) mais aussi à ceux qui ont profité du mouvement d'émancipation enclenché pour laisser tomber soutane, tonsure... et collet romain !

Mes relations avec le père Lévesque n'en furent pas pour autant rompues. Chacun de nous ayant repris sa route, il me convia un jour pour me proposer d'éditer un roman de Marie-Claire Blais, *La Belle Bête*, en m'en recommandant fortement la lecture. Il n'avait pas, pour ce livre, les mêmes intérêts que papa Issalys pour *La Fille laide* ; c'était donc un propos qu'il tenait et non un engagement auquel souscrire. Ai-je été influencé dans ma lecture de *La Belle Bête* par le jugement par avance porté ? Je ne saurais dire. Il n'empêche que j'ai ressenti à la lecture de ce texte la même volupté que pour toute analyse du premier manuscrit d'un auteur. Le père Lévesque avait raison, le livre valait qu'on s'y arrête.

Par une déformation toute professionnelle, je me surpris à y trouver des qualités auxquelles sans doute le père Lévesque ne s'était pas attardé. Je me voyais déjà, dans la publicité, comparer Marie-Claire Blais à Françoise Sagan et en espérer la même lancée. La belle enfant n'avait que dix-huit ans, et ce premier roman était d'une maturité que les critiques n'hésiteraient pas à lui accorder.

Au besoin, j'alimenterais la polémique, car j'avais en main tout ce qu'il fallait pour en faire un succès, surtout que, pour une fois, je n'étais pas seul au feu. À mes cartes, je pourrais ajouter celles du père Lévesque, dont l'aura était à son zénith.

J'en profiterais pour user et abuser de son nom, pour présenter l'auteur comme étant sa protégée, et je demanderais pour elle le double, voire le triple de ce que j'avais l'habitude de quémander pour les autres: sa photo sur deux colonnes, la mise en valeur de slogans ronflants tels que «la découverte de l'année», «le prodige de la nouvelle génération», «la révélation d'un grand talent», «l'anti-Maria Chapdelaine», «l'émule de Minou Drouet», insistant sur les qualités de l'écrivain-né qui donnerait à nos lettres une nouvelle dimension, le changement de cap que l'on attendait. Et j'en passe!

Marie-Claire Blais – il importait qu'elle fût bien lancée – connut, grâce à l'emploi jusqu'à l'usure du nom de son bienfaiteur, une publicité hors du commun, frisant parfois l'indécence... jusqu'à faire rager ses consœurs. Heureusement pour moi, Thériault n'était pas dans les parages; il m'eût reproché de n'avoir pas fait pour lui le quart du dixième de ce que j'avais fait pour elle. Mais il n'est parfois en ce domaine rien à faire, comme dans le cas d'Henri Charrière, auteur de *Papillon*, qui reprocha à Simone Bertaut de profiter du succès de son *Piaf* pour lui voler des lecteurs.

J'avais vu juste, j'étais parti pour la gloire. Marie-Claire Blais était maintenant connue d'un océan à l'autre ou presque, et, pour la première fois de ma courte vie d'éditeur, je ne fus pas déçu que son livre ne se vendît guère plus que les autres; les ouvrages à venir d'un auteur ainsi mis sur orbite ne sauraient que rapporter au centuple... un jour ou l'autre. Ce m'était pour l'instant un placement de tout repos, dont seul mon gérant de banque n'admettait pas le bien-fondé...

J'avais à ce point commercialisé le nom du père Lévesque que, pour la première fois, il refusa de venir au lancement que je fis du livre. Au burlesque de ces mercantiles agapes, il préféra nous inviter, l'auteur et moi, à un dîner intime auquel il avait aussi convié son ami de vieille date, le sénateur Dessureault, au défunt restaurant *La Bastogne*, l'une des bonnes tables de ce temps-là.

Nous nous sommes repus de cette aventure, le père Lévesque pour l'avoir proposée, et moi pour l'avoir réalisée. Le sénateur Dessureault, pour n'être pas en reste, offrit sa bourse grande ouverte à Marie-Claire, l'incitant fortement à y puiser en toutes circonstances. Il s'engagea même à ce qu'elle ne manquât de rien.

Avec un protecteur et un mécène de cette trempe, je ne pouvais que me féliciter d'avoir, un jour, rencontré ce prêtre-là. Ne me restait qu'à laisser le temps faire son œuvre. Marie-Claire était encore une enfant; un talent d'une telle plénitude ne pouvait se limiter à une seule manifestation. Maintenant qu'elle était bien en selle, c'est sur ses épaules que reposaient désormais les promesses suscitées.

Aux mirages du désert, je préférais les rêves fous, parce que les premiers ne portent qu'illusions alors qu'il arrive aux seconds de se réaliser.

# X

Confiant que mon heure de gloire allait bientôt sonner, je voyais mon rêve se rapprocher de plus en plus de la réalité; son signal me viendrait vraisemblablement de Thériault ou de Marie-Claire Blais, mais je ne devais pas pour autant me reposer sur des lauriers à venir. Si l'espérance n'a de valeur que fondée, encore faut-il que les bases sur lesquelles elle repose – comme la clé que l'on retrouve sous le paillasson – viennent confirmer les attentes du voyageur.

Mon rêve, en ce sens, n'était donc pas utopique; le petit noyau de lecteurs que j'avais formé avait maintenant le virus du livre à jamais et, si peu que nous fussions, nous étions là pour de bon. Ce m'était un rempart contre les médiocres, qui le plus souvent trouvent leur suffisance dans la faiblesse des autres. Je finirais bien par avoir à l'usure aussi bien les indifférents que les fats.

En attendant ces jours meilleurs, Marie-Claire Blais ne me causait pas de problèmes financiers, à l'opposé de Thériault dont j'appréhendais le retour. Je n'aurais pas, pour elle, à devoir m'humilier devant le sénateur Dessureault (en cas de besoin, un coup de fil suffirait) comme j'avais dû le faire pour Thériault face à Gérald Martineau.

Pour l'instant, tout était au beau fixe, et je me satisfaisais d'un ciel sans nuages. Grâce à ses mécènes, Marie-Claire était confortablement installée dans le Quartier latin, un environnement on ne peut plus propice à la création parce que les artistes qui y habitent ont l'habitude de vivre sans artifices, ce qui, pour ceux qui vont à la messe tous les dimanches, en fait des marginaux, des parasites, appellations dont ils se foutent éperdument, parce que, pour eux, ce mode d'existence est ce qui fait le sel de leur vie.

Profitant du temps de relâche que me laissaient ces deux auteurs, je décidai d'aller à Paris offrir *La Belle Bête* à Grasset, une maison d'édition pour qui la ligne dure était de rigueur et qui n'aurait sacrifié la qualité à aucune tendance, fût-elle des plus populaires.

Nul n'étant prophète en son pays, Marie-Claire Blais m'avait apporté quelques lecteurs de plus, sans toutefois créer trop de remous. La critique, pour favorable qu'elle fût, ne s'étant pas montrée plus engouée qu'il ne faut, j'ai présumé que si je pouvais obtenir un nouveau départ sur Paris, peut-être que...

Grâce à Hervé Bazin, je suis entré chez Grasset par la grande porte. J'y ai connu Bernard Privat, le grand patron, et son assistant, Yves Berger, qui me réservèrent un accueil des plus chaleureux. Il fut convenu que *La Belle Bête* aurait son baptême parisien à la rentrée, à condition – ce qui était dans la normalité des choses – que j'engage l'auteur à leur soumettre ses trois prochains manuscrits. Une telle consigne, loin d'être une entrave à la liberté d'un auteur, prouve au contraire que l'éditeur a confiance en son talent. Cette clause allait pourtant me jouer un vilain tour lorsque l'auteur me soumettrait son deuxième roman. J'y reviendrai.

Pour l'instant, je veux m'en tenir au contrat d'édition que j'ai signé pour *La Belle Bête* avec Hervé Bazin pour parrain, qui, pour souligner l'événement, m'invita à dîner avec une récente conquête, un petit bout de femme prénommée Monique, qu'il nous sera donné de mieux connaître quand Lemelin et moi les aurons invités à venir au Québec y vivre leur lune de miel.

Je ne veux pas ici décrire ne fût-ce qu'un accident de parcours de la vie d'Hervé Bazin, mais n'en citer qu'un épisode dont on comprendra plus loin pourquoi j'en use. À signaler que très tôt, sans doute en fonction de nos activités connexes, s'était établie entre nous trois – Lemelin ayant vivement manifesté le désir d'être présenté à Bazin – une complicité qui déborda très vite le simple plaisir d'avoir fait connaissance. Je cherche encore aujourd'hui à déterminer laquelle des deux parties était alors la plus fière d'avoir rencontré l'autre.

Quand nous l'avons connu, Bazin était en début de carrière, ayant remporté haut la main la faveur d'un sondage populaire qui le plaçait en tête des dix meilleurs romanciers français de son époque, ce qui n'est pas peu dire. On comprendra facilement que, quelques années plus tard, il soit admis, sans avoir eu à poser sa candidature – contrairement à ce qui est nécessaire pour l'Académie française –, au sein de l'Académie Goncourt, dont, par la suite, il devint président à vie.

Un observateur neutre eût ironiquement souri à nous voir jouer du coude, Roger et moi, pour accaparer l'attention de notre illustre ami. Avec le recul du temps, je dois admettre que nous avons été on ne peut plus serviles à continuellement tenter d'être, à l'égard de Bazin, plus prévenants l'un que l'autre.

Ce fut pourtant lui qui, le premier, nous reçut dans sa modeste propriété de Seine-et-Oise. Nous avons su plus tard qu'il était en instance de divorce, mais rien dans l'attitude du couple ne révéla leur état d'âme. Hervé nous servait les plats que sa femme apportait et posait devant lui sans mot dire, nous gratifiant au passage d'un sourire de circonstance.

Puis, le repas terminé, après nous avoir servi un petit marc en guise de digestif, il nous proposa un tour du propriétaire vite fait. Sa maison était des plus modestes, mais remplie de ces riens qui, pour ceux qui les possèdent, deviennent des pierres précieuses placées sous le vocable de patrimoine, tel cet énorme trousseau de clés rouillées que Bazin prétendait pouvoir replacer dans les serrures de toutes les portes du château de son enfance.

Le bureau de travail de Bazin, qui n'aurait été pour nous, habitués aux grands espaces, qu'une antichambre, était pour lui un sanctuaire de ces acquis dont pour l'instant on tire gloriole parce qu'ils deviendront des souvenirs heureux pour, avec les années, s'estomper en nostalgie parce que insérés dans l'héritage à léguer: une reliure du manuscrit de son premier livre, don inusité de l'éditeur, une édition de luxe (déjà!), une traduction en japonais (nous apprendrons que la lecture d'un livre imprimé en japonais débute par la fin, la dernière page devenant la première), bref, de quoi nous laisser rêveurs devant ce qui peut surgir de la parution et du succès d'un seul livre, et, pourquoi ne pas l'avouer, gênés de constater, devant cette richesse culturelle, notre primordial intérêt pour l'acquisition de biens matériels.

Nous avons crâné, bien sûr, et espéré nous être quittés sans que notre mercantile fanfaronnade y paraisse trop. Ce bref séjour chez Bazin nous amena à réévaluer nos aspirations, à accepter surtout d'avoir reçu une bonne leçon d'humilité face à ce guerrier qui avait gagné des batailles à simplement prendre la vie à bras-le-corps pour la mater. «La vie, mon petit, rien que la vie», lui avait recommandé, au tout début, son éditeur, Bernard Grasset.

«La vie, mon petit, rien que la vie.» Dommage que Thériault, quand je lui conseillais de fouiller dans celle de ses personnages plutôt que d'en condenser le récit, me répondît que tout était dit. J'avais, par ailleurs, vainement tenté de l'intégrer à notre petit groupe, mais Thériault n'acceptait que difficilement le choc des idées. Je voulais bien admettre que son talent dépassait de cent coudées celui de bien d'autres, mais il en usait si parcimonieusement que le potentiel en était de fait atténué, ce qui l'empêchait d'égaler, voire de surpasser celui de nombre de nos cousins de France.

La fille d'Yves Thériault, Marie-José, déplorera, dix ans après la mort de son père, que personne du milieu n'ait cru bon de souligner, ne fût-ce que par un rappel discret, cet anniversaire. Pour ma part, je n'en ai pas été surpris: de toute sa vie, je ne lui ai pas connu un seul ami, un vrai. Il avait, inné en lui, un manque d'aptitude à l'amitié, qui décourageait les mieux disposés. J'en suis venu, pour ma part, à me dépenser davantage pour l'écrivain que pour l'homme, jusqu'à forcer ce dernier à reprendre le collier délaissé par l'autre.

Ses belles années, il ne les connaîtra que beaucoup plus tard, lorsque le ministère des Affaires culturelles obligera par décret les étudiants à lire les auteurs canadiens. Il aura été le plus lu et le plus étudié parce qu'il aura été le plus prolifique de ces années-là, mais il aura été encensé par contrainte et lu sous la sanction de plus ou moins bonnes notes scolaires, ce qui n'est pas nécessairement un critère de réussite; on a vu tellement de premiers de classe rater leur vie.

Je crains seulement qu'avec les années la majeure partie de son œuvre ne tombe dans l'oubli. Il serait préférable pour son éventuel biographe de se mettre à la tâche sans tarder, car il est des aspects de sa vie que seuls ses proches peuvent adéquatement analyser. Déjà, parmi ceux qui l'ont connu, on se pose des questions. Je pense notamment à ce court mais juste portrait qu'a récemment tracé Gilles Marcotte, tant de l'écrivain que de l'homme qu'il fut.

Ce critique de la première heure n'est quand même pas né de la dernière pluie et il n'a aucune malveillante raison de le juger sévèrement. Je le cite :

> « Yves Thériault est venu tout près de faire une grande carrière internationale. Avec *Agaguk* (1959), on a cru que ça y était. Puis il a gaffé, je ne sais trop comment[1], il a brisé cette carrière-là comme il en a brisé beaucoup d'autres. Il a été, il est assurément un des écrivains majeurs de la littérature québécoise. *Il est également celui dont on parle avec le plus de malaise dans les milieux littéraires, qu'on situe le plus difficilement, qu'on n'arrive pas à louer sans quelque arrière-pensée*[2]. »

Gilles Marcotte a effectué son analyse en cherchant à comprendre pourquoi il ne pouvait imaginer cet écrivain autrement que comme un homme seul. « *Contes pour un homme seul*, conclut Marcotte, ce pourrait être, aussi, le titre de sa vie. »

Quand un être a délibérément choisi de vivre seul, au gré de sa fantaisie, et ce dans tous les domaines ou presque, on ne doit pas s'étonner qu'il soit vite oublié. Gilles Marcotte, en explicitant sa pensée, est allé encore plus loin, rejoignant ce que j'avais déduit vingt ans plus tôt. Thériault n'a suivi qu'une fois le « mode d'emploi » et ça a donné *Agaguk*. Quant à *La Quête de l'ourse*, qui aurait pu être son pendant, j'expliquerai plus loin pourquoi j'ai gardé ce manuscrit sous clé pendant près de vingt ans.

---

1. Moi, je sais.
2. L'italique est de moi.

Sans en être conscient – ou pour se prouver je ne sais trop quoi à lui-même –, il défiait son public en se répétant, plutôt que de développer son œuvre. Je n'ai eu de cesse de le lui reprocher et nous en sommes venus à un cheveu de la rupture quand il récidiva avec pourtant un autre petit chef-d'œuvre, *Ashini*. Notre vaste pays était par contraste trop petit pour jouer du Giono ou du Ramuz. Je l'ai donc mis au pied du mur: «Ou tu continues à faire à ta tête, à écrire pour le public de l'an 2000, ou tu écris pour celui d'aujourd'hui...» Sans me laisser le temps de finir ma pensée, il m'annonça qu'il s'en venait à Québec et que je devais me préparer car il allait me casser la gueule.

C'était, bien sûr, une boutade. Thériault s'amena dans mon bureau, et nous avons discuté. Je devrais plutôt dire que je l'ai laissé parler, pour simplement, à la fin, lui demander pourquoi il se contentait de n'offrir à ses lecteurs que des hors-d'œuvre quand il pouvait leur présenter des pièces montées, de véritables plats de résistance. Mais Thériault acceptait difficilement les conseils. C'était son droit de répondre: «Je ne veux rien comprendre», et de s'en tenir à des *short stories*, comme c'était aussi celui des lecteurs de faire montre de plus d'appétit.

La conversation devint bientôt plus terre-à-terre, la pensée de Thériault poursuivant sur l'heure un tout autre cheminement. Venu seul, il voulait en profiter pour vérifier l'adage qui voulait que les plus belles filles de la province se trouvent dans la ville de Québec. À brûle-pourpoint, il me demanda si je pouvais lui en fournir la preuve, une adresse où aller, et si j'avais un conseil à lui donner et, plus précisément, quelqu'une à lui suggérer.

Je n'étais pas assez prude pour lui tenir rigueur de ce qu'il appelait «la chance» qu'il avait «d'en profiter», mais je lui rétorquai que je n'étais pas fournisseur de Sa Majesté et que, si d'aventure j'avais eu un carnet de bal, il n'eût contenu qu'un seul nom, un seul numéro de téléphone, non négociable. Sceptique, il me remercia de ma gentillesse à son endroit, me déclarant qu'il n'avait cure d'une amitié à si courte vue, qu'il saurait comme d'habitude se passer de mes services, bref, qu'il se débrouillerait bien tout seul.

En cours de conversation, nous étions sortis de mon bureau pour déambuler dans la librairie. Chaque fois qu'il y venait, il en profitait pour me piquer un Assymil[1] (il me disait en avoir besoin pour, dans son écriture, retrouver la racine de certains mots), me priait d'en mettre le coût sur son compte, puis, tranquillement, s'approchait de la caissière pour encaisser un chèque dont je savais d'avance qu'il était sans provision. Va pour vingt-cinq dollars... Une fois n'est pas coutume.

Je craignais seulement que par hasard ma petite fleuriste ne vînt feuilleter quelque revue d'appoint pendant que Thériault, que finalement je laissai à lui-même, furetait dans mes Assymil. Alfred de Musset avait raison: «On ne badine pas avec l'amour.» MariJo, baptisée Marie-Josephte, avait modernisé son prénom et cela lui allait comme un gant. Je m'étais décidé un jour à l'aborder, usant de la formule consacrée du «puis-je vous aider?», qui est d'une banalité à faire pleurer mais qui m'a permis une entrée de jeu qui, par la suite, a pu me servir d'approche.

C'est ainsi que j'ai appris le mariage de ses deux prénoms et je la félicitai du résultat de son amalgame: c'était joli, bien pensé et très original. À l'opposé de la mode du jour, ses cheveux étaient lisses et d'un noir d'ébène, encadrant un visage émaillé d'un soupçon d'artifices. Elle avait ce charme qui n'est dévolu qu'aux femmes qui sont belles sans le savoir. Quand elle avait repéré le périodique de son choix, elle s'adossait au mur, debout sur une jambe, l'autre croisée dessus. Elle semblait alors ne voir ni n'entendre personne. Elle était vêtue d'un sarrau que commandaient sans doute les gestes à poser de son métier, et l'ampleur du vêtement ne laissait rien deviner de son anatomie, si on excepte, à l'occasion, le calque d'un sein plutôt menu qui apparaissait côté jardin, à la cadence du geste qu'elle faisait pour disposer d'une page. Tel un mirage, le profil du sein disparaissait, la page tournée.

J'aimais MariJo de la même façon qu'on aime une vedette de cinéma, à cette capitale différence qu'elle m'était accessible, car j'avais réussi à me faire violence pour oser aller lui dire bonjour une fois sur deux. Les sentiments que l'on éprouve pour un symbole, une image, si intenses et si présents qu'ils soient, restent toujours fugaces, alors que ceux qui s'accrochent à la réalité sont

1. Méthode linguistique.

d'une ténacité qui tient parfois de l'obsession. J'aurais, pour MariJo, accepté de l'aimer sans être aimé d'elle.

J'en arrivais à envier Hervé Bazin, pour qui butiner, loin d'être un problème, était la porte de sortie idéale pour un ménage en crise. Je ne dirai pas que de simplement regarder MariJo me suffisait. Un sentiment beaucoup plus fort bientôt s'installa et j'aurais voulu que les revues qu'elle regardait, elle en tournât les pages à l'infini. Je sais aussi que si d'aventure je m'étais retrouvé avec elle au paradis terrestre, j'aurais croqué dans la pomme offerte, à cette conséquence près que j'aurais prié Dieu de n'en pas punir toute l'humanité, que notre crime ne soit pas à l'origine d'un si terrible carnage. Il m'a toujours semblé – je le dis pour ce que ça vaut, me rendant parfaitement compte que je ne suis pas qualifié pour le faire – que le châtiment était hors de proportion. Les théologiens nous disent que la pomme n'est qu'un symbole du fruit défendu, qu'il s'agissait d'une faute beaucoup plus grave, mais laquelle? Si tu ne trouves pas, tu laisses tomber; si tu crois avoir trouvé, tu composes avec.

Je n'ai pas cherché à décanter le problème, ne voulant approfondir et/ou mettre en conflit la Genèse et la Bible, ayant été prévenu qu'à trop chercher à comprendre on peut devenir timbré. N'ayant pas de quotient intellectuel à sacrifier, j'ai laissé tomber. Je n'ai pas tiré d'autre conclusion que celle-ci: il aura fallu un milliard d'années pour se rendre compte qu'Il y est allé un peu fort (Il aura mis du temps à le reconnaître, mais, là encore, les théologiens affirmant que le temps chez Dieu n'est pas le même que chez les hommes, et, ne voulant pas risquer d'amocher le talent que j'ai pour le calcul mental, j'ai abandonné). Il ne Lui restait qu'à nous déléguer son Fils pour remettre de l'ordre dans tout ça, racheter tous les péchés du monde et permettre à l'humanité de repartir à zéro avec une virginité toute neuve. Le hic, c'est qu'il s'en est trouvé autant pour le lapider que pour le suivre, si bien qu'après deux mille ans ça n'a pas donné grand-chose et que la confusion est toujours là. Le monde s'y vautre avec plus de civilité (lire: hypocrisie) mais l'esprit du mal est revenu sur ses pas. Je me souviens que, tout jeunes, dans une simpliste tentative de résoudre le problème, nous déclarions que tout avait été faussé dès le début. Adam et Ève n'ayant eu que deux fils, le genre humain tout entier serait né de l'inceste. Le seul «épargné» aurait été Adam, qui n'aurait pu commettre l'adultère... à moins que les pommes... n'aient pas été des pommes.

Alors, sagement, j'attends de déceler dans les yeux de MariJo ce que secrètement j'aimerais y lire. Pour l'instant, tout étant dans mon esprit dans les normes, je l'ai placée, dans la gamme de mes valeurs, sur un échelon que, le moment venu, je pourrai atteindre. Rien n'étant plus fragile qu'un rêve, il aura fallu que, ce jour-là, elle se pointât au moment où Thériault, après avoir encaissé son chèque, s'apprêtait à filer à l'anglaise, un ou deux Assymil sous le bras. Elle entrant, lui sur le point de sortir, ils n'ont pu que se heurter. Elle de s'excuser, lui de lâcher un sifflement d'admiration, de revenir sur ses pas pour bondir dans mon bureau. «Et celle-là, tu la gardes pour toi?» J'ai tout de suite compris qu'il ne pouvait s'agir que d'elle. Je lui ai alors répondu: «Peut-être», en le priant d'aller voir ailleurs pour une copie conforme. «Celle-là, son nom, c'est "pas touche", tu saisis?»

Furieux, Thériault s'en retourna dans la librairie, mais elle n'était déjà plus là. Il se mit alors à draguer les quelques employées de mon Club de Lecture, dans l'arrière-boutique, pour finalement en dénicher une qui, toute flattée d'avoir été choisie, accepta de le suivre.

Que ceux qui croient que la nature nous a sexués à parts égales sachent qu'il n'est guère de domaine qui ait autant de plus et de moins que celui-là; c'est un champ d'activité qui ne connaît guère de juste milieu. Je ne connais pas de penseur qui ait réussi à en dresser un index qui puisse à coup sûr faire excuser les uns par les autres. On dira qu'un tel est porté sur la chose, sans toutefois pouvoir en définir le degré d'intensité. L'obsédé lui-même ne saurait déterminer à quel point il l'est et le masochiste trouvera anormal que sa partenaire n'accepte pas de partager des ébats qu'elle qualifiera de pervers.

Quant à moi, sans chercher à me situer dans ce labyrinthe, j'ai rêvé d'elle cette nuit-là. Je l'avais emmenée à Paris. Vu ses goûts pour les styles d'époque, nous nous étions installés au Claridge dans une modeste suite, si tant est que le Claridge des années cinquante en eût possédé, et je me souviens de l'avoir attendue une éternité avant qu'elle ne sorte de la douche, pour soudain m'apparaître nue, une immense serviette sur le dos, s'avançant lentement vers moi comme pour me demander si c'était bien ce à quoi je m'attendais. En réponse, je me retrouvai allongé près d'elle sous un immense baldaquin, ma main droite caressant légèrement son sein gauche, et je l'entendis me demander comme une faveur de m'occuper plutôt de son sein droit, pour me rendre compte qu'en effet celui-là avait besoin de plus d'attentions que l'autre. Et je me suis endormi en m'occupant d'elle selon ses désirs, pour une nuit d'une félicité à vous faire regretter son tomber de rideau, car les rêves ont ceci de particulier qu'ils s'estompent. Au réveil, j'ai déploré que mon rêve ne m'ait pas permis plus d'audace et que, son sein droit raffermi, je n'aie pu répondre à l'appel de mes sens, par trop sacrifiés cette nuit-là.

Ma consolation d'un réveil aussi décevant fut de constater que MariJo avait passé la nuit avec moi, échappant ainsi à une nuit qui, selon les dires de celle qui avait cédé aux avances de Thériault, avait été des plus harassantes, ce qui laissait entendre qu'en définitive Thériault était un homme de proie.

En fin de course, ni le sixième ni le neuvième commandement n'y auront mis leur grain de sel pour m'empêcher de remettre à plus tard le ferme propos que j'avais pris à l'issue de mon rêve. Cela s'est fait à mon corps défendant, c'est venu de l'extérieur. Mes bons sentiments n'ont pas eu à lutter; l'administration de ma ville, sans le savoir, s'est occupée de modérer mes ardeurs.

S'attardant davantage au physique qu'à la caste de ma ville, les autorités civiles avaient décidé de faire de ma rue une voie à sens unique... dans le mauvais sens pour moi. Ainsi, «mon» arrêt d'autobus ayant été transféré dans la rue suivante, ceux et celles qui faisaient le pied de grue devant ma librairie tambourinèrent un autre trottoir. Quant à ceux qui attendaient l'autobus ou en descendaient de l'autre côté de ma rue, ils n'allaient pas, dans ce trafic en folie d'une rue devenue boulevard, risquer leur vie à la traverser pour se procurer un journal, une revue, si bien que mon débit de tabac connut un implacable destin: celui de voir disparaître en vingt-quatre heures ou presque cette clientèle qui, en plus d'un apport financier, donnait à ma librairie une erre d'aller. Elle restait le nerf de ma guerre, mais, pour la sauver du naufrage, j'ai dû adhérer au concept des centres d'achat et ironiquement lui conférer le pompeux titre de maison mère, elle qui sortait à peine de la maternelle.

J'ai aussi assumé, mieux que je ne l'aurais cru, peut-être parce que au fond de mon être un espoir se refusait à mourir, l'absence de MariJo. Mon débit de tabac fermé, j'ai dû abandonner la vente des périodiques, et elle n'avait plus de raison valable de venir. N'ayant pas su profiter du temps qu'elle était là pour élaborer un plan, établir une stratégie, je me suis reposé sur la trop facile logique qui veut qu'on n'offre pas de fleurs à une fleuriste, sans pour autant envier l'audace d'un Thériault, qui ne s'embarrassait pas de tant de calculs... ou de retenue. À le voir sauter d'une fleur à l'autre, on sentait nettement qu'il n'avait pas de préférence ou de critères définis et je trouvais hors normes qu'il se contente de la première venue. N'étant pas moi-même un parangon de vertu, ma hantise à le surveiller ne tenait certes pas au salut de son âme, mais j'appréhendais qu'une journaliste à l'affût ne dénonce, en potinant, l'énergie de l'auteur, sa suffisance et son acharnement, et n'en fasse tout un plat.

Tout était alors si fragile, le monde si bien compartimenté, les écarts des notables étaient si bien camouflés ou délibérément passés sous silence, que je redoutais qu'il ne dépasse un jour la mesure et que, su, cela ne nuise à sa carrière. Aujourd'hui, un artiste peut se vanter de ses conquêtes – on a vu récemment un compositeur de renom détrôner Henri VIII et s'en glorifier jusqu'à provoquer l'admiration, d'autres afficher avec fierté leur homosexualité –, mais, dans les années cinquante, il en fallait très peu – le doute suffisait – pour descendre une idole de son socle. Si l'homme avait le droit, pourvu qu'il y mette une certaine élégance, de courir la galipote, l'écrivain ou l'artiste se devait de le faire «à guichet fermé». Autrement, il encourait la vindicte populaire et risquait qu'une commère à la langue trop pendue en fasse une chronique à la Louella Parsons.

Je savais qu'en ce domaine on pouvait aller de la frigidité à l'obsession, car j'avais lu Freud comme on le fait dans sa prime jeunesse (en sautant une page sur deux parce qu'on ne s'y retrouve pas), cherchant alors à me situer dans cet univers sexué où je m'étais inconsciemment laissé emporter par son analyse sur la relativité entre le rêve et la réalité ou les désirs inassouvis. Mais j'ai voulu le relire pour savoir où situer Thériault dans ce contexte et pour tenter de mieux comprendre son «je-me-moi» et surmoi. Mais si Freud explique ce qu'il en est, il n'en clarifie pas les variantes ni les degrés. Freud ne m'a donc pas permis d'apaiser ni de confirmer mes craintes. La seule certitude que j'en aie tirée, c'est que la pulsion sexuelle n'a aucun rapport avec le quantitatif du quotient intellectuel.

C'est peut-être aussi un peu beaucoup cela qui brimait nos approches. Je me devais cependant d'accepter l'écrivain tel qu'il était, d'autant que les choses, avec le temps, ont fini par s'aplanir, surtout après que je l'eus convaincu que, pour ses aventures galantes, je n'avais pas de banque de données. À compter du jour où cette question fut tranchée, nos relations reprirent le cours normal des procédures auteur-éditeur. Il faut également, pour mieux expliquer l'équilibre de ces retrouvailles, se souvenir que l'auteur est resté près de deux ans hors circuit à faire du neuf à cinq. Je n'aurais jamais cru qu'il puisse tenir si longtemps, lui si bohème, dans un rôle de buraliste.

J'étais donc heureux de le retrouver «balisé», disposé à se plier aux réalités et contraintes de la vie même si, pour lui, c'était contre nature. Il acceptait, mais avec une certaine crotte au cœur (se ranger, pour lui, c'était déroger), jurant de prendre sa revanche grâce à cet atout qu'il avait d'être né une plume à la main. J'ai longtemps associé son talent à ces peintres du dimanche qui, pour se réaliser, n'ont pas besoin de canevas à numéros. Ils barbouillent sans trop savoir où ils vont, puis, las de déposer un ton sur l'autre, signent leur toile, aussi étonnés du résultat qu'ils le sont de l'extase du profane qui y découvre des choses que l'artiste lui-même n'avait pas imaginées.

Avec le temps, j'ai rectifié mon jugement sur Thériault, qui, au contraire, avant même de déposer sa première feuille blanche dans le cylindre de sa Remington, connaissait à fond le sujet dont il allait traiter, les faiblesses et les qualités de ses personnages, ce à quoi ils seraient confrontés. Tout était là, dans sa tête, tel un logiciel dont il n'aurait eu qu'à surveiller le déroulement.

Je n'ai donc pas eu à me faire violence pour admettre qu'une fois de plus, en me livrant son dernier roman, *Ashini*, l'auteur avait touché la cible. Il se trouvait toutefois que, pour les abonnés de mon Club (sans eux, je ne pouvais pas décemment faire de l'édition; ils étaient mes seuls garants, mon chéquier, mon compte en banque), c'était peut-être les faire danser sur presque toujours la même musique. Je ne pouvais leur offrir une fois sur deux du Thériault (il eût pu tenir la gageure), tout chefs-d'œuvre que fussent ses romans, d'autant plus que, prolifique pour prolifique, Marie-Claire Blais le talonnait avec son deuxième roman, *Tête blanche*, que je venais d'éditer, et en préparait un troisième, *Le jour est noir*, pendant que Michelle était à «réviser» un autre petit chef-d'œuvre d'Yves, *Cul-de-sac*.

Il me fallait donc composer avec la réalité, tirer mes marrons du feu, penser aux choux avant de penser à la chèvre. J'avais beau calculer, rien à faire: il me fallait sacrifier un agneau sur deux[1]. Toujours en période de rodage, j'avais édité *Tête blanche* de Marie-Claire Blais sans grande conviction, mais j'avais tellement misé sur l'auteur, je l'avais lancée avec tellement de fracas, que je n'étais pas prêt à la laisser filer sur l'aire d'un autre éditeur, qui profiterait des retombées. Si limité que puisse être le butin, je préférais en ramasser les miettes. *Tête blanche* n'avait d'autre atout que d'être signé par Marie-Claire Blais; d'une autre signature, je l'aurais refusé et lui aurais certes préféré *Ashini*, mais le mal était fait. Je me consolais avec la réplique de certains abonnés qui se plaignaient de n'avoir à meubler qu'une ou deux heures de lecture par mois. Une *Belle Bête*, une *Fille laide*, un *Cul-de-sac*, ça vous laissait sur une faim d'orgasme.

On voulait bien, de temps à autre, se repaître d'un *Vieil Homme et la Mer*, d'une *Symphonie pastorale*, d'un *Joueur*, mais on aimait bien aussi se délecter de *Crimes et Châtiments*, d'un *Adieu aux armes*, de ces *Misérables* dont on parlait tant, quitte à

1. Les subventions aux éditeurs, l'aide aux écrivains, le ministère des Affaires culturelles, le Conseil des Arts, tout cela ne viendra que beaucoup plus tard.

devoir, de temps à autre, «baisser un peu l'abat-jour». On arrivait mal à comprendre que ce qui valait pour le reste du monde nous fût si préjudiciable. Après tout, la lecture, ce vice impuni, n'a d'autre lacune que celle d'être constamment manquante pour qui s'en nourrit.

Cette apologie de la culture exposée à Thériault – il la connaissait, bien sûr, mais l'effort est plus dur à fournir quand le ventre est creux – nous ramena l'un et l'autre à la ligne de départ du donnant, donnant sur laquelle un jour nous nous étions quittés, mais que, cette fois, nous avons reprise en convenant de traiter «à l'américaine». Ce serait l'*œuvre* de sa vie, celle à laquelle il rêvait depuis longtemps et pour laquelle il était prêt. Au départ, l'action se passait dans le sud des États-Unis (regrettait-il d'avoir été devancé par Margaret Mitchell?), mais il la transposerait dans le Nord, le nôtre, celui des Inuit. Et ce serait du cru, du sang, de la sueur, des gémissements et des hurlements, mais pas de larmes car les Inuit ne pleurent pas. «Mets-y le carburant, j'y mettrai la vapeur.»

Malgré ce cri du cœur d'une rare acuité chez Thériault, c'était trop lui demander que de remettre à plus tard la parution de son *Ashini*. Je ne pouvais l'en blâmer, mais c'était à mon tour de ne pas accepter de comprendre. J'ai donc laissé partir l'auteur, son manuscrit sous le bras, pour s'en aller aux éditions Fides s'y faire publier.

Pour la première et dernière fois, d'ailleurs. Thériault, aussi agnostique que je pouvais l'être, se trouvant mal dans sa peau d'avoir à traiter avec une soutane, fut bien heureux de revenir au bercail, surtout qu'il me savait disposé à mettre mes cymbales au diapason de ses gammes, soit trois dollars et cinquante la page brute, plus un dollar pour la révision. À lui d'en produire suffisamment chaque semaine pour se garantir un revenu hebdomadaire minimum décent; à moi de trouver les fonds pour assumer le paiement de trente-cinq ou quarante pages par semaine. Nous avons «topé là», sans contrat spécifique, n'ayant ni l'un ni l'autre aucun intérêt à tarir la source. Bien structurée, l'affaire devrait suivre son cours normalement et aboutir à ce livre dont rêvait Thériault et qui aurait pour titre *Agaguk*.

Pendant que Thériault travaillerait à son chef-d'œuvre (et aussi pour satisfaire aux exigences monétaires de l'auteur), je dévierais légèrement de ma route afin de permettre à mes abonnés d'aller voir ailleurs ce qui se tramait. Ils auraient, bien sûr, apprécié *Ashini*, mais, après la déception de *Tête blanche*, même un inédit de Thériault eût été un trop-plein. Il était d'ailleurs temps de varier le menu. Il en est de l'intellect comme du physique: à presque toujours servir les mêmes sauces, l'un et l'autre s'enlisent et la médecine servie rate sa mission.

J'ai donc opté pour les best-sellers du temps: *À l'est d'Éden, Tant qu'il y aura des hommes, Le Portrait de Dorian Gray, Exodus, Rébecca*... Je leur glissai en douce (au diable l'Index) une *Dame aux camélias*, un *Père Goriot*..., ce qui mit du tonus dans mon Club de Lecture, en plus de faire sauter de joie mes lecteurs, de les faire jouir à en devenir braques. N'ayant de comptes à rendre ni à Balzac ni à Dumas fils, le débit étant garant d'une relative rentabilité, cela m'a permis d'attendre avec calme et beaucoup de détachement le prochain Marie-Claire Blais, en plus de stabiliser la fougue de Thériault jusqu'au jour où...

Hervé Bazin avait pourtant choisi le bon moment pour s'annoncer. Il m'écrivait qu'il se sentait d'attaque pour un deuxième voyage au Canada, un voyage qui en serait un d'exploration; on arrivait mal, chez lui, à saisir «la dimension de l'immensité» dont faisaient état les manuels (la seule province de Québec étant trois fois plus grande que toute la France, j'ai souri en me disant: «Mon pote, t'as pas fini de pédaler»). Il avait ajouté en post-scriptum qu'il ne viendrait pas seul et que ce voyage serait pour eux sous le signe d'une aventure discrète, son divorce n'ayant pas encore été prononcé. Roger et moi leur avons donc réservé des chambres dans des hôtels différents: Monique au Dorchester, lui au Mont-Royal. Ce ne serait que pour un soir ou deux, car leur randonnée canadienne se ferait à partir de Québec.

Cette deuxième visite de Bazin ne pouvait se faire sous de meilleurs auspices. Je n'aurais pas, comme aux premiers jours, d'inquiétude à savoir comment accueillir une sommité, et je ne serais pas non plus aux prises avec des problèmes d'édition, Marie-Claire Blais étant tranquille dans son coin, Thériault au boulot et mes auteurs étrangers planifiés, orchestrés. J'aurais donc tout mon temps, aidé de Lemelin, pour recevoir ce célèbre couple d'amoureux. Le programme était tout tracé: nous irions accueillir nos tourtereaux à Dorval, et j'en profiterais pour inviter les Thériault à se joindre à nous et tenter une dernière fois d'intégrer Yves à notre groupe; Michelle serait une compagne idéale pour Monique. Mais elle se désista, invoquant une migraine... qu'elle n'avait peut-être pas.

Yves accepta toutefois de se joindre à nous. Il avait été convenu d'aller dîner au 400, chez le père Lelarge, mais, fatiguée du voyage, Monique préféra s'arrêter à l'hôtel pour se reposer. Nous nous sommes donc retrouvés «entre hommes», confortablement installés au salon-bar du père Lelarge, discourant un peu de tout, sauf, curieusement, de littérature; comme si chacun de nous en avait marre, ne privilégiant que l'occasion qu'elle nous fournissait de nous réunir.

Le dîner qui suivit nous permit, le vin aidant, d'aborder plus allégrement nos préoccupations communes. Bazin, comme pour nous consoler de nos doléances, nous confia que, même en France, à de rares exceptions près, les tirages moyens étaient de trois mille exemplaires, une assertion reçue comme un baume sur nos maux. En fin de soirée, je laissai la place à Lemelin et à Thériault, dans le secret espoir que ce dernier nous inviterait pour le coup de l'étrier. Il poserait peut-être pour faire s'épater Bazin du «*home sweet home*» qu'il avait récemment rénové de fond en comble, profitant de cette ère de crédit dévolu à tout venant.

Tel un pauvre qui dépense ses derniers sous à se prouver qu'il ne l'est pas, Thériault s'était aisément convaincu qu'il ne saurait voir grand (comme je le lui demandais) en vivant chichement, en se satisfaisant d'un grabat quand le dernier des débardeurs pouvait se payer un Récamier. Mon attente était que si Thériault voulait y mettre du sien en emmenant Bazin chez lui, notre petit cercle, plus ou moins fermé, lui serait largement ouvert. Surtout que Thériault, peut-être parce que trop sûr de lui, n'appartenait à aucun clan, à aucune école. Je restais convaincu – Lemelin avait bien accepté de se colleter à André Giroux ou à Adrienne Choquette, côté style – que Thériault subirait au contact de Bazin une quelconque influence: «La vie, mon petit, rien que la vie.» Mais l'invite pour le coup de l'étrier n'est pas venue. Non pas que les apéros et le vin aient fait dépasser la mesure à Thériault, mais ça lui avait donné du verbe et une faconde telle que, même si une invitation était venue, j'ai nettement senti, par un bâillement de Bazin, qu'elle eût été refusée. J'ai eu d'un coup la nette impression que Bazin en avait assez entendu et qu'il semblait ne rien désirer d'autre que son billet de vestiaire.

Jouant du coude, Roger s'offrit de le reconduire à son hôtel, tandis que, étant l'obligé de Thériault, je proposai de le raccompagner chez lui. À la sortie, toutefois, respirant l'air à pleins poumons, Thériault me pria de le laisser seul, prétextant qu'il préférait marcher. Sur le coup, je ne me suis pas rendu compte que nous étions beaucoup plus près de l'hôtel Dorchester, où logeait Monique, que du foyer des Thériault. Nous nous sommes quittés sur une molle poignée de main et, lui tournant le dos, je suis retourné à mon hôtel, sachant que nous devions partir tôt le lendemain pour revenir à Québec avec Bazin et sa compagne.

Pendant ce temps, Thériault, lui, s'en allait tenter sa chance... au Dorchester.

# XI

Thériault en fut pour ses frais ce soir-là, quand il alla frapper à la porte derrière laquelle dormait Monique. Ne recevant pas de réponse à la rituelle question «Qui va là?», Monique s'en fut vérifier par le judas optique de la porte et resta figée en constatant la présence de Thériault. Son sixième sens lui conseilla de s'en retourner au lit sur la pointe des pieds et de se couvrir la tête d'un oreiller pour ne plus rien entendre. Thériault, acceptant sa défaite, tourna tout simplement les talons.

Au matin, quand j'allai la chercher pour le petit déjeuner, Monique me raconta cette visite dont elle gardait forcément un mauvais souvenir. Je lui demandai comme une faveur de n'en parler à personne, même pas à Bazin, car, si je m'illusionnais en espérant faire entrer Thériault dans notre clan, mieux valait ne pas en faire un ennemi de Bazin (Grasset).

J'ai rassuré Monique en lui disant que dans quelques heures nous partirions pour Québec et que, rendue, elle serait alors à mille lieues d'une éventuelle récidive. Quant à Thériault, j'ai mis son audace sur le compte du copieux repas que nous avions pris; le vin étant une boisson qui fermente, il l'avait emporté sur l'air frais dont il prétendait vouloir profiter. En me taisant moi aussi, en ne lui reprochant pas son incartade, qu'il eût qualifié de peccadille, je donnais la chance au coureur, j'évitais de l'indisposer. Motus et bouche cousue valait mieux que semonce et critiques... pour la santé d'*Agaguk* alors en gestation.

Je comprenais mal quand même ce côté impulsif de Thériault; c'est se surestimer ou mésestimer l'autre que de s'attaquer à ce que, en principe, il eût dû protéger. Je lui tenais rigueur de risquer ainsi d'offusquer Grasset via Bazin, parce que justement je comptais sur eux pour la lancée d'*Agaguk*. Que pouvait-il, physiquement, espérer d'une femme qu'il savait vannée et n'ayant rien d'autre à lui offrir qu'une lamentable passivité?

À moins qu'il n'ait cru pouvoir reprendre avec Monique le jeu qu'il avait raté avec cette fille qui, pour avoir regretté de l'avoir suivi un soir, se glorifia de raconter à ses compagnes sa «nuit de noces». Elle s'était crue au départ capable d'être à la hauteur, et, comme ils ne se devaient rien ni l'un ni l'autre, elle avait accepté une forme de partenariat où chacun consentirait tacitement à se plier au jeu de l'autre, mais jamais elle n'eût cru devoir, par moments, entrevoir l'éternité. «J'ai compris très vite, dit-elle à ses compagnes, qu'il ne me servait à rien de lutter. J'en suis venue à me demander si le vrai coupable n'était pas mon propre corps sur lequel trafiquait cet écrivain de mes aïeux à vouloir pétrir une chair qu'il ne trouvait pas.» Il faut dire qu'elle était maigre à la façon de celles dont on dit qu'elles n'ont que la peau et les os! Elle réalisa très vite qu'il lui était préférable de s'abandonner, cachant sa déception sous le constat qu'il était des hommes pour qui un corps ne peut servir que d'exutoire, et esquissant un bien grêle sourire à constater que cet amant d'un soir cherchait en vain à obtenir ce qu'elle ne pouvait lui offrir. Elle sortait de l'aventure blessée, mais heureuse de l'avoir déçu.

Lorsque j'entendis le récit de cette nuit faite de plus de fantasmes que de machiavélisme, ce me fut un soulagement d'en déduire que, Thériault n'ayant pas de comptes à me rendre sur le cheminement de sa libido, j'avais pris la bonne décision en ne lui reprochant pas sa conduite envers Monique, concluant qu'en somme elle l'avait échappé belle mais que, grâce à son mutisme, cette tentative n'aurait pas de fâcheuses conséquences. Je me devais aussi de protéger l'amour-propre de Michelle, pour qui Yves était resté ce rêveur qu'elle avait connu, ce bohème qu'elle avait aimé et que sporadiquement elle se devait de ramener sur terre, consciente d'être pour lui, au quotidien comme à l'ouvrage, ce qu'une muse est au poète, tant que dure la flamme.

Ce fut pour moi, heureusement, avec la complicité de Monique, un incident vite oublié, d'autant que pour Thériault aussi ce dut être classé comme un accident de parcours puisque, à peine dix jours plus tard, il m'expédiait les premières pages d'*Agaguk*, dont le récit commençait ainsi :

> « Quand il eut atteint l'âge et prouvé sa vaillance, Agaguk prit un fusil, une outre d'eau et un quartier de viande séchée, puis il partit à travers le pays qui était celui de la toundra sans fin, plate et unie comme un ciel d'hiver, sans horizon et sans arbres. »

Ce qui me confirmait qu'il s'était tout sérieusement remis au boulot.

Quant au séjour de Monique et d'Hervé Bazin à Québec, tout a baigné dans l'huile. Nous les avons reçus à tour de rôle, Roger et moi, le temps qu'ils s'acclimatent et surtout qu'ils tracent un plan de route pour leur randonnée à travers le pays. Nous étions heureux de retrouver Bazin plus disponible qu'à son premier voyage, lequel avait été, à notre avis, de trop courte durée, surtout qu'au fil du temps il nous avait été donné de constater que notre amitié s'affirmait, que nos liens se resserraient et qu'entre nous rien d'autre ne valait qu'un courant de réelle sympathie sans prétention ni visées mercantiles.

Pour ma part, je voulais en connaître davantage sur l'homme qu'il était, car je le soupçonnais d'avoir, lui aussi, sa crotte au cœur dont il avait cherché à se débarrasser, ce qui nous avait donné *La Tête contre les murs* puis, comme un cri lancé à la face d'un destin dont il s'était juré de contrecarrer les vues, *Lève-toi et marche*. Ces deux livres lui auront sans doute permis de cicatriser les plaies dévoilées dans *Vipère au poing* et *La Mort du petit cheval*.

Jusqu'ici, Hervé Bazin nous était resté plutôt fermé ou, si l'on préfère, difficile à cerner. Je me souviens que, lors de son premier voyage, alors qu'il assistait à l'un de nos dîners-causeries, l'un de nous, s'étonnant de son silence, lui avait demandé à brûle-pourpoint: « Et vous, Bazin, vous n'avez rien à dire ? » Il avait simplement répondu : « J'écoute. »

Mais, cette fois, le Bazin que nous recevions était beaucoup plus détendu, plus ouvert, ayant sans doute perçu que nous étions avides de le connaître et ne demandions rien d'autre que de l'écouter. J'étais tellement heureux qu'il ait accepté, cette fois-ci, de laisser tomber ce masque dont jusque-là il s'était muni. C'est ainsi que, bien avant que ne le sache monsieur Tout-le-monde, il nous confia que la Folcoche de *Vipère au poing* était sa mère, allant jusqu'à la remercier de lui avoir fait gagner des millions, et que son père était mort à cause d'un retard des chercheurs à découvrir les vertus de la pénicilline.

Sachant Bazin plus philosophe que pédagogue, je l'écoutais en fonction de mon obsession de vouloir me situer moi-même, ou, si l'on préfère, de comprendre pourquoi j'arrivais si difficilement à faire un pas qui ne fût conditionné par le précédent. Je voulais savoir. Alors, dans nos promenades du soir, je le laissais causer, assuré d'en apprendre davantage du maître à penser qu'il était pour moi que de ses livres, parce que la parole, laissée à l'improvisation, est plus simple, plus directe et moins recherchée. J'aimais l'homme pour ce qu'il représentait de science, de vécu.

La principale «absurdité» de la vie qu'il déplorait était que chaque génération devait se sacrifier pour la suivante. «N'y en aura-t-il jamais une qui pourrait ou devrait avoir le cran de s'en foutre et de vivre sa propre vie en laissant à la suivante la responsabilité de s'en sortir avec les moyens du bord? Mais non, qu'il me disait, on se sacrifie pour celle que l'on engendre, qui, à son tour, se sacrifiera pour ses descendants, et voguera ainsi la galère jusqu'à la fin des temps. Quelle aberration! Ne s'en trouvera-t-il donc jamais une qui acceptera pleinement son destin sans se faire un devoir de se soucier de celles qui lui succéderont?»

Ce ne sont peut-être pas exactement les termes qu'il employa, mais je crois avoir rendu l'idée maîtresse de ce qu'il avançait. Je lui rétorquais que, pour décider de remplacer une valeur par une autre, il fallait être sûr que l'opération en valait la peine, car il est des victoires qui ne sauraient compenser les batailles qu'il nous faut livrer pour les obtenir. Mais je disais cela sans grande conviction, à seule fin de lui permettre d'aller au fond de sa pensée.

J'ai beaucoup appris de lui au cours de ces promenades que nous faisions en ces soirs d'automne que seul un soleil couché venait interrompre. De son côté, Bazin ne voulait rien perdre de ce qui se passait chez nous, et, s'il n'avait pas eu «sa» tempête de neige, il voulait voir ce qu'étaient ces parties de hockey dont même en Europe on entendait parler. Nous nous installions alors confortablement face au petit écran et, tandis que nous sirotions une fine Napoléon sur bassin d'eau Perrier, j'ai surpris Bazin à se laisser prendre au jeu, tant par l'action des joueurs que par le verbe de René Lecavalier, dont il trouvait le français impeccable.

Je le sentais heureux et détendu, à la veille de son départ pour aller «quelque peu» à la découverte de notre vaste pays. Il voulait s'assurer que les cartes géographiques ne mentaient pas! Et, pour ce faire, il acheta une petite voiture de marque Nash que nous nous chargerions de revendre pour lui, au retour de son périple. Habitué aux grosses voitures américaines, j'émis le doute que, devant les distances qu'il se préparait à couvrir, une si petite voiture puisse tenir le coup. Je lui offris de prendre la mienne, ce qu'il refusa, parce que, habitué aux petites voitures, il se voyait mal conduire ce qui lui semblait être un mastodonte. (La nature humaine, décidément, est pleine de contradictions; de retour chez lui, Bazin s'acheta une «petite» Citroën.)

Finalement, il eut raison: la petite Nash tint le coup tout au long du voyage; encore que je n'aie jamais su dans quel état il la ramena à Roger Lemelin, ce dernier ayant demandé à Bazin de terminer sa randonnée chez lui, afin d'avoir l'occasion, à son tour, de l'héberger. Je l'avais reçu à son arrivée, Roger l'accueillerait quelques jours avant son départ; notre invité ne manquait pas de cicérones.

La visite de ce futur académicien avait été un baume sur mes plaies professionnelles et ce me fut un grand vide de le savoir parti. Je ne crois pas que la vie puisse vous faire de plus beau cadeau que celui de vous permettre d'entrer dans l'univers de votre idole: la recevoir à votre table, partager un spectacle, vivre des émotions, échanger des idées. Il en est qui capotent à simplement voir un personnage de près, lui toucher; imaginez ce que peut être l'intimité. Celui qui n'a ni idole ni modèle est plus démuni et plus à plaindre que Job.

Toute nostalgie minutieusement enfouie au fond de mon être, j'ai dû me faire violence pour reprendre le boulot; je gardais l'impression de revenir de grandes vacances. Si cet aparté m'avait fait oublier les tracas de mon quotidien, il m'en avait aussi fait apprécier les avantages, dont celui de côtoyer les auteurs et les éditeurs de son pays n'était pas le moindre. Ça me rappelait aussi ces autres amitiés et rencontres vécues là-bas, au hasard de mes voyages à Paris, ces éditeurs qui me recevaient au champagne et qui ne manquaient pas, l'occasion s'offrant, de me présenter à des écrivains de renom, comme ce jour où, ayant un rendez-vous avec Sven Nielsen, j'arrivai un peu en avance alors que ce dernier était en entrevue avec Georges Simenon, qu'il ne laissa pas partir sans nous avoir présentés l'un à l'autre. Lui serrant la main, je lui ai retourné le bonjour qu'il m'adressait, puis je me suis esquivé gauchement pour le laisser passer. Ou cette fois où, alors que je déjeunais avec Yvon Chotard, P.D.G. des éditions France Empire, ce dernier profita de la chance qui nous était donnée d'être placés non loin de Jean-Paul Sartre et de Simone de Beauvoir pour me les présenter.

Il faut dire que, à cette époque, un Canadien à Paris, c'était pour plusieurs un rescapé de Normandie. Les chauffeurs de taxi eux-mêmes nous traitaient comme tels. Si tout cela n'a été que la résultante de ma profession, qui m'obligeait davantage à crâner qu'à m'effacer, je n'ai rien fait pour briser le mythe. Il ne m'était pas si souvent donné d'être l'objet d'éloges ou de simples considérations, et je me laissais congratuler. Je n'avais pourtant d'autre mérite que d'avoir été le contemporain de ceux qui avaient combattu, encore que, à ma façon et aux yeux des éditeurs, je luttais pour une autre liberté qui valait bien celle d'un lopin de terre. Il me semblait que tous ces «cousins» qui nous portaient autant d'attentions (je dis «nous» parce que je pense à Félix Leclerc, à Richard Verreault, à Marguerite Paquet, à Monique Leyrac, à Aglaé, à Louise Forestier, et j'en oublie, c'est sûr) ne pouvaient se tromper; ils n'eussent certes pas eu autant d'égards, à mon endroit du moins, si je n'avais drainé que de l'utopique.

Ce bilan plus que restreint de nos relations France-Québec me ravigotait, me redonnait des forces, m'incitait à ne pas lâcher. On avait vu tant de guerres se gagner avec l'énergie du désespoir, tant de combats remportés de jutesse au dernier round, que cela me donnait le courage non seulement de continuer mais d'encaisser un autre coup du sort: celui du départ pour d'autres cieux de deux à trois cents fonctionnaires logés dans l'édifice Garneau, à deux pas de ma librairie, et qui, par décret, s'en allaient rejoindre d'autres confrères au Complexe G. Ces quelques centaines d'employés de la fonction publique me rappelaient sans cesse qu'il n'est pas de petits «profits». Ils venaient assez régulièrement, les uns le 15 de chaque mois, les autres le 30, pour acheter un livre sur les échecs, le bridge, les mots croisés, l'astrologie ou les sciences occultes, le magnétisme ou le spiritisme. Bref, voilà tout un rayon de ma librairie qui perdait sa raison d'être. *So what!*

*So what?* Ça voulait dire qu'il me faudrait de nouveau «empoisonner» la vie de mon gérant de banque. Même si cela m'était un pas difficile à franchir et le plus souvent inutile, il fallait m'y soumettre au moindre contretemps, n'ayant pas de marge de manœuvre pour naviguer en eaux troubles. Avec le recul du temps, je me demande s'il ne m'a pas fallu une fichue dose de naïveté pour aller au-devant d'un refus assuré, ou alors était-ce par masochisme, sachant qu'on allait m'enfoncer davantage le couteau dans la plaie? C'était peut-être, plus simplement, afin de constater qu'il me restait quelqu'un à qui raconter mes malheurs pour m'en alléger d'autant le fardeau.

La dernière fois que je l'avais rencontré, ç'avait été lors du chambardement de la circulation, mais, comme nous étions du même côté de la même rue, mes raisons d'en souffrir étaient tombées dans l'oreille d'un sourd. Le départ de «mes» fonctionnaires ne serait peut-être pas à ses yeux une plus valable raison d'aller me plaindre. Alors, j'ai pris mon courage à deux mains et, stoïquement, j'ai décidé de ne pas y aller. J'attendrais que me tombe sur la tête quelque autre cataclysme. Je pouvais bien attendre, pour emmerder mon gérant de banque, que s'écoulent quelques jours, quelques mois, quelques années... *My God!* ça n'a pas tardé.

Cette fois-ci, c'était sérieux: les édiles de la ville, le maire en tête, en mal de revenus, avaient décidé d'imposer une nouvelle taxe, dite d'affaires, sur la valeur locative des commerces. Cette nouvelle taxe n'affectait pas ma banque, parce que propriétaire de l'édifice, alors que, si le projet de loi était adopté, elle me ferait mal sans rien m'apporter ni à court ni à long terme. Je trouvais dégueulasse et injuste qu'une compagnie d'assurances ou une banque ne soit pas davantage touchée par une taxe qu'un petit commerçant dont les activités commandaient un local de Cadillac pour y faire rouler des tricycles.

N'ayant pas le temps de fonder une association de petits commerçants – protester par une lettre ouverte dans les journaux ne coûte rien mais ne rapporte généralement pas davantage –, je décidai d'aller seul à la séance du conseil municipal de ce vendredi 13, pour protester.

Comme je m'étais fait valoir au mauvais moment, le greffier me fit comprendre qu'à ce stade des procédures je n'avais pas le droit de parole. Le maire Lucien Borne me fit signe d'approcher pour me demander à l'oreille ce qui n'allait pas. Je lui exposai brièvement que son conseil de bande était en train de voter une loi qui allait me jeter à la rue. Il me répondit que ça ne se pouvait pas. J'insistai, si bien que, pour avoir la paix, il me promit de m'écouter le lundi suivant au lunch du midi chez Kerhulu. Promis? Promis.

Usant de cette ponctualité qui est la politesse des rois, je me présentai chez Kerhulu le jour dit et à l'heure dite, pour y trouver le maire attablé avec Armand Viau, qu'il avait nommé gérant de la ville en reconnaissance de services politiques rendus – ce qui n'était un secret pour personne –, et de Rolland Sainte-Marie, que tous soupçonnaient de tenir les cordons de maintes bourses politiques. Sachant que tout parti a ses méandres, je ne cherchai pas à savoir lequel était à la solde de l'autre.

Je leur exposai mon problème: «Pourquoi, inlassablement, en arrivez-vous à toujours trouver l'aiguille dans la même botte de foin et toujours chez les plus démunis? Simplement parce que nous sommes plus nombreux et que votre logique repose sur le principe que le débit fait le profit. *Un dollar par tête de pauvre est plus rentable pour vous que cent par tête de riche.*

«Mes livres vous sont ouverts, monsieur le maire, et toutes les pages se ressemblent. Pour équilibrer les deux colonnes débit /crédit, j'ajoute à la dernière le surplus de la première et je tire un trait. Pas de magouille, pas de vices cachés, tout est clair comme de l'eau de roche. Vous parlez d'une taxe d'affaires et je n'en fais pas, une taxe d'affaires basée sur le prix d'un loyer que je paie. Si votre loi est appliquée, le prix d'un loyer que j'ai déjà peine à payer sera augmenté du tiers, et je n'aurai d'autre solution que de fermer une boutique pour laquelle, chaque matin que Dieu fait, je me demande d'où viendra le coup de massue.»

Conciliant de nature – ceux qui ont connu le maire Borne se souviendront qu'il a, par sa constante bonhomie, désarmé plus d'un adversaire –, il confia le problème à Armand Viau, dont la première préoccupation fut de contre-attaquer en me signalant qu'il était faux de prétendre que les «gros» ne paieraient pas, qu'aux locaux occupés par les proprios on allait adjuger une valeur locative. Quand je rétorquai que ce n'était pas prévu, il me dit qu'une loi démocratiquement votée pouvait se décortiquer, ce à quoi je répliquai que j'en doutais du seul fait que les proprios payaient déjà une taxe foncière. Bla, bla, bla.

J'ai soudain senti qu'il valait mieux filer doux, que j'y étais peut-être allé un peu fort, que j'avais élevé un peu trop la voix. Je m'appliquai à baisser le ton: «Même si nous en arrivions à payer le même montant, nous resterions aux antipodes de l'équilibre et de l'équité quant à la rentabilité de nos locaux respectifs.»

Mon exposé a dû lui paraître plus logique, sans doute parce que débité sur un ton plus conciliant. Rolland Sainte-Marie «glouttonnant» sans mot dire, ce fut le maire Borne qui demanda à Armand Viau ce qu'il en pensait. Ce dernier lui répondit que ça valait peut-être la peine d'être étudié, qu'on pourrait peut-être en faire un cas d'espèce, qu'à prime abord ce n'était pas à rejeter du revers de la main. «Si on excepte les culs-de-sac, il n'est pas de voies sans issue.» (J'ai trouvé qu'il avait de la classe.) Se tournant vers moi, il me remercia de lui avoir signalé ce fait, disant qu'il préférait les gens qui se battent à ceux qui bougonnent, ajoutant qu'«à vaincre sans péril, on triomphe sans gloire». (J'ai trouvé qu'il avait des lettres...)

Je suis parti sans dîner, ça n'aurait pas passé.

À quelque temps de là, un inspecteur des finances s'est présenté à ma librairie. Je lui ai montré copie de mon bail, donné la superficie du local et autres renseignements connexes. Puis, comme si cela avait beaucoup d'importance, il m'a demandé quel était le prix du livre le plus cher actuellement en vente dans ma librairie. Je lui ai cité le prix du *Petit Larousse illustré*, à 6,95 $, en compétition à 6,49 $. Tous chiffres dont il prit note. Puis, me serrant la main, il me dit qu'il allait compiler tout ça, équilibrer l'envers et l'endroit (je l'ai trouvé sympathique), et que ça devrait pouvoir s'arranger.

En effet, la valeur locative de ma «loge» fut réduite du tiers, ce qui imputait à mon *shylock* de propriétaire une surévaluation. Cet inspecteur revint par la suite chaque année, pour s'informer de l'état de mes finances. Il a été d'une patience d'ange, car il lui a fallu attendre des années avant que je puisse lui dire que oui, là, ça allait mieux, qu'il pouvait remettre mes pendules à l'heure.

Pourquoi je raconte tout ça? D'abord parce que ça fait partie intégrante non seulement de ma petite histoire à moi mais aussi de celle de ma ville, ensuite pour répondre à ceux qui se demandent encore, trente ou quarante ans plus tard, pourquoi on a honoré Lucien Borne et Armand Viau en donnant le nom du premier à un centre communautaire et le nom du second à un parc industriel. Si on leur a ainsi rendu hommage, c'est qu'ils sont rares, les hommes publics qui posent des gestes d'esthète. Il faut donc se réjouir qu'au sortir de leur vie (parfois de leur vivant) l'on rappelle ainsi leurs noms à nos mémoires, pour que l'on puisse, d'une génération à l'autre, en expliquer le pourquoi. J'ai cru bon de citer ces deux-là parce que, sans eux, ma vie d'éditeur eût pu se terminer avec *Aaron* ou *Ashini*.

Je n'ai pas revu Rolland Sainte-Marie, et je ne garde que le souvenir d'un homme fruste aux goussets bien garnis, exhibant un rouleau de gros billets pour payer la note d'un frugal repas. Je n'ai pas revu non plus le maire Lucien Borne, dont je me satisfais de conserver un bon souvenir, mais j'ai revu Armand Viau à l'occasion d'une Exposition provinciale. S'excusant auprès de ses amis, il est venu me saluer pour me dire que ce qui l'avait le plus frappé dans l'apologie de ma situation, ç'avait été cette comparaison d'une aiguille dans une botte de foin mais surtout cette image du dollar par tête de pauvre, ajoutant: «Je l'ai trouvé bien bonne, celle-là! Pour un parti en mal d'adhérents, ça pourrait drôlement servir.» Décidément, ces hommes politiques retombent vite dans leur élément.

Quant à moi, j'acceptai avec soulagement d'échapper à cette menace. Cela fut loin de m'enlever cette crainte constante que j'avais, un mois suivant l'autre, d'avoir à déposer mon bilan – mes créanciers n'auraient guère eu de quoi s'empiffrer –, mais il n'en restait pas moins que, si plaie d'argent n'est pas mortelle, il en est d'autres, morales, qui tuent son homme plus sûrement que l'épée.

Ce furent des années où l'on pouvait encore encaisser (probablement par habitude), car il me semble qu'aujourd'hui on ne saurait pas. Avec le départ plus haut mentionné de ces fonctionnaires coïncida la défection de ma bibliothécaire. Elle n'avait tenu le coup que cinq ou six mois et elle partit pour des raisons qui aujourd'hui encore me font sourire. J'avais instauré un système de location de volumes par la poste (il en coûtait alors un demi-sou pour l'envoi d'une circulaire et cinq sous pour l'envoi d'un volume de trois cents à quatre cents pages au tarif des imprimés). La jeune fille que j'avais engagée pour ce boulot se nommait Monique Joly; elle était aussi jeune que gracile, aussi vive à l'ouvrage que d'esprit, et, ce qui ne gâtait rien, elle portait bien son nom.

Seulement voilà: elle n'était pas d'accord avec le choix de ses abonnées et j'en eus les échos lorsque je reçus des plaintes de clientes fâchées de ne pas recevoir les livres qu'elles demandaient. Monique Joly en avait contre ces passées d'âge qui persistaient à nourrir de romans populaires le peu d'esprit qui leur restait. Après qu'elles eurent «dévoré» *Les Deux Orphelines*, *La Porteuse de pain* et *Le Chemin des larmes*, Monique Joly décidait qu'elles avaient assez consommé de cette «nourriture terrestre» et décidait dare-dare de leur envoyer quelque chose de son choix: le dernier prix Goncourt ou la traduction récente d'un Oscar Wilde, *Les 24 heures de la vie d'une femme* de Stefan Sweig ou *Les Chemins de la haute ville* (traduction de *Room at the Top*) de John Braine. À celles dont l'écriture semblait révéler plus d'«ouverture», elle expédiait un George Sand, une biographie de Marie-Antoinette ou le récit du drame de Mayerling, ne serait-ce que pour leur montrer une autre facette de la vie.

Quand je lui fis remarquer que «le client a toujours raison», elle me répliqua, vive comme l'éclair: «Mais elles n'apprendront jamais rien!» À la suite de quoi Monique Joly n'a tenu le coup que le temps de me rendre son tablier, si bien que son départ, «final et sans espoir de retour», me légua une telle quantité de laissés-pour-compte que, pour une fois dans ma vie, j'ai, moi aussi, plié bagages. Ce Comptoir postal du Livre aura duré le temps que durent les roses. Monique Joly s'en fut à Montréal, la capitale de la commedia dell'arte, pour y tenter sa chance sur le plateau des comédiennes, où elle œuvre toujours, d'ailleurs. Ce que la littérature a perdu, le théâtre l'a gagné.

D'un échec de si peu de poids, je pouvais rire. L'important était de remplir mes obligations envers Yves Thériault, ce que me permettaient toute juste, mais j'y arrivais, les retombées de mon Club des Livres à Succès. Assuré de miser sur un bon numéro, il ne me restait qu'à espérer que l'auteur tienne le coup, car, tel que j'avais appris à le connaître, pour sa productivité, il était seul maître à bord... Je regrettais seulement de n'avoir pu me lier d'une véritable amitié avec lui, de celle qui fait qu'on y pense deux fois avant de poser un geste qui pourrait éventuellement l'ébranler.

Je trouvais dommage d'avoir à me tenir à carreau avec l'homme alors que, pour l'écrivain, j'avais une assurance à décrocher la lune. Quoique son *Aaron* datât, l'auteur n'était pas en panne sèche puisqu'il avait décidé de s'attaquer, et de belle façon, à *Agaguk*. À défaut de donner du savoir à son héros, il saurait lui donner des tripes, répondant ainsi à ceux qui jusqu'ici reprochaient à ses contes ou courts romans de manquer de jus, d'être trop théoriques, comme si, en littérature, un sujet ne pouvait être ramassé. Avec *Agaguk*, il prouverait aux plus sceptiques qu'il pouvait leur en donner tant pour l'aller que pour le retour, contrairement à son *Dompteur d'ours*, à la chute par trop abrupte. C'était pourtant tout à son honneur: on aurait aimé un chapitre de plus. Ou deux.

Quand j'avais à traiter avec lui, je ne pouvais m'empêcher de penser à MariJo, à cette nuit de fantasmes à laquelle elle avait échappé de justesse. Plus souvent qu'à son tour, Thériault la rappelait à mon bon souvenir, s'informant d'elle chaque fois qu'il communiquait avec moi, ce qui me forçait à m'interroger moi-même à son sujet.

Où était-elle en ce moment? Que faisait-elle de ses soirées libres, de ses week-ends? Allait-elle de temps en temps au cinéma, au restaurant? Quel genre de film l'intéressait? À quoi pensait-elle... quand elle ne pensait à rien?

## XII

La *Belle Bête* n'ayant pas obtenu la faveur du public, j'ai compris les réticences de Grasset quand je leur ai proposé le deuxième roman de Marie-Claire Blais, *Tête blanche*. J'étais loin d'être aussi emballé que pour son premier roman (on aime ou on n'aime pas, et *je n'aimais pas*), mais, compte tenu du jeune âge de l'auteur, j'ai mis cette œuvre au débit d'une erreur de jeunesse.

Grasset confirmait mon diagnostic en exigeant, pour éditer *Tête blanche* à Paris, que je souscrive pour deux mille cinq cents exemplaires, alors que je venais tout juste d'en faire ici un tirage de trois mille, dont mille restaient toujours invendus. C'était me poser une colle à laquelle je ne m'attendais pas. Si l'équipe du maire Borne m'avait évité une visite chez mon banquier, la requête de Grasset m'obligerait cette fois, que je le veuille ou non, à retourner faire un brin de causette avec lui.

Ce m'était chaque fois un supplice d'avoir à l'affronter. Je ne savais jamais par où commencer, abandonnant en chemin tout espoir d'être reçu comme un client «normal», ayant perdu des points à chacune de mes précédentes visites. J'arriverais cette fois avec un cas-problème encore moins plausible: le financement de deux mille cinq cents volumes dont je ne savais que faire. Il n'est pire situation que d'entreprendre une démarche tout en étant parfaitement conscient qu'elle est mal fondée. Ça vous enlève au départ tout moyen d'attaque, tout argument massue pour, au dernier moment, remporter le morceau.

Si j'accomplissais cette énième et inutile démarche, c'était tout simplement pour remplir les données d'un devoir et n'avoir pas à regretter de m'y être soustrait. S'il est une chose que je déteste, c'est bien d'entendre une voix (une autre) me dire: «T'aurais dû.» Après tout, à force de recevoir des coups, on finit par en déduire qu'un de plus ou un de moins... Chemin faisant, gorge serrée et fers aux pieds, je me rappelais mes autrefois d'enfance alors qu'il me fallait aller chez le dentiste ou, plus tard, à confesse. «Prends ton baluchon, serre les poings, ce n'est qu'un mauvais moment à passer.»

À mon arrivée, je fus surpris de voir trôner quelqu'un d'autre dans le fauteuil de mon habituel gérant. Je compris d'instinct que la politique des banques à charte était d'infliger à ses gérants de succursale le jeu de la chaise musicale tous les trois ou quatre ans, pour éviter que ne se créent des liens trop forts d'amitié ou d'intérêt avec les clients. Je devrais donc, avec celui-ci, reprendre à zéro le récit de mes déboires et de mes rêves, étaler mon potentiel et mes réalisations. *So what!*

Les présentations faites, je m'attaquai à l'objet de ma visite. À l'opposé de son prédécesseur, l'homme était affable. Il écouta mon histoire avec l'air de qui semble comprendre. À certains passages de mon récit, il donnait même l'impression d'acquiescer, mieux, de compatir. Son attitude me déconcerta au point que j'eus la sensation, à certains moments, d'entendre quelqu'un d'autre me raconter. Je lui parlai de mes auteurs; il en connaissait quelques-uns de nom, plus particulièrement Lemelin (à cause des *Plouffe*) et la toute dernière-née, Marie-Claire Blais, dont le lancement de *La Belle Bête* avait fait tant de bruit que tout le monde ou presque avait entendu parler de cette jeune fille. La Vierge lui serait apparue qu'elle n'eût pas connu plus grande notoriété. Le hic, c'est que personne n'achetait ses livres.

Toutefois, mon histoire semblait l'intéresser davantage que celle d'un vendeur de bifteck. J'ai été reçu comme quelqu'un ayant quelque chose d'intéressant à raconter. Je ne saurais dire pourquoi j'ai senti que ce gars-là devait avoir un cours classique à son actif, mais j'eus d'un coup la conviction qu'avec lui je pourrais m'entendre, qu'il saurait évaluer ma situation. Pour ma défense, je ne venais pas lui tendre la main pour avoir fait un faux pas mais bien pour payer celui que l'on m'obligeait à faire. Un accroc dans un processus que le meilleur statisticien n'eût pu prévoir. Ce n'était pas la conséquence d'une mauvaise administration mais un cheveu qui tombait dans ma soupe.

Soudain, je me rendis compte que j'avais oublié son nom. Il me l'avait pourtant clairement décliné lorsque nous nous étions présentés l'un à l'autre, mais j'ai ce maudit défaut, à moins que l'on ne me présente à une sommité, d'oublier après deux minutes à qui je parle. Heureusement, pendant qu'il s'excusait pour répondre au téléphone, j'ai pu vérifier son nom sur son bureau, bien en évidence dans un écrin de plastique. C'était pourtant facile à retenir; il n'avait pas de nom, que des prénoms: Jean-Yves Robert. Je me le répétai mentalement à l'infini: Jean-Yves Robert, Jean-Yves Robert, Jean-Yves Robert...

Quand j'eus terminé mon plaidoyer, Jean-Yves Robert, au lieu d'en reprendre l'exposé par étapes, me servit la réponse type de tout prêteur qui, le plus souvent, regrette d'avoir à refuser, arguant que ce dont toute banque a besoin avant tout, c'est de l'assurance de récupérer sa mise. C'est pourquoi on la verra parrainer plus volontiers une foire agricole qu'une talentueuse ballerine... Toujours à cause du bifteck.

Cela, je le savais, comme tout ce qu'il allait me dire par la suite, entre autres que mon cas (un cas d'espèce, je sais) relevait de la problématique, que ce que j'offrais en garantie, je ne savais qu'en faire moi-même. Ça voulait tout simplement dire NON, en lettres majuscules, mais c'était la première fois qu'un gérant de banque me débitait sa réplique d'un ton aussi conciliant et, ma foi, quelque peu bon enfant.

Et si on étudiait froidement le problème?

S'il était prêt à dialoguer, moi, je voulais bien, même si, au départ, j'en pressentais l'inutilité; peut-être qu'en bout de ligne, après tout, on voit toujours un peu mieux les choses de l'extérieur. Il m'a semblé alors que, pour lui, c'était une question de civilité, de respect d'autrui. Il s'appliqua à me faire dire ce que je ferais en face d'un mur. Je lui répondis avec un brin d'arrogance que si je ne pouvais le sauter, je trouverais bien un moyen de le contourner.

Ce n'était peut-être pas bien malin de ma part, mais je lui avais du moins tendu une perche qu'il saisit en répliquant que j'oubliais la brèche qu'on peut faire dedans, ou l'ouverture qu'on peut faire dessous. Décidément, il avait plus de lettres que je ne croyais, en plus d'avoir ce qu'il est convenu d'appeler le sens commun. Il déclara que, quelle que soit la décision prise, il faudrait y mettre le temps. Ainsi donc, avec Grasset, il fallait tergiverser, discuter, aller à la limite, jusqu'à demander de couper la poire en deux. En prolongeant les palabres, j'y gagnerais à coup sûr, ne serait-ce que du temps. Et le temps...

Ce ne furent pas tellement ses suggestions qui m'épatèrent – je crois que j'aurais pu en arriver là tout seul – mais le fait qu'il avait pris le temps: a) de m'écouter, b) d'en discuter, et c) de me faire accepter qu'il n'y avait rien d'autre à faire; le mur était là et il fallait le franchir d'une façon ou d'une autre.

Jean-Yves Robert s'avérait un gérant de banque qui, pour une fois, n'avait pas besoin de me faire un dessin. J'avais compris, mieux qu'à travers un savant exposé mathématique, que trouver l'équation de mon problème ne saurait être la résultante d'un simple calcul mental. Savoir doser mes griefs, les présenter en cadence, par gradation, de l'infinitésimal à l'intégral en passant par le différentiel, soit, mais là s'arrêterait mon pouvoir de persuasion. J'étais d'autant plus disposé à suivre les plans d'une telle charge au combat que jamais auparavant un gérant de banque ne m'avait servi un refus avec autant d'élégance.

Et malgré qu'à la fin j'aie dû payer, n'ayant rien gagné d'autre que du temps (Grasset ayant accepté des paiements différés), j'ai gardé de cette aventure la certitude d'avoir rencontré un partenaire «vendu à ma cause», un type sur lequel, au jour J, je saurais compter, précisément parce que *Agaguk*, ce n'était pas du vent. *Jean-Yves Robert, je retiens ton nom.*

Quant à Marie-Claire Blais, s'infiltrant sans le savoir dans ce capharnaüm quand elle me présenta son troisième roman, *Le jour est noir*, elle aura compris, du moins je l'espère, pourquoi je l'ai refusé. Peut-être que, dans cette assurance innée que possède la jeunesse, elle ne s'y attendait pas... ou alors si peu, car elle n'a pas eu de réaction marquée. Il est vrai que je ne lui ai pas fait de reproches ni donné de conseils; je l'ai laissée aller en lui disant non, simplement parce que, pour une fois dans ma vie, j'y arrivais.

Il est difficile pour un éditeur de dire non; surtout lorsqu'il n'est commandé que par des incidences dont la première était, dans mon cas, que je ne pouvais décemment pas encaisser un nouveau Grasset / *Tête blanche* dont la facture n'était pas encore acquittée.

Abstraction faite de ce facteur, je ne crois pas m'être trompé en refusant ce livre, considérant qu'il n'avait pas la qualité de *La Belle Bête*. Ce nouveau roman n'ajoutait rien à son auréole; il ne me semblait pas non plus confirmer un talent qu'elle pouvait toujours rattraper au tournant. Passons, nous n'allons pas nous chicaner après toutes ces années. Seulement, plus tard, là où je ne savais plus comment tirer mon épingle du jeu, c'est lorsqu'elle est revenue à la charge avec un quatrième roman, *Une saison dans la vie d'Emmanuel*.

Alors là, vraiment, je suis resté perplexe. Dans une première lecture, je la retrouvais telle qu'en *La Belle Bête*; dans une deuxième, j'en doutais. À ma décharge – mais ce n'eût pas dû jouer –, me hantaient *Tête blanche* et *Le jour est noir*, romans que j'attribuais à une Marie-Claire Blais cherchant sa voie. Je n'avais pas, pour trancher, de comité de lecture. De toute façon, ma maison d'édition ayant plus de vernis que de profondeur, je n'en voyais pas la nécessité. Je préférais m'en remettre à mon bon jugement, décrétant que, si je n'aimais pas un livre, seraient-ils dix à me contredire, je ne trouverais pas d'arguments pour en promouvoir la vente.

Mais – il y a toujours un os quelque part –, entre un comité de lecture attaché à ma maison et l'avis d'un bon copain, j'ai choisi d'en causer avec Hervé Bazin, qui, dès les premières pages du manuscrit, a tranché, disant qu'il y avait contradiction entre le premier et le quatrième paragraphe ou chapitre, je ne sais trop. N'écoutant que mon courage – il serait préférable de dire: n'écoutant que ce que je voulais bien entendre –, question toujours de tranquilliser ma conscience professionnelle, je me satisfis de cette critique et la laissai filer de nouveau chez cet éditeur qui l'avait récupérée pour *Le jour est noir*.

Je me suis consolé de cette erreur de parcours en constatant plus tard que, à cause de l'engagement que j'avais pris en son nom envers Grasset, son nouvel éditeur fut obligé de leur soumettre ce roman. Ils sont allés chercher pour elle le prix Médicis. Bravo!

Je ne voudrais surtout pas qu'elle croie qu'à ce moment-là ma façon de voir les choses a été omnubilée par mon penchant pour Thériault. Oh! que non! Il est plutôt rare, préciserai-je pour ma défense, que je me sente obligé, comme ce fut le cas pour *Une saison dans la vie d'Emmanuel*, de m'imposer une seconde lecture. Cela prouve bien, je pense, ce que je tendais à croire, à savoir qu'elle s'était retrouvée ou était en train de le faire. Il aura fallu que Bazin, négligemment, se prononçât; aucune autre raison n'a prévalu. Qu'il se soit trompé lui aussi ou que ce jour-là il ait filé un mauvais coton, ou encore qu'il ait eu des préoccupations autres que celles d'avoir à porter un jugement sur le manuscrit d'une inconnue (pour lui), je veux bien mettre tout cela en ligne de compte. Son verdict a été ce jour-là si vite rendu que, si je lui en parlais aujourd'hui, il ne se souviendrait même pas de l'avoir exprimé.

Quant à Thériault, il était tellement absorbé par son œuvre, replié sur lui-même, que personne d'autre ne comptait: après lui, le déluge... Et c'est ainsi que j'aimais qu'il œuvre; ça n'aurait rien donné autrement. Pour l'instant, il maintenait le rythme qu'il s'était imposé. Chaque semaine, je recevais, à la cadence d'un suivi, un nombre de pages à peu près égal au précédent, comme s'il avait voulu régler sa production au prorata de ses plus urgents besoins pécuniaires.

Ce qui me laissait croire que mon «instable» s'était rangé, et, par ricochet, annihilait mes craintes d'occasionnels ratés. Si bien que j'en étais rendu à ne pas m'inquiéter si, une semaine par-ci par-là, je ne recevais rien. Je profitais, en attendant, du répit accordé aux cordons de ma bourse. Mais que soudain un mois s'écoule sans que je reçoive une seule page m'inquiétait, alors que le roman en était à mi-chemin et en bonne voie. L'auteur contrôlant bien son sujet, chacun des chapitres étant bien structuré, rien ne laissait présager un ralenti dans un récit qui coulait de source, comme si l'auteur n'avait qu'à narrer une histoire vécue en y ajoutant, ici et là, un peu de fioritures pour rendre encore plus vraisemblable la chute d'une situation pourtant bien tramée. C'est un art dans lequel, par ses antécédents, l'auteur avait prouvé qu'il était passé maître.

Que son récit le menât dans un cul-de-sac était impensable, lui qui, dans un chapitre précédent, avait scellé d'une phrase, une toute petite phrase de quatre mots, le sort d'une meute de loups qui pourchassait *Agaguk*, sa femme, et l'enfant en ballot.

Ou alors il faudrait donner raison à la thèse avancée par Somerset Maugham et tant d'autres auteurs, selon laquelle rien n'est plus ténu que le fil d'un rasoir, comme il est admis que la force d'une chaîne réside dans son maillon le plus faible. Ce n'était pourtant pas par autosuggestion que je m'étais persuadé que, cette fois, Thériault était sur sa lancée et que, en plus d'avoir le talent pour tenir le coup, il aurait la faculté de comprendre que c'était cette fois-ci ou jamais. *Le facteur ne sonne pas toujours deux fois*.

Je n'étais pas, bien sûr, aux côtés de l'auteur lorsqu'il écrivait. C'est Michelle qui veillait au grain. Il arrivait à Yves de lui demander, après un répit de deux ou trois jours, où il en était rendu dans son récit... Alors, il repartait de plus belle, reprenant son texte comme s'il l'avait quitté la veille. Mais, cette fois, le silence de l'auteur se prolongeant, ma quiétude fut ébranlée. Me remémorant le désistement passager de l'auteur à mi-chemin de l'écriture des *Vendeurs du temple*, je téléphonai à Michelle, assuré qu'avec elle je connaîtrais le fin fond de l'histoire.

Elle me confirma qu'Yves était retombé dans une léthargie dont elle ne savait vraiment pas, cette fois, comment le faire sortir, étant elle-même au bord de la déprime. Il partait certains soirs au volant d'une bagnole qu'il s'était procurée (elle n'aurait su dire comment) et, comme s'il avait voulu faire d'un carillon son glas, il lui téléphonait au timbre de chaque heure pour lui signifier que cette heure était sa dernière et qu'il allait jeter sa voiture contre le premier pilier qu'il jugerait assez solide pour accuser le coup. Avant même que Michelle n'ait eu le temps de tenter de l'en dissuader, il raccrochait le combiné, quitte à la rappeler une heure plus tard, répétant sa menace jusqu'à trois ou quatre heures du matin.

Puis il revenait chez lui, arborant le flegme d'un homme sans peur et sans reproche, avec un sourire en coin que Michelle ne tentait pas de commenter, de crainte de rallumer en lui ce sens du ridicule dont il s'était couvert et que la morgue de son homme n'aurait pas accepté. Je demandai à Michelle si je pouvais faire quelque chose. Elle me répondit qu'elle ne savait plus, qu'elle me laissait libre d'agir à ma guise, ce qui signifiait qu'elle ne m'en voudrait pas d'abandonner Yves à son sort. Puis, sa voix s'assourdissant, elle me dit que malgré tout ce serait dommage pour la suite et la fin d'*Agaguk* (Yves les lui avait racontées) et que, s'il consentait à reprendre le collier, elle était prête à le seconder une autre fois. (Une dernière fois?) Le timbre de sa voix accusait une telle lassitude que j'ai craint, un temps, qu'elle aussi en ait tout simplement ras le bol.

Si la menace de suicide du mari avait fortement ébranlé la femme, elle me laissait plutôt froid, du moins pour l'instant, parce que, entre un désespoir fondé et une mauvaise passe, il y avait tout cet avenir des plus prometteurs qui s'offrait et qu'au plus profond de lui-même il ne pouvait ignorer. Ce dont il avait besoin, ce n'était pas d'une balle dans la tête mais d'un coup de pied au cul. Son grain de sable avait pour nom lassitude devant le chemin à parcourir. Tel était le talon d'Achille de cet écrivain. Discourir n'était pas son genre; embrouiller une situation, s'en éloigner d'un chapitre ou deux pour revenir au point de départ ne l'était pas non plus, lui dont la force de frappe était la synthèse. S'attaquer à une fresque lui était lourd à porter. Il était vaincu par l'effort; ce n'était pas cérébral, c'était physique.

Pour excessif qu'il fût, le cri de Thériault n'était rien d'autre qu'un appel au secours, lancé à Michelle parce qu'elle était là, à portée de voix, et qu'il avait besoin d'une tête de Turc pour se défouler. Je déplorais seulement qu'il en soit arrivé à toucher les extrêmes quand la loi des pionniers commande de sacrifier l'aujourd'hui au profit des lendemains. C'est à ce moment-là, je crois, que pour la première fois j'ai senti à quel point cet homme-là était seul.

Me remémorant la façon dont j'avais réussi à sauver les meubles au temps des *Vendeurs du temple*, je ne trouvai rien de mieux que de lui offrir la même panacée, en y mettant peut-être, cette fois, un peu plus de piquant, que mon invitation à fuir le quotidien lui devienne une fête. Je connaissais, non loin de Québec, un endroit de rêve où nous avions l'habitude de nous retirer, ma femme et moi, lorsque nous en avions marre de la maisonnée, pour nous ressourcer avant que ne se pointe le spleen de l'éternel recommencement des choses.

J'invitai donc les Thériault à se joindre à nous pour une fin de semaine dans la magnifique auberge des Bourgault, à Saint-Jean-Port-Joli. C'est ainsi que nous nous sommes retrouvés dans des motels contigus, en quête d'un oasis de paix propice à mettre en quarantaine les mauvaises herbes de nos jardins respectifs. Yves pourrait profiter de la monacale ambiance d'une nature encore en floraison pour reprendre le collier et, qui sait? «pondre» un chapitre ou deux de plus.

L'heure de l'apéro venue, je me présentai chez eux et, tel un maître d'hôtel, déposai sur la desserte un plateau contenant un choix de spiritueux à faire oublier le plus persistant des cafards. Après nous être mutuellement manifesté le plaisir de nous retrouver, nous avons trinqué au succès d'*Agaguk*, mais sans plus d'insistance, l'auteur ne semblant pas vouloir en causer. D'autre part, je n'avais pas à craindre qu'il abuse de mes alcools, sachant que ce n'était qu'en solitaire qu'il lui arrivait de dépasser la mesure.

Le moment venu d'aller dîner, j'ai proposé à mes invités de les retrouver dans la grande salle à manger de l'auberge, où une table nous était réservée. C'est alors que Michelle m'a demandé de rapporter mon plateau chez moi, ce que je refusai, évaluant que ça ne se faisait pas, d'autant plus que, le lendemain et le jour d'après, nous aurions encore à prendre un verre ensemble. Chez moi ou ici, quelle différence? Elle insista une fois, deux fois, mais je n'ai pas compris. Tel que convenu, nous nous sommes retrouvés quelques minutes plus tard au restaurant de l'auberge, où j'ai laissé la carte du menu à Michelle et celle des vins à Yves, ce qui lui permit de bomber le torse devant le sommelier qui, d'un servile sourire, le traita de fin connaisseur.

Le repas terminé, décidé à y mettre le paquet, je laissai les clés de ma voiture sur la desserte de leur motel, les invitant à aller faire un tour au village pendant que, furtivement, nous nous retirions, ma femme et moi. Je n'étais pas peu fier d'avoir réussi à ramener sur terre cet écrivain qui, quelques jours plus tôt, sombrait dans la désespérance jusqu'à douter du livre qu'il était en train d'écrire.

J'ai plutôt sommeillé que dormi cette nuit-là, satisfait d'avoir remis en selle un auteur qui ne demandait rien d'autre, me semblait-il, qu'un peu de considération. Il arrive souvent que l'on rencontre ainsi des gens qui ont besoin d'être épaulés et, selon votre génotype, vous les laissez tomber ou vous prenez un malin plaisir à les soutenir. On agit parfois ainsi sans autre raison que celle du plaisir que l'on éprouve à donner. J'endossais ainsi la géométrie de Michelle: je sauvais l'homme et son œuvre.

Quelle naïveté! Au sortir des brumes de cette nuit de quasiveille au cours de laquelle je m'étais inventé un destin de capitaine, j'ai déchanté quand, au rendez-vous que nous nous étions donné la veille pour le petit déjeuner, je ne retrouvai, à la table qui nous était réservée, qu'une femme solitaire, au bord des larmes, mais stoïque devant ce qui avait été de ma part une trop grande volonté de plaire. Ma voiture et son homme avaient disparu.

Réprimant sa rancœur, Michelle me reprocha de ne l'avoir pas écoutée la veille quand je lui avais rétorqué que le whisky et le gin se conserveraient aussi bien chez eux que chez nous. Elle était partie alors sur une telle lyre que je ne m'expliquais pas son entêtement à vouloir me faire comprendre qu'il ne suffisait pas que les bouteilles soient fermées, l'impératif étant que je me devais de les rapporter. Mais comme je n'avais pas compris son cri d'alarme, elle était justifiée de me tenir responsable de la fugue de son mari, car, de boissons, il n'y en avait plus.

Yves ne revint qu'au matin du troisième jour, arborant une insolente assurance d'autant plus désarmante qu'il affirmait ne pouvoir écrire dans ce décor plus propice à la détente et au laisser-aller qu'au travail. Les personnages de son roman ne l'ayant pas suivi, il lui serait plus facile de les retrouver chez lui dans ce qu'il appelait son habitat naturel, là où rien ne l'en distrairait.

Sirotant avec nous un dernier café crème qu'il avait exigé servi dans un bol, à la française, il tenta de nous persuader qu'un romancier avait besoin d'un fluide dont le commun des mortels pouvait se passer. Et, comme pour nous convaincre du bien-fondé de sa philosophie, il conclut que nous n'avions pas à nous inquiéter pour lui, que ce voyage lui avait permis de se ressourcer et que, tout compte fait, cet arrêt dans le temps ne pourrait lui être que bénéfique.

Pas besoin d'être un diplomate de la diplomatie pour feindre que monsieur avait raison: il suffisait de lui concéder le droit de ramener la compréhension des autres à sa vision des choses. La boucle était ainsi bouclée. Il restait seulement à rendre concrète une abstraction à la conjecture d'un «ni vu, ni connu, je t'embrouille». Sur le chemin du retour, la radio de ma voiture en sourdine, personne n'osait aborder d'autre sujet que celui de l'air du temps, l'éternel prétexte à causer de ceux qui n'ont rien à dire.

Dans les jours qui suivirent, je me retrouvai avec des «j'aurais dû» repoussés par des «valait mieux pas» qui n'en finissaient plus de se disputer une éphémère priorité jusqu'à ce que j'en abandonne l'harmonie au destin qui se charge de nous mettre au pas, bien que certains prétendent que c'est nous qui le façonnons.

Et le cours normal des choses se remit au galop avec l'usuel cortège de comptes à payer, de traites à honorer, d'échéances à retarder, rien qui vienne briser la monotonie de toujours devoir aller au plus pressant. Et pourtant si. Le plus urgent nous vint cette fois de la France, cette bonne vieille mère patrie qui, pour protéger ses arrières, dut changer le cours de sa monnaie. La France substantiellement gavée de dollars, de Gaulle, en décrétant le franc lourd, fit que des milliers de Français, millionnaires en francs légers, se retrouvaient du jour au lendemain au bar du commun des mortels.

Les conséquences, pour nous, furent que les éditeurs français profitèrent de cette réévaluation pour mettre un terme à la lutte des escomptes accordés, que le treize à la douzaine disparut, que la TVA dont on nous avait jusqu'à ce jour exemptés réapparut, que les marges de crédit furent restreintes. De Gaulle, sans nous viser directement, tira sur nous avec ce qu'il est convenu d'appeler le dernier argument des rois. Il nous fallait bouger.

La Société des Libraires de Québec, dont j'étais toujours président, et la Société des Éditeurs canadiens (siège social à Montréal), dont j'étais membre, se devaient de s'unir pour «amadouer» nos cousins dont les liens commerciaux prenaient le pas sur ceux du sang. La première étape à franchir était de rétablir la paix entre Québec, la capitale, et Montréal, qui s'était déclarée métropole, ce qui, dans la hiérarchie des valeurs, aurait dû équilibrer les forces. Il nous fallait aussi, à Québec, oublier qu'en une seule et même année Montréal nous avait volé notre pourpre cardinalice et le meilleur de nos hockeyeurs, Jean Béliveau. Ces deux uppercuts encaissés, il ne fallait pas permettre à Montréal de barrer la route plus longtemps aux éditeurs français qui désiraient ardemment venir s'installer chez nous alors que la majorité des éditeurs canadiens s'y opposait, redoutant l'envahissement par «l'étranger» d'un terrain aux semailles rachitiques et à la moisson tout aussi chétive. Pour tout dire, nos gains, si âprement acquis, n'avaient pas encore un volume de partage.

J'ai donc réuni les cinq ou six membres de la Société des Libraires pour leur soumettre un projet que je caressais depuis un certain temps. Jusqu'ici, les Salons du Livre n'étaient que canadiens et ne se tenaient qu'à Montréal, sous la seule férule des éditeurs canadiens, dont la règle était de n'exposer que des produits de chez nous, ce qui éliminait forcément les éditeurs français.

Par un de ces hasards qui vous font oublier les coups bas de la vie, le temps était venu d'élire un nouveau président de la Société des Éditeurs canadiens, et, par ricochet, mon tour était venu d'être mis en nomination. Je crois me souvenir que ce fut Victor Martin, des éditions Fides, qui proposa ma candidature contre celle de Pierre Tisseyre. J'y suis resté deux ans, 1956 et 1957, après quoi Pierre Tisseyre me succéda. Ce n'était pas que j'aie eu plus de mérite que Pierre Tisseyre – ayant été élu sans cabale –, mais je crois simplement que mes confrères, jugeant que c'était à l'un de nous deux que revenait le fauteuil, m'avaient préféré pour une simple raison d'appartenance. On n'avait rien contre Pierre Tisseyre, mais on avait l'air de dire (Serge Brousseau en tête) que ce devait être à chacun son tour, la préférence allant aux citoyens de vieille souche.

Le dernier Salon du Livre avait eu lieu à Montréal, au vétuste mais combien chaleureux hôtel Windsor, sous la présidence d'honneur de la très belle Marie Raymond, dont nous étions tous plus ou moins amoureux. Malgré le faste et le cérémonial déployés, toutes ces toilettes et bijoux étalés en un véritable apparat de bal, je me demande si aujourd'hui on peut s'imaginer ce que pouvait être, dans les années cinquante, un Salon du Livre *canadien*. La production étant ce que j'en ai déjà décrit, je me souviens que, pour ma part, je n'avais que trois nouveautés à exposer: *Un simple soldat* de Marcel Dubé, *Trois pouces en coup de vent* du père Ambroise, et *La Tête la première* de Normand Hudon. Pour les visiteurs, le tour de mon stand était vite fait; idem pour celui des autres exposants, guère plus productifs que moi. Si bien que, bon an, mal an, on y retrouvait les mêmes ouvrages des mêmes auteurs des mêmes maisons d'édition, dans les mêmes stands.

Ce que je gagnai toutefois à la fin de mon mandat, ce fut que ce Salon du Livre *canadien* alterne une année sur deux avec Québec. Il fut donc convenu que cette nouvelle formule s'appliquerait à compter de 1959.

Le temps venu, je décidai, avec l'accord de «mes» libraires, que ce fameux Salon du Livre de 1959 se ferait sous l'égide de «notre» Société et que ce serait un Salon *international*... au grand dam de la Société des Éditeurs canadiens. À notre point de vue, il était inutile de mettre plus longtemps des bois dans les roues du carrosse français; le temps était venu d'inviter les éditeurs de France à se joindre à nous, en dépit de l'amertume que nous ressentions de n'avoir pu, chez nous, leur damer le pion.

À Montréal, Péladeau et Dussault en tête, on s'appliqua à boycotter notre projet. Ils avaient une peur bleue des gros canons qu'étaient Hachette, Flammarion, Grasset, Albin Michel (Robert Laffont n'allait émerger que quelques années plus tard avec la parution de *Papillon*), alors que les Presses de la Cité, timidement installées à Montréal, n'étaient jamais invitées. Aussi, quand nous, de la Société des Libraires de Québec, avons avisé la Société des Éditeurs canadiens que notre Salon du Livre serait *international*, on a eu beau hurler, protester, jurer, le mal était fait; nous nous étions mis à trois, Paul Saint-Cyr et Robert Saillant, de chez Garneau, et moi, pour lancer aux éditeurs français plus haut cités une invitation qu'ils se sont empressés d'accepter.

Les éditeurs canadiens, mis devant le fait accompli, se sont inclinés les uns après les autres, sauf les éditions Brousseau et Simpson, en manque de production, si bien que, tout compte fait, quand tout fut en place au deuxième étage du musée du Québec, nous avons réussi l'exploit de loger un total de trente-sept stands partagés: vingt-cinq dans la grande salle de droite et douze dans celle de gauche, parce qu'à la toute dernière heure l'impact «français» avait été plus fort que prévu. Au grand total, plus de huit mille volumes exposés à la curiosité de près de vingt-six mille visiteurs. Ainsi est né le premier Salon *international* du Livre au Québec, qui eut lieu du 29 octobre au 1er novembre 1959. Dont acte.

L'ouverture officielle se fit sous le haut patronage de l'honorable Yves Prévost, du sous-ministre Raymond Douville, de Gérard Morissette, conservateur du musée, et, présence à souligner, du consul de France, M. Georges Denizeau.

Nous nous sommes effacés, nous de la Société des Libraires du Québec, pour céder la place aux invités d'honneur, dont la liste n'avait rien à envier à celle de Montréal, avec en tête d'affiche notre révérend père Georges-Henri Lévesque, Louis A. Bélisle, éditeur, les frères Bonenfant et leurs confrères universitaires ou de parcours professionnel, dont Jean-Charles Falardeau et Gérard Bergeron. Tous mes écrivains y étaient, bien sûr: Lemelin, Giroux (Thériault, étant de Montréal, se devait d'attendre le prochain Salon du Livre, dont il serait l'incontestable vedette), Adrienne Choquette, qui préparait dans le doute son dernier roman, *Laure Clouet*, et Simone Bussières (*L'Héritier*). Aux éditions Garneau: Suzanne Paradis (*Les Enfants continuels*) et Claire France (*Les Enfants qui s'aiment*) disputaient timidement leur place au soleil à Marie-Claire Blais, l'évidente vedette de ce premier Salon du Livre de Québec.

Les couvant toutes telle une bonne mère paysanne, Mme A. A. Boivin entraînait à sa suite, et dans le secret espoir d'une continuité, sa fille Mimi Allaire, dont le désir de s'immiscer dans nos rangs était si évident que nous ne savions que faire pour l'aider. À cette liste forcément restreinte, il faut ajouter une forte délégation de Montréal, avec en tête Pierre Tisseyre, Victor Martin et le frère Luc, des Éditions dominicaines.

La vengeance étant douce aux cœurs offensés, mon empêcheur de tourner en rond, ex-curé de Thetford-Mines au temps de la grève de l'amiante, transféré en la paroisse Saint-Roch au temps d'*Au pied de la Pente douce* et qui s'en est allé finir ses jours dans une paroisse de moindre importance, en banlieue de Québec, n'a pas été invité. Du même souffle, nous ne risquions pas que soient mis au pilori les livres exposés au stand des éditions Tallendier ou de la Belle Hélène.

Par contre, MariJo fut invitée, sachant par avance qu'elle ferait tourner bien des têtes à simplement aller d'un stand à l'autre sans se soucier des journalistes à l'affût d'une photo exclusive. Elle se désista cependant quand je la conviai au dîner offert en l'honneur de nos invités, préférant attendre une autre occasion... où il nous serait donné de le faire en tête-à-tête.

On a beau clamer que toute cette mise en scène n'a d'autre but que de faire progresser la cause de nos lettres, il s'y infiltre toujours un soupçon de pure mondanité qui n'est pas à dédaigner. Ça donne un air de fête à ce qui, autrement, serait austère de par le sérieux qu'on est obligé d'y mettre. Ainsi, nous étions tous d'accord pour admettre que, aux sombres boiseries des salons de l'hôtel Windsor, Marie Raymond avait été le rayon de soleil qui s'imposait. Ici, à l'inéluctable sévérité d'une salle de musée, MariJo apportait un air de contrastante jeunesse.

À l'analyse, ma première rencontre avec MariJo n'avait pas été un coup de foudre mais un coup de cœur, comme pour qui rencontre sur sa route, sans l'avoir cherchée, la beauté. Ce peut être une toile qui se détache des autres dans une galerie d'art, un coucher de soleil au bout d'une route, une mer en furie qui soudainement se calme sous un arc-en-ciel. Très tôt, avant même de la mieux connaître, j'ai senti le besoin de faire sanctionner mon dévolu, et rien ne m'est apparu plus favorable que de la jeter dans cette fosse aux lions qu'est toute foule et de lui faire subir le test d'une première.

En invitant MariJo au Salon du Livre, je la sortais de son jardin et la livrais en pâture à une assistance critique triée sur le volet et qui ne considérait jamais rien comme acquis. À simplement se balader d'un stand à l'autre en rendant les sourires qu'on lui adressait, elle avait prouvé qu'elle pouvait facilement s'adapter. Il lui suffisait seulement que le monde dans lequel elle évoluait lui soit réceptif. De s'être attardée au stand des livres anciens, d'avoir manifesté son intérêt pour les reliures d'époque confirmait que, dans ce monde qui n'était pas précisément le sien, il y avait quelque chose de spécifiquement fait pour elle. Elle avait su tirer son épingle du jeu, combler mes attentes: MariJo, ce soir-là, ne s'était pas satisfaite de n'être que belle. Quand je lui demandai si elle avait aimé sa soirée, elle me répondit: «Oui, mais ça manquait de fleurs.»

J'aurais dû m'en douter.

# XIII

Mes invités montréalais ont finalement accepté de faire contre mauvaise fortune bon cœur en ne laissant rien paraître de leurs craintes du début. Je crois qu'ils sont surtout venus voir comment on s'en sortirait et dans quelle mesure les éditeurs français accepteraient notre invitation. Je consentais de mon côté à ne pas leur prêter d'intentions, trop heureux des résultats obtenus, un bilan qui, aujourd'hui, ferait sourire. L'exiguïté même de la grande salle du musée limitait notre capacité d'accueil et nous obligeait, après le centième visiteur, à refouler les autres dans la deuxième pièce.

Le dîner qui suivit permit de maintenir l'harmonie, si bien qu'au dessert tous étaient d'accord pour accepter ce procédé, la section montréalaise acceptant de relever ce nouveau défi, réalisant qu'il ne lui restait qu'à faire mieux... L'ancestrale rivalité Montréal/Québec repartait de plus belle.

Avec le temps, comme pour tout projet d'envergure, cette formule, qui se voulait plus francophone que partisane, connut ses hauts et ses bas, ses années de relâche ou sabbatiques, ses retours en force... ou anémiques, pour mieux rebondir quelque deux ou trois ans plus tard, changeant aussi souvent de foyer d'accueil pour se retrouver, à Québec, au gymnase du patronage Roc-Amadour ou sous les gradins du Petit Colisée. Pour un nouveau-né, c'était lui demander beaucoup de résistance. Je le crois aujourd'hui assez robuste pour que l'on ne s'inquiète plus de sa survie.

Au fil des ans, de par les défaillances mêmes de ses premiers pas, il a attiré une telle sympathie médiatique que, l'une pourchassant l'autre, on a vu paraître de plus en plus de chroniques consacrées au livre, de comptes rendus et d'analyses, de critiques et d'interviews. C'est de ces années-là qu'est née, au journal *Le Devoir*, l'occasion rêvée, reprise par d'autres quotidiens, de faire un «Cahier des Arts et des Lettres». Une fois l'an étant devenu une tradition, ces presque veillées d'armes, souhaitables ruptures dans le temps, font que nos libraires connaissent ainsi, de temps à autre, des matins qui chantent.

Je garde de ce premier Salon du Livre un impérissable souvenir d'euphorique satisfaction, encore qu'il fut assombri par une rumeur qui voulait qu'*Agaguk* soit publié au Cercle du Livre de France. Ce fut mon voisin de table, le P.D.G. des éditions du Bien public, qui me fit part d'un canular qui envoyait Yves Thériault chez Pierre Tisseyre. Je lui donnais d'autant plus de crédit que cet écrivain de mon cœur ayant publié son *Dompteur d'ours* chez Tisseyre, il eût été normal que ce dernier exigeât que les trois prochains romans de cet auteur lui fussent réservés.

Ce qui aurait été moins normal, c'eût été que Thériault acceptât cette clause pendant qu'avait cours ce contrat donnant, donnant qui nous liait l'un à l'autre pour ce dernier roman dont la moitié était déjà écrite, livrée et payée. Faisant fi de ce ragot, j'ai préféré attendre la version de Thériault, que je sommai d'éclairer ma lanterne, arguant que, en sus des acquis du contrat, j'avais, me semblait-il, un certain droit d'aînesse. Par contre, si Pierre Tisseyre me confirmait, preuves à l'appui, qu'il avait des droits sur cette œuvre, je serais forcé de lui donner raison, sachant le peu d'importance que Thériault accordait à sa propre signature.

Mis en face d'une situation qui n'eût pas dû être ambiguë, Thériault me répondit de ne pas m'inquiéter, qu'il avait trouvé «normal» de protéger ses arrières, de s'engager ailleurs que chez moi pour d'autres romans, et que, de toute façon, *Agaguk* n'était pas «listé» chez Tisseyre. Coupant court à ses arguments, j'exigeai de Thériault, puisqu'il était comptable de cette gaffe et que Tisseyre eût été dans son droit de recourir à une clause inhérente à tout contrat d'édition, qu'il obtienne de ce dernier et par écrit une libération pure et simple. Décidé, pour une fois, à ne pas me laisser manger la laine sur le dos, j'étais prêt pour les «grandes manœuvres», allant jusqu'à le menacer de lui couper les vivres. C'était, pour sûr, ma meilleure arme, et je l'employerais en dépit de ses menaces de suicide... s'il s'avisait d'aller jusque-là.

À sa décharge, je dois dire que la rancune, quand il avait tort, il ne connaissait pas. J'en profitais, en ces rares occasions où il ne pouvait pas prétendre qu'il ne comprenait pas, pour lui mettre la bride sur le cou.

Poussé au pied du mur par la raison du plus fort, Thériault s'amena à Québec et, triomphant, arborant un tic du menton que je lui voyais pour la première fois, il me tança d'un «Qu'est-ce que tu penses de ça?» en jetant sur mon bureau une lettre de Pierre Tisseyre qui n'était rien d'autre qu'une renonciation pure et simple pour quatre romans aux titres provisoires suivants: *Les gerbes sont lourdes, Goliath dans la Cité, Kesten des marécages, La Faim et la Soif.*

Décidément, l'écrivain, sûr de lui, avait mis le paquet. Je n'ai jamais su quels arguments il avait pu invoquer pour obtenir une telle libération. Il avait gagné: la balle était maintenant dans mon camp, je devrais filer un bon coton et affranchir les deux chèques dont il m'avait fallu arrêter le paiement... Jean-Yves Robert ne m'aurait pas pardonné d'agir autrement. Ce qui me dépassait dans toute cette histoire, c'était l'aisance avec laquelle Pierre Tisseyre laissait partir un auteur de si grand talent. J'aurais accepté qu'il exigeât d'en discuter jusqu'à prétendre à un droit de partage – il eût pu –, mais une libération sans conditions pour quatre romans d'un écrivain si prolifique me sidérait. Il ne me servait à rien, par ailleurs, d'obliger Thériault à me raconter des histoires; j'ai reçu cette renonciation avec soulagement, acceptant un dernier tic du menton et une superbe qui me signifiaient que j'avais eu tort de douter. Je dois avouer que j'ai eu, un instant, l'idée qu'il me faudrait dorénavant être sur la défensive, mais, *vade retro Satana*, il me fallait continuer à foncer... J'en étais de cette décision, «prendre ou laisser tomber», à un point de non-retour, comme il nous arrive parfois d'avoir à trancher en jouant à pile ou face, tellement les deux ont d'avantages et d'inconvénients. Me talonnait ce vieux proverbe irlandais qui dit à peu près ceci: «Si tu le fais, tu seras damné; si tu ne le fais pas, tu le seras aussi.» Me restait comme prix de consolation qu'avec la plupart de mes auteurs, de quelque côté de la barricade que l'on fût, les coudées restaient franches. Il suffisait de pouvoir encaisser le fait que tous ne sauraient être issus d'un même moule et qu'il n'était rame plus disparate qu'une fournée d'auteurs; il n'empêche que je préférais ceux qui savaient me renvoyer l'ascenseur.

Thériault était pour moi un cas d'espèce comme j'en étais un pour mon banquier. Il m'eût été de mauvais aloi de rechigner sur ses écarts, planifiés ou non, ayant décidé de ne pas jeter la cognée tant que tiendrait le manche; il suffisait de tenir les guides tendues. Surtout que j'élaborais des plans pour imposer l'auteur et son talent une fois pour toutes, que l'on n'ait pas à se demander s'il pouvait bien traiter les sujets qu'il abordait. Et si, d'un même élan, je parvenais à lui procurer une sécurité financière, j'en ferais un tout autre homme et son tic du menton, je pourrais en rire. À tant étudier l'homme, j'étais poussé dans mes derniers retranchements par l'écrivain. Si, au lieu de me tromper sur le produit, j'avais surestimé l'intellect de ceux pour qui je peinais? Le petit monde de Marcel Dubé se devait de ne pas changer? Jusqu'à la fin des temps, il s'accommoderait de bonheurs d'occasion?

Toutes affaires cessantes, je travaillais mon plan d'action, car ce serait, en interprétant l'Ecclésiaste à mon gré, le faire mentir lorsqu'il affirme que nul ne connaît son heure: ce serait la mienne et celle de l'auteur. Je préférais servir au destin un merci prématuré pour le clin d'œil qu'il nous offrait. Il ne fallait surtout pas le provoquer en affichant une incurie de repus: ne rien laisser au hasard, bien préparer la piste afin qu'*Agaguk* puisse atterrir en toute sécurité. En guise de «pilastre» pour nos comptes rendus, nous avions, fidèles aux rendez-vous, le journal *La Presse* et surtout *Le Devoir*, qui était et reste notre meilleur véhicule. Ne pas oublier non plus la chaleureuse sympathie des frères Maillet qui, avec leur *Petit Journal*, couvraient la moindre de nos activités, que ce soit un lancement solitaire ou un «consistoire» de nos activités de libraires ou d'éditeurs. Chez eux, nos communiqués de presse les plus anodins recevaient un accueil sur lequel on pouvait toujours compter.

Ce nous était d'autant plus d'un bon commerce que ce *Petit Journal*, d'une ironique raison sociale, touchait un vaste public avide de vedettariat. Le revers de cette médaille était que ce journal manquait de crédibilité car, à trop vouloir nous aider, il versait dans la prodigalité: tout le monde il était beau, tout le monde il était gentil; bref, tous nos écrivains avaient du talent, chacun de leurs livres frisait le chef-d'œuvre. J'en garde malgré tout une indéfectible reconnaissance, car, pour peu que l'on consentît à faire l'autruche, le trop-plein d'ardeur qu'ils y mettaient nous était comme un rêve que l'on aurait désespérément voulu qu'il fût réalité. La devise des frères Maillet eût pu être: «Qui lit aujourd'hui écrira demain.»

Fort de ces appuis qui me seraient acquis, je préparai fébrilement un communiqué de presse à adresser à tous les journaux, y compris le prude *Droit* et la bégueule *Action catholique*, qui n'auraient cependant pas l'occasion d'éjaculer leur venin sur la scène de deux pages et demie où Agaguk se masturbait, recueillait son sperme au creux de sa main et le scrutait, cherchant à savoir lesquels des filaments qui s'y dessinaient seraient les plus forts pour donner naissance à un être qui, la croissance venue, pourrait marcher, courir dans la plaine, gravir des montagnes, tuer du gibier et comme lui-même, un jour, «spermer» pour – était-ce un pouvoir maléfique ou son contraire? – créer d'autres êtres qui... Non, ni *Le Droit* ni *L'Action catholique* n'eurent le plaisir de ravaler cette scène qui, à la toute dernière minute, à la demande de Bernard Privat (Grasset) et avec le consentement de l'auteur, fut supprimée.

Pour l'instant, j'en étais à lire le dernier chapitre que l'auteur était venu me livrer «en mains propres». Il en était aussi satisfait que je pouvais l'être, ayant légué à son héros ce qu'il lui était donné d'attendre de la vie, rien de plus, rien de moins. Il n'aurait su, ni pour Agaguk ni pour son lecteur, trouver de meilleur happy end.

En me confiant ce dernier chapitre, Yves m'avait lancé: «À toi de jouer maintenant.» Comme si, de la première à la dernière page, je n'avais pas porté ce livre à bout de bras. Mais, trop heureux que le manuscrit enfin terminé fût là, sur ma table de travail où reposait déjà mon plan d'action pour ce nouveau-né, je me contentai de sourire, signant ainsi avec l'auteur ce qui se devait d'être un simulacre d'armistice.

Au fond, Thériault avait raison: il m'incombait de prouver que le jeu en valait la chandelle. Lui relançant la balle, je lui confiai que j'étais prêt, que le lancement de son livre aurait lieu à l'automne, à l'occasion du Salon du Livre qui se tiendrait à l'hôtel Reine-Élisabeth, ce qui déjà nous était un plus, compte tenu de l'aura entourant ce nouvel hôtel dont le prestige avait grandi au fur et à mesure que sa structure s'élevait et qui, dans la foulée des sentiments de fierté des Montréalais, deviendrait pour eux ce que déjà le Château Frontenac était aux Québécois: le summum de l'élégance et du raffinement. Et Thériault serait l'un des premiers à y entrer à titre d'auteur canadien.

Heureux épilogue d'un rêve, le manuscrit était là, bel et bien terminé, révisé et corrigé par Michelle, et je le contemplais avec le béat sourire de qui a mené sa barque à bon port, car ce roman, s'il était l'œuvre de Thériault, était un peu beaucoup «mon bébé». À ses côtés reposait l'espérance d'une vie nouvelle, le potentiel de jours meilleurs. J'y étais allé en grande vitesse pour Anne Hébert, au galop pour Marie-Claire Blais; il me faudrait pour Thériault y aller à tombeau ouvert. Et puisque, chez nous comme ailleurs, rares sont ceux qui sont prophètes en leur pays, ma décision était prise: nous irions à Paris, quoi qu'il en coutât.

Avec *Agaguk*, je n'allais pas, à Paris, demander la charité, bien au contraire. J'apportais un manuscrit de poids, d'un auteur qui venait de prouver qu'il pouvait produire pourvu qu'on l'aidât. Profitant de mon enthousiasme, il m'avait demandé si j'étais prêt à remettre «ça». Il m'avait même proposé de choisir parmi les titres de romans auxquels il était prêt à s'attaquer... contre argent comptant.

J'en cochai deux qui me semblaient prometteurs, soit *Les Journées d'Annette* et *La Quête*, laissant en plan *La Sauterelle*, *Le Collier*[1], *Les Temps du Carcajou*[2] et *Le Loup*, car à trop charger la charrette on risquait d'épuiser la monture. L'auteur choisit *La Quête*, et je lui donnai le feu vert. Je n'aurais de cesse, décidé aux extrêmes, de soutenir Thériault que la preuve soit faite... qu'il n'y avait rien à faire. Ne pas tabler non plus sur un *Bonheur d'occasion* qui a réussi à faire son chemin, à l'encontre de toute logique. On

1. Que l'auteur reprendra plus tard sous un autre titre.

2. Qui sera finalement édité chez Laffont.

n'avait jamais vu cela: un livre faire carrière tout seul. Après l'échec des éditions Pascal, Beauchemin prit la relève, réimprima le livre sans que l'auteur ni l'éditeur y apportent rien de neuf, et le roman reprit sa route vers le succès, tel un train qui s'arrête un temps et continue son trajet, le courrier livré.

Les temps avaient changé et *Agaguk* n'avait rien d'un *Bonheur d'occasion.* Cela étant acquis, comme j'étais conscient d'apporter du neuf, ma première étape fut d'en confier la tenue typographique à Rhéal d'Anjou, passé maître en la matière. Je lui demandai une présentation genre «Livre du mois» cartonnée sous enchemisage en couleurs – un paysage polaire ou une tête d'Esquimau, ça devait pouvoir se trouver quelque part –, aux pages rognées, que le lecteur n'ait pas à se battre avec un coupe-papier.

Cette étape rodée, j'écrivis à Bernard Privat, chez Grasset, pour lui offrir d'en faire une édition française à être mise sur le marché en même temps que mon édition canadienne. Un accord fut assez vite conclu, du fait que, même détenteur du copyright, je restais un petit éditeur en remorque, à la merci d'un autre cent fois mieux coté que moi et dont le nom apposé sur un livre était caution pour un lecteur averti.

Comme rampe de lancement, un service de presse qui pouvait couvrir jusqu'à trois cents médias, tous choisis pour les échos qu'ils pouvaient rendre; journalistes, interviewers et critiques littéraires, non seulement ceux dont la sympathie était acquise mais aussi les gagas que l'on trouve dans tous les domaines et que, dans une sorte d'équilibre, le sort a placés là pour justifier la sentence du «parlez-en bien, parlez-en mal, mais parlez-en».

Quant au service de la consignation, on y allait avec plus de largesse, que les livres soient aux rayons des librairies pour répondre à la demande que susciteraient les entrevues radiophoniques et surtout à une réaction, plus hâtive celle-là, en écho à l'émission télévisée de l'heure, *Apostrophes* de Pierre Dumayet. N'y passait pas qui voulait; d'y être invité était déjà un gage d'intérêt justifié.

Rassuré sur cet aspect de la promotion, convaincu de la qualité de mon produit, je me gonflais d'orgueil à conclure que, de quelque côté que l'on aborde cette œuvre, personne ne pourrait contester les faits, les us et coutumes des Inuit dans les années trente, Thériault étant à ce jour le premier à lever le voile sur leur archaïsme. Quant à l'écriture, l'ayant éprouvée ici avant de la sortir du pays, on ne s'offusquerait pas qu'on la compare à celle de Giono ou de Ramuz.

Autre actif à ne pas négliger: nous étions toujours dans le parfum de ces années d'engouement pour tout ce qui était «canadien». Je l'ai nettement senti une fois de plus lorsque, le moment venu de réserver les billets d'avion, Air France accepta d'emblée de nous photographier sur la passerelle d'embarquement, ce que m'avait refusé Air Canada. Cette photo faisait partie de mon scénario de publicité et Air France s'occupa de la faire paraître dans les journaux du lendemain. Ce fut une faveur qu'il m'eût fallu payer au prix fort si elle ne nous avait été gracieusement consentie. Cette requête se justifiait du fait que c'était la première fois qu'un auteur canadien et son éditeur s'en allaient tenter leur chance à la roulette de Paris.

Malheureusement, tous ces à-côtés qui font d'une chose un tout ne pouvaient nous être accordés à simplement les désirer. Ainsi, mon plan d'ensemble comportait un forfait d'environ dix mille dollars... dont je n'avais pas le premier sou: du contrat d'impression chez Rhéal d'Anjou pour l'édition canadienne à la souscription de deux mille cinq cents exemplaires qu'exigeait Grasset[1] pour l'édition française. La France avait ceci de retors que si l'on voulait qu'elle nous aide, il nous fallait l'aider à le faire.

Ce point à la ligne accepté, il m'incombait d'en subir les conséquences et de faire, seul, face aux dépenses. Jamais je n'ai autant qu'en cette occasion compris ce que signifiait l'expression «réglé comme du papier à musique». À assumer: les frais de transport et d'hébergement de l'auteur à Paris, avec en supplément ses frasques et les miennes; les encarts publicitaires, les photos d'artiste de l'auteur, les après-réceptions où il serait parfois indécent de laisser filer seuls certains invités. La note, bien calculée, me serait, avec ses imprévus, comme un rien salée, mais il fallait l'accepter.

J'étais parfaitement lucide et n'avais pas du tout l'impression de voguer sur des nuages. À ce point optimiste, j'étais sûr, cette

---

1. Le principe de la coédition ne viendrait que beaucoup plus tard.

fois, que je pouvais faire sauter la banque et que, le jour – que je remettais, je ne savais trop pourquoi, indéfiniment – où je prendrais rendez-vous avec Jean-Yves Robert, je serais bien accueilli. Je ne voyais pas non plus ce que Jean-Yves Robert – il me faudrait me souvenir de son nom – pourrait invoquer pour m'opposer un refus. Je le verrais plutôt lâcher du lest devant le plat de résistance que je lui servirais: Grasset, l'ambassade du Canada à Paris, Air France, *Agaguk*... Il ne manquait qu'un maillon et j'en avais besoin pour que les autres tiennent.

Que je sois craintif ou crâneur, le choix n'était pas dans la façon d'affronter Jean-Yves Robert mais dans l'urgence de le faire. Malgré ces évidences, je sais maintenant pourquoi je remettais d'une journée à l'autre ce rendez-vous: il me restait un tenace soupçon de manque de confiance en moi, la crainte de ne pas trouver les mots qu'il faudrait. Je redoutais de me faire gentiment mais fermement rabrouer par une sentence du genre «qui trop embrasse mal étreint», le potentiel des banques ne se mesurant pas aux problèmes de leurs clients. Il me mettrait en face d'un mur que j'aurais moi-même construit, me lancerait un «vous n'auriez pas dû» dont je ne pourrais qu'admettre le bien-fondé, rageant d'avoir à lui donner raison... pour achopper sur un cul-de-sac. Faudrait pas!

Mais même en m'efforçant de ne pas comprendre, même en refusant de le suivre sur l'épineux terrain qu'est celui de toute quête, j'étais conscient que, quand celui qui demande est au creux de la vague, il ne doit pas se fier à la chance, car, si souventes fois qu'il vous ait été donné de quémander, c'est une habitude dont l'aisance ne s'acquiert pas. Même disposé à lui accorder autant d'indulgence qu'il m'accordait de sympathie, j'appréhendais chaque fois la panne sèche, le coup d'assommoir qu'il me faudrait porter pour ébranler ses assises. Il pourrait toujours me reprocher d'avoir laissé monter un voyageur de trop dans un train déjà bondé.

Il arriva ce qui devait arriver: tout se passa tel que prévu. Jean-Yves Robert fut on ne peut plus conciliant mais restait impuissant. Si, pour moi, ce ne pouvait être que la suite logique d'un long cheminement, pour lui, ça dépassait la logique. Il ne pouvait, tel un magicien, faire se réaliser le tout en claquant simplement des doigts. J'ai quand même tenu suffisamment de rounds pour me convaincre que j'avais donné ma mesure, mais, à un certain son de cloche pour une reprise donnée, j'ai perdu le peu de moyens qui me restaient.

Nous étions, tels deux antagonistes qui se respectent, dans un cercle vicieux, à chercher une élégante façon de nous en sortir, conscients que la force de l'un n'était faite que de la faiblesse de l'autre. Ne pouvant crâner davantage, il me sembla tout à coup que c'était à moi qu'il incombait de mettre un terme à cette situation pour le moins gênante et qui rendait mon banquier aussi malheureux de ne pouvoir rien faire pour moi que je pouvais l'être de le constater. Et, pour lui permettre de sauver la face, je me préparais à lancer la serviette, quand, de la même façon que parfois, dans un jouet d'enfant dont on n'attend plus rien, un dernier ressort se déclenche pour un ultime tour de piste, Jean-Yves Robert consentit à me laisser une lueur d'espoir.

Ma demande outrepassant, et de loin, ses prérogatives, il me fit comprendre qu'il n'était même pas fondé de seulement transmettre une telle requête à la haute direction, mais que, pour n'avoir rien à se reprocher, il le ferait, au risque de passer pour un Don Quichotte ou même de se faire blâmer pour avoir déposé sur la table du conseil un document dont on se hâterait, le synopsis lu, d'aller voir à la dernière page quel imbécile l'aurait signé.

Jean-Yves Robert y est allé d'une verve que je ne lui connaissais pas, d'une intonation et d'une âpreté de mots qui avaient certes dépassé sa pensée ou voulaient en accentuer la portée, mais je n'y ai vu que du feu, qu'une bouée de sauvetage lancée en désespoir de cause, au risque de ne pouvoir atteindre la cible. L'espoir ayant l'équipollence de qui le met en jeu, je pouvais me retirer avec la conviction que mon sort n'eût pu être entre de meilleures mains.

Si Jean-Yves Robert ne voulait pas me laisser plus d'espoir qu'il n'en possédait lui-même, c'est qu'il était ainsi fait qu'il ne promettait jamais la lune qu'il n'ait en mains tous les quartiers. Et c'était bien ainsi, car il se réservait ce qui, en cas d'échec, lui servirait de passoire pour atténuer l'impact d'un refus. La raison étant une faculté qui s'emballe aussi facilement qu'elle déconne, mon banquier était de la trempe de ceux qui s'engagent sans toutefois répondre des impondérables.

Aussi, lorsqu'il me convoqua pour me signifier que ma demande avait été rejetée – il n'osait me dire: du revers de la main –, je crois que j'ai eu moins de stupeur à l'entendre me l'annoncer qu'à constater le malaise qu'il tentait de surmonter. Si je n'avais pas été «coupé» de mes moyens par ce que ce refus impliquait, je me serais torturé à chercher des mots pour le consoler, à faire l'indifférent, jusqu'à prétendre qu'il n'y avait pas là de quoi s'affoler, que je trouverais bien un moyen de m'en sortir. Pour un peu, je me serais senti à ce moment-là le moins frustré des deux, comme si c'eût été à mon tour d'être stoïque.

C'est par un «à moins que» que mon banquier mit un terme à mes pensées, qui risquaient de s'embrouiller. Son «à moins que», c'était d'aller porter ma demande en haut lieu à qui avait le pouvoir de l'accepter ou de la refuser sans devoir consulter un état-major dont le rôle était d'émettre des si et des peut-être. C'était une élégante façon de me faire comprendre que, pour les causes désespérées, mieux valait s'adresser à Dieu qu'à ses saints.

Un coup de téléphone à sa secrétaire, M^lle^ Marthe Carbonneau, pour me fixer un rendez-vous avec le grand patron, M. Jean-Louis Bélanger, que ses intimes appelaient J.L., P.D.G. de la Banque provinciale.

Ne pas m'en laisser imposer par ce titre ronflant, encore que J.L. fût renommé pour être difficilement «saisissable», quoique connu d'un peu tout le monde, le bureau principal de la Banque provinciale étant au cœur du quartier. Il avait traité avec les syndicats, et il assistait, avec l'autre J.L. (Talbot), celui de la chaussure, aux funérailles de tous les notables du quartier. Avait-il misé sur une mine plutôt qu'une autre, cette dernière en prenait pour son rhume. Les uns disaient qu'il était plutôt bon enfant; les autres, au contraire, le qualifiaient d'intraitable. Je le connaissais comme tout le monde, pour l'avoir maintes fois rencontré au croisement du secteur de ma librairie, dont l'édifice de sa banque, le Club des Marchands, la maison Woodhouse et l'édifice Garneau constituaient les points cardinaux.

Ne pas me laisser impressionner non plus par le faste de son bureau aux portes capitonnées, aux plafonds ouvragés, ni surtout par la grande table où nous serions assis l'un en face de l'autre, lui trônant dans un fauteuil légèrement plus élevé que le mien (ça, je connaissais). Lui parler sobrement, sans chercher à l'épater, car il en avait vu d'autres. Surtout, le laisser parler en premier.

Ainsi, bien préparé par Jean-Yves Robert à cet amalgame de protocole, de cérémonial et de bienséance, psychologiquement convaincu du bien-fondé de ma démarche, j'étais prêt. Du moins, je le croyais. Tel un artiste qui, affligé d'un trac fou, retrouve ses moyens face à son public, je n'ai repris du poil de la bête que lorsque J.L. m'eut lancé: «Alors, jeune homme?» Ce fut cependant la seule des recommandations de Jean-Yves Robert que j'aie suivie: laisser J.L. parler en premier. Après, un déclic s'est produit qui n'était pas de mon habituel ressort: de porte capitonnée je n'ai vu, ni de plafond ouvragé, ni de tableaux de maîtres aux murs; qu'un homme à l'air débonnaire fumant un cigare – *se méfier des eaux qui dorment* –, qui représentait pour moi le mur à franchir.

D'un coup, les directives de Jean-Yves Robert sont tombées. Ça m'est venu comme ces résolutions de fin d'année que l'on prend, bien décidé à les tenir. Ne pas ramper, mais sauter. La rage d'avoir à décrire une fois de plus mon indigence me commandait d'être hargneux. Prendre garde toutefois, car la révolte est mauvaise conseillère et stérile la colère d'un mouton. Un vague sentiment d'agressivité s'empara de moi, qui me fit abandonner mon habituelle attitude de chien battu... pour employer la manière forte.

J'ai reproché à J.L. de ne nous prêter un parapluie que lorsqu'il faisait beau (j'étais sûr que, celle-là, il la connaissait), de nous jeter dans les pattes d'usuriers aux exigences faramineuses que par deux fois j'avais réussi à contrer pour, à la fin, me sortir de leurs griffes, physiquement indemne. Ce devrait, me semblait-il, jouer en ma faveur. Non? Et si j'étais ici aujourd'hui, c'était précisément parce que je ne voulais pas retourner dans cet antre. Rembourser six mille dollars en six mois pour un prêt de quatre mille et récidiver sans y laisser sa chemise: fallait le faire! C'était jouer avec le feu et j'en étais conscient. Quant aux prêteurs sur gages, qui étaient des minables, je n'avais aucune saisine à leur offrir, surtout pas de bijoux de famille. Les mécènes? Là aussi, j'y avais goûté, jusqu'à subir l'humiliation du «pauvre honteux» chez Gérald Martineau alors que j'avais dans ma mire le trophée de chasse que je poursuivais depuis longtemps. J'avais l'arme qu'il fallait, ne me manquaient que les munitions. Alors quoi? Démissionner? Ce n'était pourtant pas ce qu'il préconisait.

Ici, j'ai fait une pause pour lui permettre de me rappeler à l'ordre en évoquant l'histoire de Don Quichotte, mais, face à son indolence, j'en ai tout simplement déduit qu'il n'avait pas autant de lettres que Jean-Yves Robert. Alors, j'ai continué mon histoire, pour une fois qu'il m'était donné de tenir le haut du pavé et de m'y sentir à l'aise, mais il m'a semblé soudain qu'il ne m'écoutait plus. Avec son attitude plutôt affranchie, J.L. l'intraitable n'était plus là, perdu dans les volutes de la fumée d'un cigare qui n'en finissait plus de se consumer. Ce jeu m'agaçait. Ça me donnait l'impression que J.L. riait sous cape et qu'il prenait un malin plaisir à me voir patauger. Je lui aurais, au mieux, attribué un rôle de père Noël bedonnant se croyant obligé de «soubresauter».

À ses côtés, légèrement en retrait, une Marthe Carbonneau impassible, un crayon à la main, tambourinant sur un bloc-notes, attendant des ordres qui ne venaient pas. Ne manquait à la main de J.L. que le fouet à faire claquer pour que le chien battu que j'étais à ce moment-là se mette à gambiller.

«Continuez, jeune homme.

– Je n'ai rien à ajouter, sinon que je trouve aberrant que vous ne soyez là que lorsque, naufragé, on pose un pied sur la terre ferme. Il me semble *(ici, j'ai cru bon d'atténuer mon propos)* que votre mandat serait *(après tout, n'étais-je pas en situation d'infériorité? Voilà, je retombais sur mes pieds, le naturel revenait au galop)* d'appuyer un projet à la toute veille de se matérialiser. Après tout, monsieur Bélanger *(voilà que je lui donnais du monsieur maintenant)*, j'ai un background[1], j'ai eu à me battre contre des forces *(attention, ne t'embarque pas dans tes histoires de curés, s'il fallait qu'il soit de leur bord)* disons occultes, ou plutôt non, appelons ça des faiblesses congénitales, la génération qui

---

1. Des assises, une assiette.

nous a précédés ne nous ayant légué que des interdits *(je me suis demandé un instant s'il était approprié de blâmer les autres)*...»

Réalisant que je ne savais plus ce que je disais, sagement je me suis tu. Après tout, J.L. avait mon dossier devant lui et, de sa main libre, tambourinait dessus à la même cadence que Marthe Carbonneau le faisait sur son bloc-notes. Et, je ne sais pas pourquoi, j'ai soudain pensé que ces deux-là devaient bien s'entendre.

«Et t'as besoin de dix mille dollars?»

Je ne fus pas surpris de l'entendre parler – depuis le temps que j'appréhendais qu'il explose – mais de l'intonation de sa voix, qui n'avait rien de doctrinaire; au contraire, on eût dit qu'il s'était retenu pour ne pas ajouter: «Tu crois que tu en auras assez?» Étonné surtout qu'il ait si vite rendu les armes, j'ai simplement répondu: «Eh oui!»

* * *

Son échelle des valeurs étant parfois battue en brèche par les impératifs du quotidien, ce n'est pas à Thériault que je m'empressai d'annoncer la bonne nouvelle. Sans aller jusqu'à lui faire un procès d'intention, je savais d'instinct qu'il eût qualifié de manne la somme avancée par J.L. Je préférais, et de loin, qu'il me croie dépendant de mes faibles moyens. En serait-il plus reconnaissant? Ça, c'était une autre histoire à laquelle il valait mieux ne pas m'attarder.

Ce que je venais d'obtenir n'était pas une commandite ni une bourse, mais un prêt, avec tout ce que cela comporte de conjoncture, à commencer par l'obligation de le rembourser un jour; mais, comme il n'est rien de plus logique, il suffit d'en être conscient et d'œuvrer en fonction, même s'il nous semble – et cela aussi fait partie du décor – qu'une telle échéance se perd à l'horizon, que bien des kilomètres restent à franchir avant que le drapeau ne s'abaisse sur la fin du parcours... et des comptes à rendre.

Malgré tout, j'éprouvais un certain malaise à devoir aller rendre compte à Jean-Yves Robert de cette performance qui, en bout de ligne, m'avait valu les bonnes grâces de J.L. N'ayant pas suivi le schéma proposé, j'aurais tout aussi bien pu me faire rabrouer. N'empêche. Je lui devais de pouvoir poursuivre le programme

*Agaguk*, et la première et la plus élémentaire décence commandait que j'aille lui dire merci, sachant qu'il serait l'un des premiers à en suivre le cheminement.

Ce devoir accompli, je pouvais m'abandonner à ce côté euphorique qui est inhérent à toute victoire. J'avais un impulsif besoin d'étaler mon bonheur devant qui saurait l'apprécier. Partager, c'est décupler l'actuel du ravissement, et personne ne pouvait à ce moment s'y prêter davantage que MariJo, dont je m'étais sensiblement rapproché depuis quelque temps. Déjà, j'avais largement cultivé son idée d'occasionnels dîners en tête-à-tête, ce qui m'avait été des plus salutaires pour mes balbutiements d'approche, réticences que j'attribuais au sentiment que l'on éprouve devant la femme que l'on a, a priori, cataloguée comme étant trop belle pour soi. MariJo, par sa simplicité, a vite fait tomber ce tabou de l'inaccessibilité. Elle incarnait la beauté, la séduction en même temps que la fragilité, ce qui la rendait encore plus désirable, un sentiment auquel je m'efforçais de résister car je n'avais à ce stade-ci qu'une obsession : la conquête.

Et je m'évertuais à nous reconnaître des affinités qui, par elles-mêmes, sauraient expliquer une mutuelle attirance. Très tôt, j'avais constaté que nous étions nés à la même époque, et avions subi, à quelques variantes près, les contraintes inhérentes au même milieu. À des degrés différents, mais nous rejoignant au faîte, nous cherchions à nous distinguer. Si MariJo avait été musicienne, elle eût voulu que chacun jouât d'un instrument, mais, fleuriste, elle n'aurait de cesse que chacun, d'une façon ou d'une autre, s'intéressât aux fleurs.

J'en arrivais à comparer ses ambitions aux miennes. Elle s'acharnait à vouloir imposer un monde qui jusque-là limitait ses rameaux aux services funèbres ou aux chœurs des églises, rêvant pour ses plantes d'un meilleur sort que celui d'enrober des catafalques, que les gens, quand ils recevraient des fleurs, ne s'exclament pas : « Ça sent la mort ! » Voilà bien (ou je me trompe fort, l'amour déformant parfois le champ de vision des choses) qui rejoignait mon ardeur à vouloir éduquer les masses. Elle était furieuse aussi de les voir, lors des processions, jetées sur le pavé, piétinées par des fidèles en état d'hypnose. Ce lui était un sacrifice que de voir ainsi profaner ces fleurs dont le destin eût été de s'ouvrir à la vie. Elle désespérait qu'un jour ce slogan qu'elle s'était appliqué à vulgariser, «Dites-le avec des fleurs», trouve sa vocation.

Nous avions l'un et l'autre si peu d'occasions de pavoiser (elle s'était elle aussi attribué un rôle de vulgarisatrice) qu'elle était fière, à l'occasion, de me signaler qu'elle avait convaincu un restaurateur d'orner chacune de ses tables d'une rose, un client de passage de ne pas attendre que sa mère ait cent ans pour fleurir l'un de ses anniversaires. Ces petites victoires, remportées de haute lutte, il n'était que nous pour en apprécier la valeur. Ce que nous avions en commun, c'était cette capacité, dans la vie de tous les jours, de poser des balises nouvelles. De là à voir s'établir entre nous un modus vivendi, il n'y avait qu'un pas à franchir.

Je ne voulais surtout pas briser ce charme qui planait sur nos rencontres. Chacun de nous souscrivant aux lauriers de l'autre, il apparaissait impensable que nous ayons un jour une plus intense complicité. MariJo, de toute façon, semblait s'en satisfaire. Cependant, avec cette confiance que m'accordait J.L., je marquais des points. Ça prouvait à MariJo que je ne rêvais pas en couleurs et que, surtout, la promesse que je lui avais faite de l'emmener un jour à Paris (à cette annonce, elle était redevenue une petite fille tapant des mains) allait bientôt se concrétiser. Je me disais que là-bas, délivrée de ce qui l'obsédait ici, elle laisserait tomber cette armure que lui imposait le quotidien, et que peut-être...

# XIV

Le sceau d'approbation que J.L. apposait sur mon projet me mettait le pied à l'étrier, en me permettant de concrétiser chacune des étapes dont j'avais situé la ligne de départ au Salon du Livre du Reine-Élisabeth. Ici, à Québec, Rhéal d'Anjou suivait scrupuleusement mes instructions tant pour la tenue typographique que pour la présentation visuelle du livre, et je recevais régulièrement les épreuves des chapitres en instance d'impression, dont j'envoyais copie chez Grasset, pour que le livre paraisse à Paris en même temps qu'ici, qu'une édition ne devance pas l'autre d'un trop grand écart de parution.

En cours de route toutefois, Yves Berger de chez Grasset me demanda d'obtenir de l'auteur qu'il consente à supprimer le chapitre dans lequel Agaguk se masturbait. Leur comité de lecture prétendait que ce passage pourrait nuire à la vente du livre dans certains secteurs.

Cela m'étonnait. Qu'ici, au Québec, certains journaux aient eu «pathologiquement» raison de s'en offusquer, passe encore, mais qu'il y ait à Paris de prudes écoles de pensée dont les opinions aient force de loi, j'en perdais mon latin.

Le ton de la revendication de Grasset était poli mais ferme, et plus proche d'une règle de conduite à respecter que d'une initiative à discuter. Un sine qua non dans la plus pure tradition.

Techniquement, cela nous posait un problème de pagination, car j'imposais à Rhéal d'Anjou de faire sauter les pages 157 à 161 alors que je venais à peine de donner les bons à tirer des pages 195 à 198. Cela faisait quarante pages à repaginer[1], ce qui n'eût pas été un si grave problème si nous avions eu l'éternité devant nous. Le Salon du Livre de Montréal approchait à grands pas et le temps n'était pas aux palabres.

Il me fallait demander à l'auteur d'atténuer dans les mots une scène qu'il ne pouvait décrire autrement que dans son style à lui qui ne savait pas ralentir aux carrefours. Je l'avais entendu assez de fois dire qu'il n'était pas doué pour «travailler dans du vieux» (laissant toujours à Michelle le soin de polir les angles) pour savoir qu'il n'accepterait pas de refaire ce chapitre.

À ma grande surprise, Thériault préféra le faire sauter plutôt que de recommencer un travail qu'il jugeait fini. Je trouvai cela dommage et suppliai l'auteur de bien y penser car c'étaient là quelques-unes des belles pages du roman; on s'infiltrait dans la chair même du héros qui, comme seul un primitif pouvait le faire, essayait de comprendre qu'il ait fallu ça pour que se perpétue le genre humain.

La scène était si bien décrite que l'auteur n'aurait su faire mieux et, le réalisant, il préférait laisser tomber; de plus, c'était la première fois de sa vie que l'une de ses œuvres se rendait à Paris, et il n'allait pas, par un caprice d'auteur parvenu, risquer de tout gâcher. Je donnai donc, à regret, mon accord à Grasset et, chacun de notre côté, nous avons repaginé le manuscrit en «castrant» Agaguk.

L'étape suivante étant de confirmer ma présence au Salon du Livre de Montréal, j'avisai Pierre Tisseyre que j'y serais et, par fierté, lui signalai qu'aux ouvrages déjà parus chez moi s'ajouteraient trois ou quatre nouveautés, dont *Agaguk* d'Yves Thériault.

Ce ne fut pas Pierre Tisseyre mais son service de secrétariat qui accusa réception de ma lettre, en me faisant toutefois remarquer que Thériault était toujours lié au Cercle du Livre de France, donc à Pierre Tisseyre, et ce par un contrat en bonne et due forme d'une durée de dix ans échéant en 1960, alors que nous n'étions qu'à la fin de 1958. Yves Thériault avait donc encore au moins deux ans à

---

1. En ce temps-là, la composition se faisait manuellement, lettre par lettre.

«courir» avec Pierre Tisseyre avant de songer à se faire publier ailleurs. J'étais consterné!

Mon château de cartes s'écroulait car, pour compréhensif et bienveillant que fût Pierre Tisseyre, je ne le voyais pas pour autant me céder ce droit, surtout au stade où en étaient les procédures, dont cet accord signé avec Grasset, à qui j'avais déclaré être détenteur du copyright d'*Agaguk*. De son côté, Grasset m'avait avisé que la radio et la télévision françaises nous attendaient. De plus, Air France nous avait privilégiés pour un vol, et une entente avait été conclue avec l'ambassade du Canada à Paris, nous confirmant une date de réception. Bref, le fruit était mûr et il ne restait qu'à le cueillir.

Ma première réaction fut de vérifier la rétrocession que Pierre Tisseyre avait consentie à Yves Thériault pour certains ouvrages. Ma stupeur fut de constater qu'elle se limitait aux titres mentionnés et que – ce ne pouvait être plus explicite – *Agaguk* n'y figurait pas.

Pierre Tisseyre étant en voyage d'affaires à New York, son service de secrétariat ne se croyait pas – et c'était de bonne guerre – qualifié pour me fournir copie de ce contrat *at large* échéant en 1960. Yves, consulté, me révéla qu'il avait oublié ce contrat, qu'il se rappelait vaguement en avoir signé un et que, n'en ayant pas gardé de copie ou l'ayant égarée, il ne pouvait m'en préciser la date d'échéance.

En d'autres mots, il ne voulait pas admettre sa bourde, me laissant la lourde tâche de réparer les dégâts, car, entre Grasset et moi, tout s'était fait dans les normes, sur la foi d'un copyright qui était bel et bien au nom de ma compagnie, sous le numéro 126531, en date du 13 mars 1958, etc.

Le hic restait que toute œuvre signée par Yves Thériault, hormis celles auxquelles Pierre Tisseyre avait galamment renoncé, restait la propriété ou le privilège de ce dernier jusqu'à l'expiration du contrat de dix ans échéant en 1960 sans date définie, ce qui pouvait aller jusqu'au 31 décembre de la même année. De plus, j'avais cédé à Grasset un droit d'option sur les trois prochains livres de Thériault, clause tout à fait décente et normale en de telles circonstances.

J'étais donc le seul à être dans de beaux draps, car Tisseyre ne pourrait poursuivre Grasset, qui avait signé de bonne foi, ni Thériault, parce que insolvable, mais il pourrait bien se retourner contre moi et exiger que je lui rétrocède *Agaguk*, et tout le bataclan. Il ne me servirait à rien d'aller débattre l'affaire en justice, la bonne foi n'ayant jamais prévalu sur un droit acquis. Il eût suffi de remplacer mon nom par celui de Pierre Tisseyre et tout redevenait conforme au contrat qui liait Thériault pour encore au moins deux ans au Cercle du Livre de France, qui prendrait tout simplement comme un dû la place de l'Institut littéraire du Québec, dont la raison sociale claquait au vent comme un drapeau mais qui devait baisser pavillon sans même pouvoir évoquer la plus irrationnelle équation, sauf celle qu'avait un jour avancée Yves Thériault, à savoir qu'il n'était pas de contrat qu'on ne puisse résilier, de signature qu'on ne puisse renier.

J'avais mis ces assertions au compte de deux ou trois cognacs trop goulûment avalés, ou de la bravade de qui ne sait plus quoi inventer pour prouver à l'autre que rien ni personne ne comptera que lui, à l'avenir. C'était vouloir me plaire à bon marché, je n'en demandais pas tant, mais les fonds de bouteille étant ce qu'ils sont...

Je comprenais mieux maintenant son indifférence à signer tout papier contradictoire pourvu que cela lui rapporte dans l'immédiat. Il savait ne jamais devoir être poursuivi «contre remboursement». Il lui suffisait, le moment venu, de changer le titre pour lequel il avait signé (il l'avait fait avec *Les gerbes sont lourdes*, il le ferait avec *Les Journées d'Annette*, avec *Le Collier*), mais avec *Agaguk*, qui était dans l'air depuis près d'un an, ça lui posait un problème autant qu'à moi qui ne pouvais accepter d'être le complice d'une supercherie; son agir n'entrait pas dans mes vues. Je n'acceptais pas d'avoir à jouer dans les plates-bandes des autres, pas plus que je n'aurais aimé que l'on vienne jouer dans les miennes.

Je savais cependant Thériault capable de sacrifier à ses intérêts ceux d'autrui et, pour ce faire, d'user avec aisance de cette faculté acquise d'habitude. Il n'empêche que, comme preuve de fidélité, c'était un peu, beaucoup charrier que de me laisser le fardeau d'une preuve de bonne foi envers Pierre Tisseyre. Si je ne pouvais proposer à ce dernier un jugement de Salomon – ce que j'avais refusé à Grasset –, je n'étais pas pour autant «bête à manger du foin». Rendre la monnaie de sa pièce à Thériault, c'était me punir par où je n'avais pas péché, c'était retourner mes poches à l'envers pour n'en voir sortir que de la poussière.

Au mieux, c'était devoir mettre en veilleuse tout le projet *Agaguk*, attendre l'échéance du contrat qui liait l'auteur à Tisseyre, bref, remettre à demain ce pour quoi j'étais prêt aujourd'hui. Et ça, je ne pouvais l'accepter. J'avais trop investi dans cette aventure, forcé trop de portes, franchi trop d'étapes pour, le haut de la côte en vue, autoriser l'auteur à changer de monture. Je ne pouvais plus accepter la complexité de Thériault, supporter sa dualité, ses hauts et ses bas, lui pardonner ses états d'âme, pour, à la fin, accorder un peu plus d'humanisme au préjudice de mon ego. Concluant que le nœud du problème était la responsabilité de l'auteur et qu'en toute logique c'était à lui de «passer à la caisse», je le sommai d'aller trouver Pierre Tisseyre et d'en obtenir une énième libération en bonne et due forme, à défaut de quoi je reportais à deux ans la mise en marché d'*Agaguk*.

C'était jouer gros jeu, mais, comme il était l'auteur de ce porte-à-faux, c'était à lui de remettre le train sur ses rails, car il n'y avait pas d'autre voie d'évitement que celle d'une mise en veilleuse. En exigeant qu'il retourne «faire ses devoirs» chez Pierre Tisseyre, je l'obligeais à se rendre un peu plus comptable de ses actes, car nous n'étions qu'aux prémices d'un cheminement que la vie jusqu'ici nous avait refusé, à l'un comme à l'autre. Car, pour tracé que fût le parcours, il nous restait à le franchir sans la menace d'une épée de Damoclès, du Salon du Livre de Montréal à sa prestation télévisée chez Dumayet.

Je voulais aussi éviter à Pierre Tisseyre d'avoir à me poursuivre en justice pour revendiquer ses droits – nous étions si peu nombreux dans la confrérie qu'il ne fallait pas prendre le risque de devoir se tirer dessus les uns les autres jusqu'à s'exterminer –, et me dispenser d'avoir à offrir des excuses à J.L. et à Hervé Bazin, qui nous ouvraient toutes grandes les portes de Paris.

La seule solution que j'entrevoyais était de laisser croire à Thériault que de lui dépendait tout le succès – ou l'échec – de notre projet car, en cette fin des années cinquante, nous étions davantage les pionniers d'une ère nouvelle que les héritiers d'une tradition.

Ce dut lui sembler être quelque chose de grand, de beau et de magnanime, un geste qu'il n'avait pas eu à poser depuis longtemps, qui le fit rembarrer son amour-propre et aller chez Tisseyre tiquer du menton.

Je ne saurai jamais si Thériault, qui a toujours eu le triomphe facile, a dû lutter d'arrache-pied, comme il le prétendit, pour obtenir cette résiliation d'un engagement de près de dix ans. Ce qui importait, c'était qu'il l'ait obtenue. J'ai préféré la version que Pierre Tisseyre m'en donna quelques semaines plus tard, à savoir que si vraiment je tenais un best-seller en puissance, il ne voulait pas être celui qui me mettrait des bâtons dans les roues. Tisseyre était aussi conscient que de mettre ce projet en veilleuse pour deux ans, c'était risquer que l'équipe qui était prête à nous seconder ne soit plus en place.

Nous pensions à Pierre Dupuy, notre ambassadeur à Paris, qui, sensible à nos efforts, l'était peut-être aussi en fonction des besoins de sa fille Jacqueline, écrivain en manque d'éditeur et dont la carrière pouvait être favorisée par notre présence dans le décor.

S'il est des situations dans la vie où l'on peut se frotter les mains d'aise, ce sont bien celles qui, jouant contre nous au départ, s'éliminent par l'attitude de qui, pourtant fort de ses droits, n'en abuse pas. Tel avait été Pierre Tisseyre, qui aurait pu nous barrer la route ou, au mieux, nous obliger à un très long détour, et qui s'était effacé pour nous laisser passer.

La sérénité de mes nuits étant assurée, du moins pour un temps, j'ai pu organiser au Reine-Élisabeth un «coquetel[1]» digne des grandes occasions, au cours duquel, en conférence de presse, j'ai pu annoncer que nous partions pour Paris où nous attendaient journalistes, radio et télévision. Le tout grâce aux éditions Grasset et à notre ambassade, qui avaient accepté d'être nos premières

---

1. Mot que nous avions inventé dans notre trop grand désir de tout franciser mais qui souleva la risée de l'Académie.

escales dans ce que nous espérions être le début d'un tour du monde. Et je soulignai fièrement que c'était la première fois que notre ambassade à Paris recevait officiellement l'un de nos écrivains.

Ajoutant aux tics de ce dernier, je me surpris, au cours de cette allocution, à bomber le torse et à me découvrir dans la voix une saccade qui m'était aussi étrangère qu'inattendue. On nous félicita de toutes parts, on nous souhaita bonne chance, foncièrement heureux que l'un des nôtres, enfin, ait réussi à nous rapprocher de l'Arc de Triomphe.

Et, parce qu'il y a dans toute confrérie des membres qui ont plus d'affinités avec les uns qu'avec les autres, nous fûmes agréablement surpris de voir à l'aéroport quelques confrères venus nous saluer et assister ainsi à ce que nous considérions comme un départ historique. Air France, fidèle au rendez-vous, avait délégué son propre photographe, qui fixa sur pellicule et pour la postérité ce baptême de l'air de l'édition canadienne.

Tous deux confortablement installés dans de moelleux fauteuils, je fis basculer le mien vers l'arrière et, quoique éprouvant fortement la sensation d'être parti pour la gloire, je demandai à Yves de me laisser rêver quelques minutes, le temps de revoir le chemin parcouru, du tout début à la presque fin des années cinquante, de *La Fille laide* à *Agaguk*, de l'avion à hélices de mon premier voyage au supersonique de celui-ci.

L'aviation avait fait des pas de géant, mais nous n'avions pas non plus tiré de la patte, et si, comme elle, il nous était aujourd'hui permis de planer, comme elle aussi nous avions connu nos poches d'air. Mais tout s'estompait dans l'euphorie de ce qui s'annonçait comme une gloire dont la rançon avait été payée d'avance.

Je fus tiré de ma rêverie par une hôtesse qui vint nous offrir un apéritif en nous demandant nos préférences. Yves commanda un double bourbon sec, sans glace, pendant que de la main je faisais un signe négatif, non par excès de sobriété mais parce que je me sentais bien, quoique un peu las, et que je préférais jouir béatement du bien-être qui m'envahissait, sans catalyse.

Je n'avais pas besoin des vapeurs de l'alcool pour apprécier le ronronnement des moteurs que le pilote faisait tourner sur la piste.

Quand l'hôtesse revint porter le double whisky commandé par Yves, je lui demandai combien de temps il restait avant le décollage. Elle me répondit, surprise, qu'il y avait déjà un bon moment que nous étions dans les airs. Décidément, j'étais «parti», et je m'assoupis en songeant que je n'avais rien oublié des préparatifs de ce voyage: dans mes bagages «reposaient» quelques exemplaires de luxe de l'édition canadienne d'*Agaguk* aux encres encore humides, destinés à Pierre Dupuy, à Hervé Bazin, à Bernard Privat...

Une seule ombre au tableau: j'abandonnais «en bout de piste» une MariJo au bord des larmes, qui cachait mal une moue que je ne lui connaissais pas et qui, ma foi, lui seyait bien. Elle restait digne malgré tout, le visage pressé contre une fenêtre de l'observatoire, ayant espéré sans doute qu'au dernier moment je changerais d'idée. Elle agitait la main d'un geste lent qui se voulait retenu, révélant par là qu'elle avait mal.

Il m'avait pourtant fallu une bonne dose de courage pour ne pas l'associer à mes plans, sachant que, dans la grisaille d'un Paris d'automne, elle me manquerait certains soirs, mais ma décision avait été prise à froid, dans une désarmante logique, à cause d'un contexte dans lequel, par la force des choses, je n'aurais pu être son chevalier servant pour la guider dans un Paris que je connaissais bien. J'aurais trop à faire cette fois-ci, et il n'était pas question de la laisser vagabonder seule dans Paris. Elle arguait qu'elle saurait le faire, qu'elle n'était plus une petite fille.

Je le savais trop bien qu'elle était femme, étant on ne peut plus habile à dire non. Ses petits pas de côté, quand je la serrais de trop près, sa façon de tournoyer et de se retrouver devant moi, féline, pour changer de propos. Elle n'avait pas besoin de discourir: ses gestes rendaient sentence pour elle. Était-ce son attitude qui m'incitait à lui vendre Paris ou se voulait-elle courtisane pour m'obliger à tenir parole? Qu'importe, j'avais plaisir à jouer le jeu et je la grondais quand elle tapait du pied.

«Ça ne se fait pas quand on prétend être une grande fille...»

Son visage assombri me retournait alors toute la déception du monde (il n'était qu'elle pour si bien porter le chagrin) et sa détresse me la rendait encore plus désirable; la pitié n'est-elle pas sœur de l'amour? Nous étions bien faits l'un pour l'autre, à tant aimer souffrir l'un par l'autre.

Il me fallait être au-dessus de l'océan, dans cet avion qui venait de survoler Terre-Neuve, pour réaliser que je laissais MariJo derrière moi. Je me culpabilisais d'autant plus que, loin du problème, je voyais mieux à quel point j'avais tout fait pour provoquer sa déception en ne cessant de lui vanter Paris. Pis, pour lui en donner un avant-goût, je l'avais emmenée dîner au Ritz, sachant qu'elle aimerait le cachet de ce vétuste hôtel de Montréal, prélude de ce que serait notre séjour au Claridge, sur les Champs-Élysées, ne serait-ce que pour ses ascenseurs d'un autre âge. Je la voyais, telle la petite fille qu'elle était, s'en servir comme d'un jouet.

En quittant l'hôtel pour une balade rue Sherbrooke, je lui fis remarquer que, à l'écart de la lueur des lampadaires du Ritz, il n'y avait plus rien de commun avec le boulevard des Capucines, à Paris, pas plus que la rue Sainte-Catherine ne pouvait se comparer au boulevard Saint-Honoré. Quant à la rue de la Paix... Et nos grands magasins, que ce soit Eaton ou Dupuis Frères, n'avaient pas ce cachet que l'on trouvait aux Galeries Lafayette, à La Samaritaine ou au Printemps.

J'avais peut-être, sans le vouloir, retourné le fer dans la plaie en lui faisant un jour cadeau d'un guide de Paris dont elle avait vite fait son livre de chevet pour y trouver des sites à visiter auxquels, malgré mes nombreux voyages à Paris, je n'avais jamais pensé. Elle voulait tout voir, du Père-Lachaise à la Conciergerie, du palais de Chaillot à l'Orangerie, du jardin du Luxembourg à ceux des Tuileries (ça, je comprenais bien). Elle se sentait même prête à attaquer le bois de Boulogne malgré sa mauvaise réputation nocturne (il n'était qu'à y aller de jour).

Dans mon trop grand désir de lui être agréable, j'ajoutais mes destinations aux siennes. Ignorant les musées populaires et les Folies-Bergère, la place Pigalle et la Madeleine, pour lui préférer le Louvre, Malmaison et Versailles. On s'arrêterait à Barbizon et, si elle était bien sage (pas trop, quand même), je lui achèterais peut-être un tableau. (Pourquoi pas un Danville, ce jeune peintre qui venait de remporter le Grand Prix de la Ville de Paris? À moins qu'elle ne préfère, ce qui ne m'étonnerait pas, une reproduction du

*Déjeuner sur l'herbe* de Manet, ou, mieux encore, du *Printemps* de Millet.)

Aussi au programme, les châteaux de la Loire (j'étais sûr qu'elle aimerait), l'hôtel des Invalides, le tombeau de Napoléon et, pour une balade toute seule comme la grande fille qu'elle affirmait être, je lui proposerais le Palais des Glaces pendant que j'irais à la Bibliothèque nationale. Nous partirions ensuite pour Saint-Germain-des-Prés, ferions un saut à la place du Tertre, et, pour les soirs de grande lassitude, nous choisirions entre une balade en bateau-mouche, une séance de cinéma ou une pièce de théâtre. «À l'Opéra? Je n'aime guère, mais, pour te plaire, j'irai.» De l'opéra, j'aime la musique, pas les cris: le mur des Lamentations poussé au faîte de l'Himalaya, très peu pour moi...

«Pour la bouffe, je t'emmènerai dans des petits restaurants de quartier où l'on mange maison à s'en lécher les doigts. Pour faire bonne mesure, nous irons aussi chez Prunier pour la grande bouffe, au Café de Flore et aux Deux-Magots pour la petite histoire, au Café de la Paix pour ses épinards en crème, au Fouquet's pour les artistes qu'on pourrait y rencontrer: Jeanne Moreau, Michèle Morgan, Anouk Aimé... Sait-on jamais?

«On t'a parlé de la Tour-d'Argent pour sa spécialité du canard à l'orange? Je n'y tiens pas vraiment. Au fond, on mange aussi bien au Café de la Paix, dans la grande salle, pour deux fois moins cher. Les quais de la Seine pour y bouquiner? Pas d'objection. Nous irons avant dîner pour nous aiguiser l'appétit, ou après pour bien digérer les moules et frites de la mère Bournazel. Ça te va?»

Voilà ce que, pendant nos rencontres, j'avais promis à MariJo, qui, depuis quelque temps, ne tarissait pas sur le sujet. Elle découvrait sans cesse d'autres lieux à visiter, notamment des jardins, tous les jardins, du Trocadéro au parc Monceau. Et voilà que je la laissais seule dans la grande salle des pas perdus de l'aérogare de Dorval, lui promettant bêtement de lui rapporter un herbier des jardins du Petit Trianon. Dans le vrombrissement de l'avion, je l'entends me crier: «C'est pas catholique!»

«Et toi, MariJo, qui me demande d'être sage tout ce temps, tu crois que c'est catholique?»

# XV

Je ne m'étais pas donné comme mission de suivre Thériault à la trace, à Paris. Nous avons programmé notre séjour dès le premier soir et je ne lui ai demandé qu'une chose: en respecter l'horaire; car, s'il était des performances agréables à fournir, telle la réception du lendemain à l'ambassade, où nous serions reçus avec le protocole réservé aux grands de ce monde – tapis rouge et photographes attitrés –, il en irait autrement pour ces fastidieuses séances de signatures dont la monotonie n'avait d'égale que celle de la formule cent fois répétée des hommages de l'auteur s'adressant à des inconnus. Il y aurait aussi ces passages à tabac par des interviewers chevronnés passés maîtres dans l'art de mettre en boîte leurs invités, sous le couvert de la suffisance.

Situées à l'étage d'un hôtel trois-étoiles (J.L. ne m'en eût pas pardonné cinq), nos chambres, sans être communicantes, étaient voisines, et trois petits coups au mur mitoyen constituaient le signal convenu pour, à l'heure de l'apéro, planifier la journée du lendemain. N'ayant ce premier soir qu'à fixer le rendez-vous du lendemain à l'ambassade, j'ai très tôt libéré Yves, n'ayant pas l'intention de le brimer, encore moins de l'accompagner dans ses chasses. Je n'avais pas en ce domaine cette faculté de résistance ou de récupération dont il se vantait. Je le laissai donc partir tranquillement pour aller tendre ses filets pendant que (à chacun ses vices) j'allais m'empiffrer d'une choucroute.

J'en ferai sourire certains, je sais, mais c'était devenu pour moi un rite que mon premier gueuleton à Paris fût fait de ce plat (alors inconnu chez nous) et d'un demi-litre de rosé. Et le meilleur endroit, c'était le resto de la gare du Nord, dont c'était la spécialité. Je me souviens encore de la réaction du garçon à qui, la première fois, je passai ma commande. «Une choucroute et un demi-rosé? Mais vous allez être malade! – Va te faire voir! Si jamais tu viens chez nous, je te ferai goûter notre ragoût de pattes de porc arrosé d'une bière bien frappée. Tu m'en donneras des nouvelles, si tu n'en meurs pas!»

Faisant fi de l'avis du serveur, je savourais lentement ma choucroute que sporadiquement je gratifiais d'une gorgée de vin, tout en imaginant Thériault en quête, selon sa méthode à lui, d'une donzelle qui accepterait d'encaisser sans présenter d'addition. En d'autres termes, les poules auraient des dents le jour où Thériault paierait pour ce type de «service». Avec lui, ça se devait d'être toujours donnant, donnant... ou «laisse tomber, ma cocotte». Il m'avait raconté qu'il pouvait en draguer huit ou dix avant d'en ébranler une, mais que, dès qu'il sentait que la fille, d'abord estomaquée, était sur le point d'accepter, il ouvrait grandes les vannes de son savoir, jouant sur le prestige de son métier d'écrivain à galons. Il n'avait de cesse qu'il ne lui ait fait accepter de jouer le jeu par défi. Il s'en était même trouvé une, un jour, pour lui dire: «D'acc, si tu arrives à me faire oublier mon métier, c'est moi qui paies.»

Ma dernière lampée de vin bue, je réglai l'addition et m'en fut à mon tour, et à ma façon, déambuler dans Paris. J'ai bien mis deux heures à atteindre l'hôtel, en assimilant lentement une apathique choucroute. Comme quoi on reste le meilleur sommelier et le meilleur maître d'hôtel devant les tables d'hôte proposées. Je n'ai donc pas dérogé ce soir-là à mes bonnes habitudes de bouffe ni à celle de trouver du mérite à refuser les avances de je ne sais plus combien de racoleuses sur ma route. Je dis «trouver du mérite», mais je n'en avais pas tellement, en fait, car aucune n'avait le gabarit de mes réquisits dans le domaine sculptural pour vaincre la répugnance qu'elles m'inspiraient.

Les critères de beauté ou, pour les putes, les pôles d'attraction n'étant pas les mêmes pour tout le monde, je trouvais la «marchandise» par trop ostensiblement étalée, affichant un physique de l'emploi trop prononcé, fards exagérés et seins qu'on eût dits gonflés à l'hélium et qu'elles ne pouvaient s'empêcher de vous mettre sous le nez en exhalant un parfum bon marché. Ces jalons posés, elles vous lançaient leur éternelle invite: «Tu viens chez moi, chéri?» Décidément, l'originalité, elles ne connaissaient pas, usant toutes, d'un quartier à l'autre, de la même formule, ne se distinguant pas l'une de l'autre.

Il s'en est pourtant détaché une, ce soir-là, pour justifier la règle de l'exception. Bien mise, portant tailleur sur une taille de guêpe, des seins d'ado pointés vers le ciel, elle me demanda, de l'air de qui craint d'être rabrouée: «Alors, on s'ennuie ce soir?», simplement parce que, par désœuvrement, je m'étais arrêté à une vitrine pour nonchalamment y jeter un coup d'œil.

Celle-là n'avait rien de la pute conventionnelle. On l'eût plutôt crue sortie des premiers rangs d'un chœur de danseuses de cabaret en début de carrière, et spécifiquement choisie pour sa beauté plastique, précisément parce que, pour les besoins de la cause, c'est un must. La peau nacrée, sentant bon la lavande, elle me donna l'impression de choisir sa proie et de ne s'attaquer qu'à ce que bon lui semblait. C'est en un sens plus flatteur d'être «levé» que de prospecter. Les poules de luxe, comme on les appelle, ne sortent généralement pas de leur home. Que l'une d'elles œuvre en solitaire impliquerait qu'elle ne fait partie d'aucun consortium. Ces débutantes – on veut toujours se persuader qu'elles le sont – disposent généralement de peu de temps, car très tôt il leur faudra remonter sur scène, à moins que ce soir n'en soit un de relâche.

Mon «évadée» me regardait de l'air de ne pas s'y retrouver, pour, dans une dernière tentative, insister: «La solitude, ça se partage, tu sais!» Elle eût ajouté «sans plus» que j'aurais peut-être accepté de faire un bout de chemin avec elle, de nous arrêter à la prochaine terrasse, de prendre un café crème ou une fine Vittel «sans plus», mais l'image de MariJo s'est subitement imposée, forte et insistante. Parce que libre et sans attaches, et qu'être désirée n'est pas un crime, MariJo, ce soir-là, a fait pour moi échec et mat à certains interdits du décalogue.

À vaincre sans péril, j'ai donc pu, fier d'un simulacre de victoire remportée sans gloire, continuer ma route «sans plus» et aller me reposer du sommeil du juste. Mais le sommeil n'est pas venu. Allongé sur mon lit «trois-étoiles», les mains sous la nuque, je rêve. Demain, dans quelques heures, nous serons les invités de marque de l'ambassade du Canada à Paris. Pour y avoir droit, il m'aura fallu prendre le chemin des écoliers, pas celui du vagabondage ou d'une escapade, mais le chemin le plus long, parce que ma route aura été parsemée de plus d'embûches qu'on n'en peut mettre sur une piste de course à obstacles.

L'heure n'est cependant pas aux regrets, mais au constat que le bout du tunnel est malgré tout dans mon champ de vision, constat effectué avec le sourire en coin de celui qui, malgré tout, est parvenu au fil d'arrivée. De la lutte à soutenir contre l'ignorance et le narcissisme, des erreurs de parcours à ce qui aurait pu être et que l'époque a réprimé, que de chemin parcouru, quand même ! De ma rencontre avec M. Issalys à celle tout aussi déterminante avec Jean-Louis Bélanger de la Banque provinciale, du hasard qui m'a fait rencontrer Marie-Claire Blais au destin qui a mis Anne Hébert sur ma route.

Tout bien considéré, je crois que d'être venue frapper à ma porte n'aura été pour Anne Hébert qu'une étape dans son cheminement. Son signe astral étant sans doute aux antipodes du mien, elle ne devait pas être dans les lignes de ma main ni mon destin dans l'arc du sien. Si nos chemins n'ont pas eu de croisée, c'est qu'ils ont été tracés par intérim. D'autres ont brassé les cartes pour nous, et nous n'avons fait que tirer celles qui nous étaient dévolues. Parce que, à bien y penser, nous n'avons ni elle ni moi fait quoi que ce soit pour nous rapprocher ou nous éloigner l'un de l'autre, alors que, quand la destinée se fait maligne, nul n'en peut contrer le cours.

À ces soubresauts du hasard, je me suis surpris, parce que sans commune mesure, à comparer celle de Gustave Proulx qui, un jour, est venu me confier la bonne fortune de son livre *Chambre à louer* et s'en est allé chez lui attendre un succès qui n'est pas venu. Son livre, comme tant d'autres à cette époque (1951), est paru dans la plus parfaite indifférence. Quelqu'un quelque part, un journaliste à la pige ou un critique soi-disant littéraire (parce que arbitraire, la réaction de mon curé Gravel n'a pas porté), eût-il, même en doute, décelé un certain talent, l'auteur aurait pu être tenté de «remettre ça», puisqu'il est prouvé que le succès peut réveiller des ondes neurologiques en attente d'un seul petit déclic.

Un espoir avorté, c'est l'escargot qui rentre sous sa coquille. Sobre de gestes et de mots, Gustave Proulx n'avait peut-être pas d'autre exutoire que l'écrit. Il aura eu au moins le mérite de l'audace et celui, moins courant mais plus louable, d'en accepter le prix. Tel ce cousin dont j'ai déjà narré le lamentable échec, il aura été la proie par trop facile d'un système érigé sous l'étendard de l'interdit quelque part entre l'ecclésial «Crois ou meurs» et le «Toé, tais-toé» d'un dictateur.

En écrivant, Gustave Proulx s'est fait plaisir. Il s'est fait un cadeau selon ses moyens, mais, sa mesure donnée, la sentence rendue, il est rentré dans le rang pour aller filer ce qu'on lui avait laissé de coton et, avec cette sagesse qu'ont parfois les fous du roi, réaliser que rien d'autre ne saurait l'attendre que «la mort d'un commis voyageur».

* * *

Chez Grasset, on était heureux que notre aventure soit sanctionnée par notre ambassade; ça donnait à l'événement une plus-value qui n'était pas à dédaigner, car les journalistes répondraient avec plus d'entrain et d'intérêt à une invitation émanant de l'avenue Montaigne qu'à celle qu'il leur arrivait parfois d'ignorer quand elle venait de la rue des Saints-Pères[1]. Ce n'était peut-être pas une consécration mais c'était certes un appui de taille en ces années où les maisons d'édition françaises commençaient à s'intéresser à nos auteurs québécois. Dans le décor, on ne voyait alors que Flammarion et Grasset, tandis que Robert Laffont se montrait intéressé (je lui céderai plus tard *Les Temps du carcajou* de Thériault) et que Le Seuil s'assurait l'exclusivité d'Anne Hébert.

Arriver à temps, au bon moment, voilà ce qui s'appelle aider la chance. L'époque était donc on ne peut plus favorable, même si, financièrement, j'ai dû souscrire à l'édition française d'*Agaguk*. Ça délestait quelque peu mon portefeuille, mais il me fallait bien

1. Siège social des éditions Grasset.

admettre que c'était un apport auquel souscrire... Après tout, nous n'étions que de petits cousins.

La réception fut d'un faste à faire rougir nos salons du Cercle universitaire ou ceux du Kent House, qui restaient nos lieux de prédilection à Québec pour le lancement du premier ouvrage d'un auteur. Ce soir, cependant, c'était vraiment une première. Je ne saurais dire si l'ambassade du Canada à Paris[1] a donné d'autres réceptions du genre pour nos écrivains, de même que je ne saurais prétendre que tout le gratin de Paris était là, mais le dessus du panier du monde de l'édition y était, comme y étaient les représentants des principaux journaux et périodiques, dont *L'Express* et *Nouvelles littéraires*.

Je pourrais de mémoire citer les noms de Bernard Privat et d'Yves Berger, à qui il incombait de faire la conversation avec leurs confrères René Julliard, Swen Nielsen, Robert Laffont, Yvon Chotard et René Dukerman, des journalistes Françoise Giroud et Jean-Jacques Servan-Schreiber, de Pierre Dumayet, qui serait notre hôte deux jours plus tard à la télévision, d'amis ou de connaissances d'Yves Thériault, Kleber Haedens, Maurice Chapelan, Robert Kanter, Olivier d'Alberes et j'en passe.

Ce fut Jacqueline, la fille de notre ambassadeur, qui seconda son père à titre d'hôtesse. À ses côtés se tenait Yves Thériault, et je servais d'intermédiaire entre eux et Pierre Dupuy pour les invités que me présentait Bernard Privat ou Yves Berger. Hervé Bazin, pour sa part, nous facilita la tâche pour les journalistes et critiques littéraires, qui nous étaient connus de nom mais que nous rencontrions pour la première fois.

Contrairement à la crainte que j'avais eue que la réception fût quelque peu guindée, le service d'accueil de l'ambassade fut des plus «ouverts». Ce que j'avais appréhendé, ce n'était pas que l'ambassade ne fût pas à la hauteur côté service (les petits fours, le champagne, les valets en livrée, gantés et cravatés, tout y était, tel que je l'avais imaginé), mais que l'atmosphère mette du temps à se réchauffer, car, tant pour l'ambassade que pour le service d'ordre et le protocole, c'était quand même la première fois que s'y tenait

1. La Maison du Québec ne sera instaurée que deux ans plus tard.

un événement de cet ordre. J'ai vite compris cependant que le personnel de l'ambassade en avait vu d'autres, et Hervé Bazin aussi, qui, connaissant un peu tout ce beau monde, le fit se grouper en petits cercles que les serveurs s'empressèrent d'alimenter.

Y fut pour quelque chose aussi le charme d'une hôtesse des plus décontractées au bras d'un Yves Thériault tout fier d'être guidé d'un groupe à l'autre par une si jolie femme. Le mythe canadien, une fois de plus, a joué. L'assistance bientôt s'anima, si bien que les petits cercles se rapprochèrent les uns des autres jusqu'à presque n'en former qu'un autour du couple que constituaient Jacqueline Dupuy et Yves Thériault et qui représentait la jeunesse, la beauté et le talent.

Je ne crois pas me tromper en affirmant que Thériault, ce soir-là, était comblé par l'hommage qu'on lui rendait, lui qui n'avait besoin de rien d'autre que la reconnaissance de son talent. Ce moment-là, il l'attendait depuis si longtemps qu'il en oublia, j'en suis sûr, son côté phallocrate et la jolie femme pendue à son bras. À telle enseigne que, le moment venu de se quitter, ce fut elle qui l'embrassa sur la joue avant d'aller rejoindre son paternel à la sortie dans un dernier signe de la main qui se voulait de complicité, ayant elle-même commis un roman, *Le Sabre d'Arlequin* (Péladeau éditeur, Montréal), et en ayant un autre en chantier, à paraître cette fois à Paris, chez Flammarion, d'où la présence, ce soir-là – tout se tient –, de René Dukerman.

Hervé Bazin s'étant lui aussi éclipsé avec les pontes de la maison Grasset, nous nous sommes retrouvés au vestiaire, Yves et moi, les derniers à quitter l'ambassade. Je lui ai alors demandé ce qu'il comptait faire de sa soirée, s'il voulait aller tendre d'autres filets ou vérifier si sa quête de la veille avait porté. Mais non ! Il eut un réflexe dont je ne l'aurais pas cru capable : celui de la gratitude.

Me donnant une grande tape dans le dos, il me dit que ce soir était aussi mon soir et qu'il m'invitait à dîner. Lui ayant versé un substantiel à-valoir pour quelques chapitres de *La Quête de l'ourse*, je ne m'étonnai pas de son offre. Ce qui m'estomaquait – le mot n'est pas trop fort –, c'est qu'il y ait pensé. Yves Thériault me rendant la monnaie de ma pièce... Incroyable !

« Tu choisis ton restaurant, c'est moi qui paie. »

Je ne sentais que trop que ça lui faisait plaisir, que ce n'était pas du chiqué. Était-il possible que cet homme-là puisse en cacher un autre que je n'avais jamais connu et qui tout à coup révélait ce qu'il aurait pu être si...? Ou alors c'est à désespérer de ne jamais connaître à fond la nature humaine.

J'ai, bien sûr, accepté son offre. Je n'allais quand même pas en abuser et l'emmener chez Maxim's; après tout, d'une façon ou d'une autre, c'était toujours l'argent de la Banque provinciale. J'ai donc proposé à Yves d'aller chez la mère Bournazel, rive gauche par le pont Saint-Louis, là où ça m'était aussi devenu un rite comme pour la choucroute. Sans être la grande bouffe, c'était quand même plusieurs coches au-dessus des bistros-bars, dont, entre autres, celui du petit hôtel où nous logions. C'était un établissement que je qualifierais de familial, du genre «de père en fils, de mère en fille». La spécialité, chez la mère Bournazel, c'étaient les moules avec frites, un autre mets alors très peu connu chez nous et dont nous aimions nous régaler lors de nos voyages en France.

Tous les Québécois qui sont allés à Paris dans les années cinquante se souviendront sans doute de cette catégorie de restaurants où notre accent suffisait à vendre notre nationalité. L'apéritif nous était alors offert «avec les compliments de la maison». Je dis «nous» parce que nous y sommes tous allés un jour ou l'autre, Lemelin, Giroux, Yves Jasmin et les autres, pas seulement pour les apéros gratuits, mais pour la chaleur de l'accueil et le réel plaisir qu'on avait à nous recevoir. Dans ces années-là, la mère Bournazel se préparait à passer le tablier à sa fille nouvellement mariée. Chaque fois que j'y retournais, je m'informais des intentions mère-fille, de la date de la passation des pouvoirs; c'était toujours pour bientôt, mais ça ne se faisait jamais, si bien qu'un jour le gendre s'est lassé d'attendre...

Installés au fond de la salle, dans un coin qui nous était devenu familier, nous avons si bien léché nos verres que la patronne crut bon de nous en offrir un deuxième. «Puisque, ce soir, c'est fête, je ne veux pas être en reste.» Je lui répliquai de prendre garde parce que, pour nous, venir chez elle, c'était toujours une fête. Après les petits fours dont nous nous étions gavés à l'ambassade, ce deuxième verre pouvait s'encaisser, encore que ce ne nous était pas une nécessité pour nous émoustiller ou nous fournir un sujet de conversation.

N'étions-nous pas à Paris pour y cueillir le fruit de dix années de labeur, du genre de ce que l'on récolte avec la certitude de ne l'avoir pas volé? Vraiment, ce soir, rien n'avait cloché, comme si tout devait aller de soi. La réception à l'ambassade avait été on ne peut mieux réussie; Pierre Dupuy et sa fille avaient été des hôtes on ne peut plus disponibles, au point de séduire les fondés de pouvoir de chez Grasset, pourtant habitués au faste de ces cérémonies. Je l'ai bien senti quand ils sont venus, l'un après l'autre, me saluer avant de partir, chacun me souhaitant un chaleureux «à demain», puisque le lendemain serait jour de signatures pour l'auteur.

Ce ne fut pourtant pas ce deuxième verre (il supportait fort bien l'alcool) qui fit renchérir Yves sur les bonnes dispositions qu'il m'avait démontrées au sortir de l'ambassade. Encore sous l'effet de la surprise, je l'écoutai me débiter un long monologue que je me suis bien gardé d'interrompre, tellement il me semblait se faire violence (ou alors tel était-il vraiment?) en y mettant très peu d'emphase et beaucoup de détachement.

«Je sais que je t'en ai fait voir de toutes les couleurs, mais il faut que tu comprennes que ça n'a pas toujours été facile pour moi, en dépit du fait que, quand on me lit, ça semble couler de source. J'ai trouvé très ardu de pondre *Agaguk*. Par tempérament d'rd, parce que je n'aime pas que l'on me demande d'élaborer pour faire bonne mesure quand ma force c'est d'élaguer. Je peux bien te l'avouer aujourd'hui: on pourrait faire sauter cent pages du texte actuel, dont le meurtre de Brown et, par voie de conséquence, celui d'Henderson, et *Agaguk* n'en resterait pas moins un produit fini. Je ne regrette pas de l'avoir étoffé, mais *Agaguk* n'est pas du Thériault à l'état pur. C'est du Thériault enrobé, et cette armure m'a oppressé au point de me faire souvent sortir de mes gonds. Il y a aussi, mais ce ne devrait pas être une excuse, que j'ai une famille à loger, à nourrir. Cela aussi a compté, autant, sinon plus, que le labeur imposé, car, tu le sais mieux que quiconque, j'écris d'instinct, avec une frugalité à décourager les mieux intentionnés des stylistes; on peut lire entre mes lignes. Et pourtant je ne connais rien à la syntaxe ni à la grammaire. Je ne saurais même pas conjuguer un verbe correctement. J'ai passé ma vie à éviter le subjonctif, tant lui et moi sommes séparés par un abîme d'incompréhension. J'eus autrefois le fugitif courage d'ouvrir un docte manuel de syntaxe, mais, après deux pages où mon ignorance éclatait à chaque ligne, j'en abandonnai la lecture pour m'en remettre à une assez remarquable mémoire visuelle. Cela garantit mon orthographe, qui n'est pas si mal après tout, mais le reste...»

Sans lapsus, Thériault avait débité son histoire comme qui en a une bien bonne à raconter et n'attend que l'occasion de le faire. Je m'étais promis de le laisser vider son sac jusqu'à plus soif, mais il me fallait intervenir, précisément parce que *Agaguk* n'était pas la fin de tout, au contraire.

«Et *La Quête de l'ourse*, Yves?»

Car ce livre était en chantier, encore plus étoffé qu'*Agaguk*, mais, dans un chapitre livré, l'auteur faisait bifurquer son histoire sur une anecdote qui n'avait rien à voir avec le corps du sujet. En fait, je ne comprenais pas pourquoi il faisait sortir son héroïne de la forêt pour une fugue en ville. Ce n'était pas, mais alors pas du tout, dans les us d'un mode de vie adopté. Un retour aux sources? Quelles sources? Des raisons de quitter son homme, Julie en avait plus d'une, mais que, pour fuir, elle optât pour un autre sentier que celui de la guerre, ça détonnait.

«*La Quête*? Ne t'en fais pas. Ceux qui auront cru qu'*Agaguk* était une échappée, *La Quête* leur en bouchera un coin[1].»

Et comme je ne voulais rien entendre d'autre...

De temps à autre, la nouvelle mariée venait s'informer si tout allait bien, si les moules et les frites ça allait, et, de fait, *in vini veritas*, tout était pour le mieux. Nous nous remémorions, Yves et moi, quelques rares événements heureux, tel ce boulevard, *Béren-*

1. J'apprendrai, dans un chapitre subséquent, que l'auteur a choisi de lui faire vivre une invraisemblable histoire d'amour. Julie étant restée fruste malgré des origines policées, je la voyais mal se raffiner en vingt-quatre heures pour permettre à l'auteur d'élaborer sur son sort jusqu'à faire effectuer à son destin un virage à quatre-vingt-dix degrés. On sait que, pour un romancier, rien n'est plus difficile à décrire qu'une belle scène dans une histoire d'amour, et celle de Julie telle qu'exposée par l'auteur était complètement ratée. J'ai laissé filer parce que je savais qu'à la révision Michelle en ferait sauter au moins une cinquantaine de pages...

*gère ou la Chair en feu*[1], qu'il avait écrit à la demande de Georges Delisle pour son théâtre d'été *La Fenière* et dont le succès n'avait justifié rien d'autre qu'une mini-soirée de gala et trois cents dollars d'à-valoir. Plus rigolote, mais dans le sens du ridicule, cette idée que nous avions eue de profiter de la sortie du film pour raconter, une fois de plus, l'histoire d'Aurore l'enfant martyre, et ce rêve fou de la conquête du monde avec *Les Vendeurs du temple*.

Le repas terminé, je laissai Yves savourer seul le coup de l'étrier. Cette fois, c'était à mon tour de préférer rentrer seul à l'hôtel. J'aimais bien me promener ainsi en solitaire dans les rues de Paris, m'arrêtant de temps à autre pour du lèche-vitrine (nimbé de la liberté de dire «non, merci») ou à une terrasse pour un café crème ou une demi-Vittel. Ma terrasse préférée était celle du Café de la Paix, parce que c'était là qu'on avait une chance sur deux d'y rencontrer un compatriote.

Ce premier soir de liberté, avec *Agaguk* en bandoulière, je portais la promesse de jours meilleurs. Ça m'en rappelait d'autres restés sans lendemains parce que placés à l'enseigne d'espoirs qui ne variaient guère d'un phantasme à l'autre. Cette fois cependant, le lendemain en question serait différent, alors que débuterait cette grande virée par contact interposé qu'est une séance de signatures lancées aux quatre vents, d'où ne pourrait sortir que la consécration d'un talent.

* * *

Pendant que la presse donnait un timide compte rendu de la réception de la veille à l'ambassade (après tout, on n'y avait pas reçu la reine d'Angleterre et Thériault n'était pas encore une vedette), on s'affairait, chez Grasset, dans la grande salle de conférences, à cette session d'autographes pour le lancement d'*Agaguk*. Il y aurait d'abord le service de presse proprement dit, qui consiste à dédicacer une œuvre «avec les hommages de l'auteur» à des journalistes chevronnés, à des critiques littéraires, aux éditorialis-

1. Je ne crois pas qu'on arrivera jamais à faire la nomenclature complète des œuvres de Thériault, tellement celui-ci a «pondu» d'ouvrages et se souciait peu d'en garder des copies.

tes de certains journaux et tabloïds influents. Puis viendraient les amis, voire les «ennemis», ou, pour mieux dire, les susceptibles, c'est-à-dire ceux qui, pour n'avoir pas reçu en hommage un livre qui semble devoir être un succès, s'empressent de l'emprunter pour, en revanche, le «descendre». Il y aurait aussi ceux que, dans le jargon du métier, on qualifie d'eunuques parce qu'ils cherchent des poux à seule fin de se distinguer, tentant de créer une diversion dans un concert d'éloges pour se fabriquer un nom.

C'est ce à quoi, docile, se soumet un auteur dont la maison d'édition estime que ça vaut le coup de disposer ainsi de deux cents ou trois cents exemplaires, car il ne s'agit pas de couvrir uniquement Paris et sa banlieue, mais aussi les autres villes d'importance, telles que Bordeaux, Lyon, Marseille, sans oublier les villes d'eau que sont Vichy, Deauville, et j'en passe, car si d'aventure on se payait une virée sur la Côte d'Azur, on devait pouvoir y trouver *Agaguk* à la devanture des librairies.

Du fauteuil que l'on m'avait attribué en retrait, j'observais Yves, auquel on avait affecté un commis pour lui citer les noms des personnes auxquelles il devait dédicacer son livre et, par la même occasion, l'instruire sur la fonction de ces personnes ou la raison de la dédicace. Il arrivait aussi à Yves, pour sa gouverne, de demander dans quelle région se situait telle ou telle ville, ou si l'orthographe d'un nom qui lui était inconnu prenait un *i* ou un *y*, afin de ne pas commettre d'impair.

De temps à autre, Yves me faisait un clin d'œil qui se voulait d'intense félicité. Je crois bien qu'il n'arrivait pas à réaliser qu'il en était là, à offrir ses hommages à tant de gens. Il s'arrêtait parfois pour, dans un mouvement brusque, ouvrir et refermer sa main afin d'en chasser les crampes, conscient que c'était là une partie du prix à payer, comme ça l'avait été la veille de serrer autant de mains et d'avoir à tant sourire qu'à la longue ça lui avait presque figé le faciès; mais il s'efforçait à la détente, qu'on ne le qualifie pas d'«homme qui venait du froid». Ce à quoi Yves s'est vite adapté, c'est à la façon qu'ont les Français de se faire la bise sur les deux joues, alors qu'ici on s'embrassait encore à l'ancienne.

Laissant Yves à son «pensum», je m'attardai à ce qui se passait d'autre dans cette salle qui ne devait pas être réservée qu'aux séances de dédicaces. De par sa dimension, elle eût pu aussi bien servir de salle de conférences. Elle était assez vaste aussi pour y planifier deux promotions en même temps, ce qui permettait à l'éditeur de jouer sur deux tableaux.

Pour ce jour-ci, la salle me semblait remplir adéquatement ses fonctions. Au fond, à gauche, une téléphoniste (à seule fin sans doute d'intercepter tout appel incongru) à laquelle, pour combler ses temps libres, on confiait probablement la correction de manuscrits, car je la voyais plus souvent qu'autrement un crayon entre les dents, tenant d'une main ce qui me semblait être un cahier d'écolier pendant que, de l'autre, elle feuilletait un dictionnaire.

Au centre, tout au fond, une lectrice. C'est du moins la raison d'être que je lui donnai en analysant les rares gestes qu'elle posait pour apparemment noter une correction ou faire sauter une coquille, à voir la régularité qu'elle apportait à humecter son index pour tourner les pages de ce qui me semblait être un volume en instance de réimpression.

Dans cette véritable fourmilière, j'étais peut-être le seul à n'avoir rien d'autre à faire que de porter des jugements, de mentalement donner un rôle à tous ces acteurs, d'analyser la performance de chacun, de décider si on avait ou non le physique de l'emploi. L'on se serait cru – c'eût été plus cohérent – dans une bibliothèque, où rien d'autre n'est permis que le chuchotement, le bruissement d'un crayon ou celui, plus classique, de pages que l'on tourne.

À l'extrême droite de la salle se tenait une autre équipe en tous points semblable à la nôtre, à la différence que la protagoniste était une femme. Étant, dans mon examen des lieux et des gens, rendu là, je m'y arrêtai davantage, simplement peut-être parce que nous étions du même côté de la barricade et que, pour elle comme pour nous, la corvée à laquelle on l'astreignait évoquait tout l'espoir du monde. Impassible, elle faisait son boulot au même titre qu'Yves, pour les mêmes raisons et sans aucun doute avec les mêmes certitudes, après quoi il ne lui resterait qu'à rentrer chez elle pour y attendre le verdict de ceux à qui elle confiait le destin de son livre.

Et soudain, je ne sais trop pourquoi, j'eus pitié d'elle. Il me semblait injuste, et je blâmais secrètement Grasset d'agir ainsi, de lancer cette jeune femme, qui me paraissait sans défense, dans la foulée d'*Agaguk*.

En dévisageant cette presque «voisine de palier», j'essayais de la ficher, de l'accréditer au rôle qu'elle tenait. Je tentais vainement de mettre un âge sur ce visage en manque d'expression. Elle ne me semblait pas réelle. Ni laide ni jolie, elle avait des gestes lymphatiques et la chevelure décalottée, et autographiait ses livres avec la nonchalance d'un dernier de classe en fin de retenue. Le préposé qui lui présentait ses livres accordait ses gestes aux siens, sans un mot, car entre les pages de chaque volume était inséré un bout de papier sur lequel était inscrit le nom de celui à qui elle devait offrir ses hommages. C'est du moins ce que j'en conclus, car elle posait ce bout de papier à sa gauche et le déchiffrait avant d'écrire sur la page frontispice de son livre.

Décidément, la vie est faite de plus de vacheries qu'un être faible n'en peut supporter. À voir cette femme poser les mêmes gestes, à la même cadence, que son «rival», on eût pu croire aux prémices d'une joute qui serait manifestement serrée, mais, dans mon esprit, cette femme qui ne dégageait aucune chimie acceptait par fatalisme de dépenser ses dernières énergies à tenter de vaincre un destin et une nature qui jusqu'ici ne l'avaient peut-être pas tellement gâtée.

Et comme on se dit «pauvre de moi» à l'occasion d'un échec, je la destinais au dépit à simplement devoir, comme un fait exprès et sans l'avoir cherché, affronter, le même jour, presque à la même heure et à la même enseigne, les mêmes critiques que ceux qui auraient à juger l'œuvre de Thériault. Ce me semblait tellement injuste que j'espérais sincèrement qu'on lui donnerait plus tard une autre chance, pour autant que sa frêle constitution le lui permît, car, dans sa course avec un écrivain pour qui le syndrome de la page blanche n'existait pas, elle n'avait aucune chance.

Heureusement que, pour l'instant, je ne savais rien d'elle et que, obsédé par l'immense potentiel de mon poulain, l'idée ne m'est même pas venue d'aller la trouver pour lui quêter un exemplaire de son livre, à seule fin de justifier mes présomptions. Cette femme sur laquelle je m'étais permis de poser un diagnostic, la cataloguant, la mettant presque au rancart au point de la juger en fonction d'un esprit tordu par les circonstances, cette femme, je l'ai su quelques jours plus tard, avait pour nom Christiane Rochefort et signait son premier livre, *Le Repos du guerrier*.

# XVI

Ce fut la seule fois où Christiane Rochefort et Yves Thériault furent mis en compétition, si l'on peut dire, car l'auteur du *Repos du guerrier* prit très tôt la route des librairies de France... et de Navarre pour cette fois y dédicacer son livre au grand public, amorçant ainsi une fulgurante carrière alors que, ironie du sort ou destin provoqué, *Agaguk* allait mettre du temps à connaître une relative popularité. Il lui faudra, pour y arriver, l'appui d'un décret du ministère des Affaires culturelles enjoignant aux Commissions scolaires d'inscrire ce roman à leur programme d'études. L'ouvrage connaîtra alors, d'un septembre à l'autre, de multiples réimpressions qui en feront, de toute l'œuvre de Thériault, le livre le plus lu. Mais ce succès à retardement, il nous valait mieux, dans l'immédiat, ne pas savoir qu'il mettrait dix ans à se concrétiser. Il nous était tellement plus probant de croire que la valeur de ce livre justifierait notre engouement et que le grand public, très tôt, en ferait ce pour quoi il avait été conçu: un best-seller. Mais, hélas pour moi, quand viendra le succès, ce sera trop tard!

Pour l'instant, il nous fallait poursuivre le programme tracé par notre éditeur parisien: interviews radiophoniques et télévisées, dont la prestigieuse émission *Apostrophes* animée par Pierre Dumayet. C'était l'émission culturelle la mieux cotée de l'époque et elle valait bien, dans le temps, le *Bouillon de culture* d'aujourd'hui de Bernard Pivot. J'ai alors soupçonné notre ambassadeur, Pierre Dupuy, d'avoir joué la carte canadienne pour faire accepter Thériault à cette émission, car je n'ai pas souvenance que même Christiane Rochefort y soit passée.

Quoi qu'il en soit, Yves Thériault s'en est royalement tiré et, pour une fois, les qualités de ses défauts lui furent un atout. Force me fut d'admirer cette suffisance qui lui collait à la peau comme un don de la nature, ce complexe de supériorité qu'il affichait, porté par cette confiance en soi que lui donnait ce début de carrière prometteur et par un talent que personne à ce jour n'avait contesté, convaincu que, aux portes de Paris, il était temps qu'on l'applaudisse. Il avait été le seul à si bien traiter d'un tel sujet; personne avant lui n'avait su ni après lui ne saurait le faire. Pierre Dumayet avait beau le talonner, Thériault, sûr de lui, retombait sur ses pieds, reprenait du poil de la bête, à tel point qu'un spectateur novice eût pu se demander lequel des deux était le plus chevronné. Pierre Dumayet, bon perdant, concéda le dernier round à Thériault, qui accepta, fier de sa performance, la «poignée des deux mains» que lui donna Dumayet en toute fin d'émission. Je n'avais jamais pensé qu'un jour je serais aussi fier de mon poulain.

Nous restait toutefois, avant notre retour au Canada, une émission radiophonique d'importance, du genre de celles qui ont donné naissance aux talk-shows tels qu'on les connaît aujourd'hui, au cours desquelles l'invité était mis sur la sellette (véritable jeu du chat et de la souris) et où on le poussait dans ses derniers retranchements pour tenter, par tous les moyens, de le mettre en boîte. Voilà qui confirmait que nous n'étions pas à Paris uniquement pour nous amuser, encore que, pour qui n'y faisait que passer, ce fût chose aberrante.

Il importait à Grasset que Thériault se présentât à cette émission, du seul fait que d'accepter l'invitation tenait du challenge. Consulté, j'assurai Bernard Privat que ce serait Thériault qui sortirait vainqueur d'une telle joute. Ce ne serait pas demain la veille qu'un meneur de jeu, si aguerri fût-il et même passé maître en manipulation, arriverait d'aise à faire s'enferrer Thériault. Yves aurait constamment le doigt sur la gâchette et le cran d'arrêt bien huilé. On aurait beau le pousser au pied du mur, ce serait le mur qui reculerait!

Cependant, avant cet ultime affrontement, il nous restait à «réparer» une erreur administrative dans l'exécution de notre programme. C'est ainsi que j'ai dû, un soir de veille, me préparer mentalement, et par des notes sur des bouts de papier, à une prestation radiophonique à laquelle, en principe, je n'aurais pas dû avoir à me soumettre. En effet, deux rendez-vous avaient été pris pour le même jour et à la même heure, à deux stations différentes. Après consultation, nous avons décidé de les accepter, Yves couvrant l'une et moi, l'autre.

Pour l'heure, étant aussi inconnus l'un que l'autre en France, il se trouvait que nous avions une certaine ressemblance physique et, de surcroît, le même âge. Pour avoir lu dix ou vingt fois *Agaguk* en voie d'écriture, de correction d'épreuves et d'impression, j'en connaissais les rouages par cœur. Il me serait donc facile de répondre aux questions, qui ne devraient normalement porter que sur la trame du roman, que mon interlocuteur, par contre, n'aurait lu qu'en diagonale.

Et c'est ainsi que j'ai passé pour être l'auteur d'*Agaguk*, et que j'ai pu répondre aux questions courantes, voire banales, de l'animateur. Combien j'avais mis de temps à l'écrire, quel but je poursuivais, quelle était la part du vrai et de l'imaginaire, bref, toutes questions faisant normalement partie de ce genre d'entrevue à laquelle tout bon meneur de jeu trouve une façon élégante de mettre un terme par des vœux de bon succès, quelques notes de musique en sourdine, et au suivant!

Mission accomplie, personne n'a jamais su qu'un jour, à Paris, il y eut deux Thériault pour un seul et même *Agaguk*. Ce n'est certes que de la petite histoire, mais ça dénote à quel point on pouvait encore, en ces années-là, berner les médias, ce qui ne pourrait se faire aujourd'hui, tellement les moyens de communication sont devenus sophistiqués.

Notre voyage à Paris tirait à sa fin. Ce m'avait été jusque-là un séjour des plus gratifiants, parce que conditionné par des palmes à récolter, contrairement à bien des périples antérieurs qui, eux, étaient purement et simplement soumis à l'obsession d'en décrocher. Ça se terminerait sur une note optimiste par l'habileté que mettrait l'écrivain à cette dernière salve que l'on s'apprêtait à tirer avec ce talk-show qui s'annonçait comme un véritable feu d'artifice en hommage à *Agaguk*, dont l'auteur aurait volupté à défendre les couleurs.

Cette assurance acquise, je pouvais dès maintenant me reposer sur ces quelques lauriers des derniers jours, âprement disputés au destin. Ça me libérait aussi d'une précarité qui n'avait cessé de refaire surface depuis tant d'années. Partir des bandes dessinées de Fu Manchu pour en arriver à la vraie littérature... Comment ne pas s'étonner que le chemin ait été ardu ? Tout en allégeant ma charge de bois mort, le fait de pouvoir enfin ramasser mes feuilles mortes me permettait un arrêt dans le temps et, avec plus de lucidité, un retour en arrière, pour mieux séparer, à l'avenir, l'ivraie du bon grain.

Nous n'avions de cesse de nous féliciter l'un l'autre lorsque, l'heure de l'apéro venue, nous nous retrouvions, Yves et moi, à une terrasse de café pour, tel un disque usé, répéter à satiété que, après tant d'années à nous demander si nous y arriverions, c'était fait: nous étions enfin sur le podium et n'avions plus qu'à attendre notre trophée. Seule ombre au tableau: naïvement, nous ne pouvions nous empêcher de plaindre cette pauvre Christiane Rochefort, partie à la conquête d'un marché par avance promis à *Agaguk*. Thériault, avec un accent de sincérité que je ne lui connaissais pas, déplorait une fois de plus que son livre paraisse en même temps que celui de Christiane Rochefort, ce qui lui ferait trouver frustrant qu'un écrivain vienne de si loin lui couper l'herbe sous le pied. Pour contrecarrer la néfaste influence d'*Agaguk* sur son *Guerrier*, il lui faudrait faire du porte-à-porte, solliciter la faveur populaire, bref, quêter pour, en bout de course, abandonner une lutte perdue d'avance.

Et nous remettions notre disque en marche. La traversée avait été houleuse, mais le navire était au port, le capitaine et son second n'ayant plus qu'à écouter la longue plainte du navire collant son flanc contre la paroi du quai. Qui plus est, ce navire, après avoir été délesté de tous les impairs d'*Agaguk*, était prêt à reprendre la mer avec un nouveau chargement qui avait pour nom *La Quête de l'ourse*.

À cette évocation, Yves déclara que *La Quête* ne lui pesait pas, parce que, avec *Agaguk*, il s'était fait la main, et que, tel un boulanger qui fait sans effort une deuxième fournée, s'il l'avait fait une fois, il pouvait aisément répéter l'exploit. Et d'ajouter que

*La Quête* se ferait dans de meilleures conditions, puisqu'il serait financièrement plus à l'aise avec le succès d'*Agaguk*, libéré du fardeau de la routine, des fins de mois difficiles. En un mot comme en cent, on allait voir ce qu'un moulin pouvait cracher quand le vent était dans ses ailes.

Je ne reconnaissais plus le Thériault des mauvais jours, celui des fugues et des remises en question, ce qui me rendait encore plus conscient qu'il fallait à tout prix qu'*Agaguk* soit un succès. Autrement, si, pour quelque raison que ce soit, c'était un échec, ce serait, cette fois et pour toujours, la fin de tout; Waterloo sans Austerlitz.

«Et si on lui expédiait une gerbe de fleurs? – Tu penses toujours à Christiane Rochefort? – Avec nos sincères et meilleurs vœux de succès. – Pourquoi pas? Après tout, notre succès étant assuré, nous n'avons rien à perdre.»

Décidément, nous y tenions. Cette décision (qui finalement s'avérera irréalisable) nous libéra d'avoir à nous culpabiliser du tort que, sans l'avoir voulu, nous lui causions.

«Et si on allait dîner?»

La grande salle du Café de la Paix avait un tout autre cachet que la salle à manger de la mère Bournazel! Le menu étant aussi plus élaboré, nous avons opté pour une assiette de viandes froides, du gibier arrosé d'un vin maison, sachant que, à défaut d'y aller d'un grand cru, le vin maison d'un restaurant qui se respecte vaut bien un beaujolais de l'année.

Notre conversation, plus ou moins à bâtons rompus, avait avivé la soif d'Yves, qui demanda un dernier bourbon, le temps qu'arrivent les cœurs de palmier commandés comme entrée. Une fois de plus, tout le monde il était beau, tout le monde il était gentil, et la vie valait la peine d'être vécue. J'étais suffisamment ivre de bonheur pour laisser Yves savourer seul un autre verre. Je n'avais aucun mérite à ne pas l'accompagner; supportant médiocrement l'alcool, je préférais attendre le vin maison pour m'en délecter. Mon bonheur d'être à Paris sur une mission accomplie me comblait. Je voulais en vivre aussi intensément que possible chaque minute, que les souvenirs rapportés me permettent de mieux supporter le spleen qui s'emparerait de moi certains jours de cafard où un impérieux besoin de m'évader s'imposerait.

Les cœurs de palmier mirent fin à ma rêverie et, pour alléger un peu la lourdeur d'une atmosphère de fin de *party*, je demandai à Yves, du ton de qui ne sait comment briser un silence prolongé, s'il se sentait d'attaque pour son interview du lendemain. Il me répondit par un «mais oui, mais oui» à la Jean Gabin, comme si c'était là une question dont la réponse était évidente.

Et me voilà, faute de sujets à traiter, reparti dans ma rêverie, dont maintes fois Yves dut me tirer. L'évocation d'une gerbe de fleurs m'avait subitement ramené à Québec, où se morfondait sans doute MariJo. Ce soir qui se voulait un soir de relâche m'en devenait un de cafard. Je n'ai pourtant pas l'habitude d'avoir le vin triste, mais je me surpris, contre toute logique, à regretter de l'avoir sacrifiée à la crainte anticipée des assiduités de Thériault, alors que ce dernier ne demandait rien d'autre que d'être laissé à lui-même.

J'avais mal évalué une situation qui eût été pourtant toute simple. MariJo avait raison: elle était assez grande pour se débrouiller toute seule certains jours, et nous nous serions retrouvés le soir pour fêter ensemble. J'aurais pu l'emmener à l'ambassade (elle qui rêvait de rencontrer Bazin), j'aurais pu le lendemain lui présenter Monique, les conduire quelque part. J'aurais pu... Tu me manques, MariJo.

MariJo. Ce que nous avions gagné au fil de nos rencontres, ç'avait été non seulement de nous mieux connaître, mais de nous accepter l'un l'autre. Au contraire de ce qui aurait pu être un long parcours, nous nous sommes très tôt adaptés l'un à l'autre, et l'histoire de MariJo n'était pas compliquée pour deux sous. De confidence en confidence, les sujets qui, en ces années-là, étaient en principe tabous nous sont vite devenus objets d'échanges familiers. N'ayant qu'une sœur aînée (son père étant parti alors qu'elle était toute jeune), elle avait aisément accepté une éducation plutôt rigide et conservatrice. Et, comme cela arrive dans toute famille monoparentale, c'est le parent qui reste qui prend toute la place. Ça expliquerait peut-être cette grâce que dégageait MariJo à seulement poser un pied devant l'autre, n'ayant eu que des femmes autour d'elle dans son enfance.

Sa mère s'étant mariée «par obligation», elle n'eut de cesse d'inculquer à ses filles les avantages de rester vierges jusqu'au mariage. Marquée par la conviction qu'elle y mettait, MariJo fit se volatiliser bien des soupirants sans pour autant en être affectée. Ce lui semblait un bien éthique prix à payer pour conserver ce que madame sa mère vénérait (elle avait sans doute lu Pagnol): «L'honneur, c'est comme les allumettes, ça ne sert qu'une fois.» C'est une morale qu'une enfant accepte aisément, jusqu'au jour où la petite fille devient grande. Ça l'oblige à tout remettre en question. La monogamie, d'accord; mais pour la continence, quand les sens parlent plus fort que la raison, n'est pas appelée qui veut. Pour MariJo, il n'y avait pas là de quoi fouetter un chat; si, pour se marier, il lui fallait rester vierge, sa décision était prise: au diable le mariage!

Cette sentence rendue, elle en accentua l'importance jusqu'à se demander à quoi cela pouvait servir de posséder sans partage. Ce ne furent cependant pas les occasions d'éprouver sa résistance qui lui manquèrent (son éducation plutôt négative lui servit souvent de carapace), mais, chaque fois qu'elle dut mettre sa théorie à l'épreuve, les garçons, qui se rebiffaient, avaient vite fait, en se désistant, de lui faire comprendre qu'elle avait tort, mais elle tenait la dragée haute: ils n'auraient pas au départ ce qu'elle croyait devoir être une fin.

Il lui suffirait peut-être de conditionner son prochain soupirant: qui voudrait la conquérir devrait d'abord accepter d'être conquis. Et que, surtout, ça n'implique pas de lendemains. Mûre pour la grande aventure, MariJo la voulait à ses conditions. Elle en était là dans l'équilibre de ses critères imposés quand je suis entré dans sa vie. J'ai accepté de jouer le jeu, sans artifices ni colifichets, et, ayant très vite compris son cheminement, accepté aussi de me soumettre à une MariJo analyste. Je n'avais eu jusque-là qu'à m'en louer; à cadeau de roi, prestance de monarque.

«Ça ne va pas?»

Yves me ramenait sur terre en agitant sa main devant mes yeux, se rendant compte que j'étais loin, très loin, absorbé dans mes pensées. Je lui sus gré de respecter mon échappée: il n'y avait rien à faire, je n'étais plus là.

Il a suffi d'une minute de silence pour que je reprenne mon soliloque. Je cherchais à me justifier en concluant qu'en fait je ne l'avais pas laissée seule là-bas, qu'elle avait ses fleurs et ses plantes dont elle devait s'occuper et avec lesquelles elle pouvait converser. MariJo leur parlait, telle Colette à ses chats; à preuve le boudin qu'elles faisaient si, à l'une d'elles, elle oubliait de dire bonjour.

Je ne saurais affirmer que toutes les fleuristes sont ainsi, mais MariJo, jurait ses grands dieux qu'elle parlait à ses fleurs tous les jours, si bien que, lorsqu'elle s'apercevait que l'une d'elles était mal en point, il lui suffisait de s'en approcher, de la cajoler, de s'enquérir de ce qui n'allait pas: manquait-elle d'air? le soleil était-il trop ardent? Alors, elle prenait la plante alanguie, la mettait à l'ombre pour quelques heures, et le tour était joué, la plante reprenait vie. Elle allait jusqu'à se demander si parfois certaines ne simulaient pas une relative lassitude à seule fin de se faire materner. Mais, me confiait-elle, mi-figue, mi-raisin, c'était à charge de revanche car il lui arrivait parfois de leur confier ses propres peines, voire ses petits cafards. Lorsqu'elle devait s'absenter pour quelques heures, elle mettait de la musique en sourdine, qu'elles ne se sentent pas abandonnées. Une symphonie de préférence, une musique de chambre, rien qui vienne les brusquer, car si les œillets semblent plus réceptifs par la densité de leur corolle, les amaryllis ont le «tympan» plus sensible. Le plus souvent, elle optait pour *Boléro* de Ravel, qui pouvait être écouté à l'infini et dont elles semblaient ne pas se lasser. Pour la nuit...

«Et si on parlait d'autre chose?»

Thériault avait-il ce don de lire dans la pensée d'autrui? Parler d'autre chose, ça voulait dire quoi? Cesser de ruminer le sort de Christiane Rochefort? Ou alors avait-il simplement le goût de ramener *Agaguk* sur le tapis? Non, ce n'était pas d'*Agaguk* qu'il voulait m'entretenir mais de *La Quête*, qui aurait les mêmes lacunes (lire: serait aussi indûment truffée) qu'*Agaguk*. Il aurait besoin de trois cents ou quatre cents dollars d'ici Noël et, n'ayant pas, du moins pour l'instant, d'autres sources de revenus, il voulait s'écarter légèrement de son sujet pour pondre une centaine de pages. Connaissant son aisance à produire, je n'ai pas hésité une seconde à lui donner mon accord. D'autant plus qu'il rejoignait ma ligne de pensée, faite d'expériences. Je lui recommandai simplement d'agencer son récit de façon que le lecteur s'y retrouve. «Car, chez nous, c'est un néophyte. Il faut l'aider à rattraper le fil de l'histoire puisqu'on ne lui a pas appris à lire. Il ne fait que tourner les pages, sauter d'un chapitre à l'autre, dans sa hâte de connaître le déroulement de l'histoire. J'en ai même connu qui sautent aux dernières pages pour savoir qui a tué qui... Il faut donc en écrire beaucoup pour qu'il en reste un peu.»

Ce court énoncé mis dans la balance, je laissai Yves se frotter les mains d'aise. Ce ne serait pas la dernière fois que je paierais pour apprendre. Faute d'arguments, la discussion prit fin, ce qui me seyait on ne peut mieux, et, comme on se retourne dans son lit pour tenter de poursuivre un rêve qui nous échappe, je plongeai de nouveau dans le mien, fait des trois Grâces qui m'habitaient: l'euphorie, la rêverie, la nostalgie. Il fallait toute l'insistance de Thériault pour, à l'occasion, me sortir de ce cinéma.

Soudain, ce cocktail, fait d'un mélange des trois, se changea en lame de fond pour exploser à l'arrivée intempestive d'un homme que je ne connaissais pas, grand de taille, vêtu d'un imper, porte-documents sous le bras, et qui, se dirigeant droit sur nous, montrant Yves du doigt, sans se soucier des autres dîneurs, le menaça en s'écriant: «Le voilà, mon voleur!»

Authentique!

# XVII

La publicité faite à *Agaguk* depuis quelques jours avait signalé à l'intrus la présence de l'auteur à Paris. Vraisemblablement, il n'attendait que cette occasion pour lui réclamer son dû. Je regardai Yves, dont le visage, de pourpre qu'il était, devint livide à la vue de cet homme qu'il eût bien voulu voir passer son chemin. L'inconnu, sûr de lui, continuait de l'invectiver: «Tu ne l'emporteras pas en paradis! Ton billet de retour au Canada, tu peux te le mettre où je pense.»

J'étais, bien sûr, sidéré. C'était une menace à ne pas négliger. Avec un mandat d'arrêt contre nous, justifié ou non, nous aurions belle allure à l'aéroport. Heureusement, les autres dîneurs, vraisemblablement habitués à de telles scènes, nous ignorèrent. On sait à quel point, pour un oui ou pour un non, les Français aiment s'engueuler. Fort heureusement pour nous, il n'est de pire sourd qu'un Français qui bouffe. Yves ne faisait qu'encaisser les coups, il ne se défendait pas. Devant son inertie, le voyant figé, cloué sur son siège, je me levai pour faire face à cet individu véritablement déchaîné.

Il est curieux de constater à quel point on peut se retrouver en pleine possession de ses moyens face à une situation dans laquelle on n'est impliqué que d'une manière indirecte. M'adressant à cet inconnu, je me présentai et lui demandai de quoi il s'agissait. Le pauvre homme, un agent de voyages, me baragouina une histoire de chèque sans provision que lui aurait signé Yves pour l'émission d'un billet d'avion lors d'un précédent voyage. Yves ne niant pas, j'en conclus que l'autre avait raison.

N'ayant pas souvenance qu'Yves ait eu dans le passé l'occasion de faire le tour du monde, j'ai présumé qu'il ne pouvait s'agir que d'une infime somme touchant davantage la susceptibilité de cet agent de voyages que son portefeuille. Puis je me souvins qu'Yves avait déjà obtenu un billet gratuit de je ne sais plus quelle agence pour Montréal-Berlin via Copenhague mais que, pour aller à Paris y faire je ne sais trop quoi, il m'avait écrit pour me signaler qu'il lui manquait cent vingt-cinq dollars, que je lui avait expédiés dare-dare. Mais pour le reste...

C'était peut-être à cette occasion qu'il avait eu recours aux services de cet agent. Quoi qu'il en soit, je réussis à calmer notre énergumène, et lui donnai ma carte d'affaires en lui spécifiant que j'étais l'éditeur et l'agent de Thériault. Il ne lui restait qu'à m'adresser sa réclamation. Je lui donnai ma parole que je prélèverais la somme due sur les redevances à être versées à l'auteur. Ne pouvant que s'incliner devant mon offre, il abandonna sa colère d'un coup. La poignée de main qu'il me donna en signe d'accord n'avait pas la vigueur que commande un règlement mais la mollesse de qui n'a d'autre possibilité que d'accepter la parole d'un garant dont il n'a pas raison de douter et qui lui propose une solution qui lui permettra de récupérer une perte que son orgueil n'a pas encore encaissée. Il refusa toutefois de me remettre ce chèque impayé, invoquant que c'était sa pièce à conviction, à n'être remise que contre remboursement.

Il se retira d'un pas hésitant, comme pour vérifier, avant de quitter l'arène, si tout avait été dit, s'assurant mentalement qu'il avait été aussi agressif que la situation le commandait. Notre homme parti, ce fut à mon tour de m'en vouloir d'avoir manqué de fermeté, de n'avoir pas exigé, contre ma parole, qu'il me donnât la sienne d'abandonner sa menace d'un mandat d'arrêt.

Reprenant nonchalamment ma place face à Yves dont le visage était toujours crispé, je le vis repousser son assiette, cette intervention aussi imprévue qu'importune lui ayant coupé l'appétit. Je l'invitai à faire contre mauvaise fortune bon cœur, mais, décidément, l'esprit ne pouvait pas. J'ai craint un instant qu'il n'ait une défaillance, tellement il mettait de temps à encaisser le choc, impuissant à le contester. Peu habitué à devoir baisser pavillon,

Thériault était vraiment sans défense. Chez nous, ce lui était plus facile, il pouvait crâner jusqu'à l'extrême limite: on n'emprisonne pas pour dettes. D'où son aisance à braver les autres, quelle que soit l'impasse dans laquelle il se trouvât, ou alors à afficher un je-m'en-foutisme qui désarmait, comme nous avait désarçonnés l'aventure de Saint-Jean-Port-Joli.

Mais, cette fois, il ne semblait pas du tout rassuré par l'à-propos de mon intervention, réalisant peut-être que, pour la première fois de sa vie ou du moins la plus conséquente, il voyait son monde s'écrouler sans n'y rien pouvoir.

Un silence monacal s'était installé entre nous et, pendant que je grignotais, Yves picorait dans son assiette. Je restais là à me demander si je devais respecter le désarroi de cet homme dont la fierté venait d'en prendre pour son rhume, ou si, au contraire, je me devais de provoquer un épanchement dont je savais à l'avance qu'il serait un tissu de mensonges mais qui s'avérerait nécessaire pour les besoins de notre cause. L'accusation étant hors de tout doute fondée, je décidai d'«ouvrir les valves» et de permettre ainsi à l'«accusé» de se justifier, quitte à devoir encaisser l'excuse qu'il n'avait pu faire autrement parce que, loin des siens, prisonnier de l'imprévu, démuni, c'était la seule porte par où s'évader...

À la place, après que je lui eus affirmé qu'il n'y avait pas là de quoi se jeter dans la Seine, il me rétorqua que, justement, c'était là la solution. J'eus alors droit à la plus pathétique confession d'homme qu'il m'ait été donné d'entendre. Plutôt que de bluffer selon son habitude, il s'avoua vaincu et se mit à s'apitoyer sur lui-même.

Il était moins que rien, il emmerdait tout le monde, autant en finir. Sa femme, ses enfants, ses amis, tous pourraient vivre en paix et cesser d'être les victimes de ses frasques. Une veuve et des orphelins pourraient être pris en charge par l'État, ce qui était impossible tant qu'il était vivant. «Malgré des apparences plutôt factices – on peut l'admettre entre nous –, je n'ai jamais pu percer. On ne lutte pas contre son destin; ma vie n'est qu'une suite d'échecs, comme les grains d'un chapelet qui, d'une dizaine à l'autre, reviennent au point de départ. Si le mien est joué, je n'y peux rien. Il me reste la décence d'entraîner le moins de monde possible avec moi. Je n'ai pas le droit de les associer à ma guigne, de leur faire payer les pots que je casse. Malgré tout, et c'est une consolation qui m'est bien personnelle, je trouve la vie encore bien généreuse de m'offrir la Seine comme linceul, car ici l'on retrouve toujours les corps, si on excepte Saint-Exupéry dont on ne sait s'il est allé se perdre dans la Manche ou la Tamise, le Danube ou le Rhin... J'aurai eu sur lui cet avantage que l'on saura me retrouver. Chez nous, avec l'immensité de notre fleuve, c'est un problème qui m'a toujours empêché de le prendre en otage, de crainte qu'on n'y retrouve jamais ma carcasse et que, pour la petite histoire, on se perde en conjectures, que l'on fabule sur ma fin jusqu'à prétendre que j'aie pu aller me perdre en forêt. Tandis que la Seine permet de mettre un peu de poésie autour de ceux dont on jettera ensuite les cendres aux quatre vents. On regarde avec tristesse cette poussière s'en aller, on essuie une larme furtive, c'est dramatique quelque part mais c'est beau en même temps. Tout est fini, consommé, avec la certitude que, vraiment, il n'en reste plus rien. Ce qui évitera aux survivants d'avoir périodiquement à retourner le fer dans la plaie en allant pleurer sur une tombe.»

Pendant qu'il parlait ainsi, Yves découpait sa viande en petites lanières, les entrecroisant comme s'il avait voulu faire un dessin ou un lacis tel l'enfant qui tripote dans son bol de purée. Je profitai d'un moment où son attention était particulièrement centrée sur son jeu pour interrompre sa monocorde litanie de malsaine rétrospective et le ramener sur un terrain plus éclectique, car, à ne rien dire, j'avais l'air de l'approuver. Et admettre que, si parfois le suicide demande beaucoup de courage, il n'en reste pas moins un acte de mesquinerie puisque se supprimer c'est généralement ne penser qu'à soi.

«Et Michelle?»

Au nom de Michelle, Yves eut un sursaut et, comme s'il revenait de loin, il le répéta d'un air dubitatif. «Michelle? Elle sera la première libérée. Si tu savais ce que j'ai pu lui faire subir avec mon sale caractère les jours de cafard, mes descentes aux enfers nourries par une morbide jalousie envers ceux qu'une simple chanson propulse au firmament des étoiles. Michelle? À vrai dire, je ne sais plus à quoi tient son credo, car il n'est rien dont je ne l'aie affligée, jusqu'à la honte d'avoir à chercher une panacée pour effacer la trace de maux dont elle ignorait la provenance. Je cherche encore à comprendre comment il se fait qu'elle ne soit pas au bout de son rouleau.»

Et, comme s'il réalisait qu'il en avait trop dit, il se leva brusquement, lança sa serviette sur la table, repoussa sa chaise et décida de partir. Je laissai en vitesse quelques billets pour payer l'addition et m'empressai de le rejoindre avant qu'il ne soit trop tard. Je réussis, à la sortie, à l'attraper par le bras et, sentant le besoin de m'imposer, je lui dis de cesser de déconner.

«À la fin, lui dis-je, il ne s'agit que d'un chèque que tu as oublié d'honorer, comme cela arrive à tout un chacun, et ce n'est pas dans le lit boueux de la Seine que tu vas trouver de quoi le couvrir. Ce que tu dis attendre depuis une éternité est sur la piste d'envol; tu ne vas tout de même pas rater ton décollage? Allez, viens, on va se changer les idées au cinéma. Que dirais-tu de *Tonnerre de Dieu*, avec Jean Gabin, un film que nous n'aurons peut-être pas la chance de voir au Canada? Ou du dernier Hitchcock, *La Main au collet*, avec Grace Kelly? Et de finir la soirée aux Halles pour y déguster une bonne soupe à l'oignon, avec pain à l'ail arrosé d'un petit verre de vin blanc?»

Je m'efforçais de sourire sur cette dernière tirade au romantisme par trop facile, mais Yves n'écoutait pas. D'un coup, se dégageant, il me somma de le laisser tranquille, déclarant qu'il avait besoin de changer d'air, d'être seul pour, sans subir aucune influence, remettre de l'ordre dans ses idées. Il en avait marre de toujours devoir se remettre en cause.

Je le regardai s'éloigner lentement dans ce que j'imaginais être un début de mistral venu du nord pour aller mourir sur la Méditerranée, ou un relent de smog venu de Londres, je ne saurais dire, mais tels sont maints soirs d'automne à Paris. À peine avais-je eu le temps de lui rappeler son rendez-vous du lendemain que déjà sa silhouette s'était fondue dans la nuit.

D'instinct, je repris le chemin de notre hôtel. Je n'y allais pas de gaieté de cœur, car les chambres d'hôtel trois-étoiles de ces années-là possédaient le minimum de confort qu'un Nord-Américain pouvait accepter. Le lit, un grabat à n'apprécier qu'exténué, n'avait rien d'une couche sur laquelle s'allonger pour rêvasser; il n'y avait dans ces chambres rien de cette ambiance que l'on aurait été en droit de trouver pour atténuer le choc en retour d'une médiocre fin de journée.

J'ai ralenti le pas pour n'avoir pas à me retrouver trop tôt «en cellule». Je préférais, et de loin, arpenter les rues de Paris, écartant même l'idée d'aller au cinéma. Je n'avais décidément pas le cœur à la fête. J'essayais vainement de me raisonner, d'en prendre mon parti, me répétant qu'à l'impossible nul n'est tenu, mais il n'y avait rien à faire: l'ombre de Thériault longeant la Seine me hantait. J'en étais à me demander quel pont il choisirait. Dans une ville comme Paris, faite pour s'éclater, c'était trop bête de se résigner à faire les cent pas.

Je trouvais même blafarde la lueur des lampadaires de la rue de la Paix, enfumés par la brume, et je n'avais pas cette hâte que l'on a d'habitude, la fin du jour venue, de se retrouver «dans ses meubles». D'un coup, je me suis senti loin, très loin de chez nous. Dans aucun de mes précédents voyages, je n'avais autant éprouvé le besoin d'un bon feu de cheminée. Fuyant la faible luminosité des grands boulevards que je trouvais ternes, j'acceptais mieux le clair-obscur des petites rues et la zone d'ombre qu'elles dégageaient, percée ici et là par le timide reflet d'une enseigne ou, plus discrets encore, les faibles rayons de l'inévitable lanterne rouge des lupanars.

C'est d'ailleurs dans ces petites rues que l'on trouve les plus sympathiques bistros. Je pouvais en choisir un au hasard tellement ils se ressemblent, à croire que leurs tenanciers sont tous frères, avec la même intonation de voix et le sempiternel «bonsoir, m'sieu dames», même si vous êtes seul.

La salutation reçue, je commandai un café crème dans lequel je demandai que l'on versât une rasade de cognac pour aider à faire passer le mauvais quart d'heure que je venais de vivre. Tout en sirotant mon café, je feuilletais sans trop d'intérêt le dernier numéro de *L'Express* qu'habituellement je dévorais, car, avec *Le Nouvel Observateur*, c'était notre bible à nous, libraires du Québec. Mais, ce soir, j'avais l'œil distrait, aucun article ne m'accrochait, j'avais vraiment l'esprit ailleurs et je me forçais à croire que, comme moi,

Yves faisait les cents pas quelque part, qu'il avait réussi à remettre en marche un balancier qu'il jugeait détraqué et que je le verrais arriver à l'hôtel, détendu, remis de ses émotions, prêt à affronter la dernière étape du lendemain. Espérant que de rentrer tôt à l'hôtel le ferait revenir plus tôt lui aussi, j'accélérai le pas pour, à la réception, me faire dire par le veilleur de nuit que non, M. Thériault n'était pas là.

C'était une autre des lacunes propres à ces hôtels de quartier que de n'avoir pas de salle d'attente, pas de fauteuil dans lequel laisser choir vos déceptions, atténuer vos inquiétudes, entretenir la lueur d'espoir que suscite tout va-et-vient, car ce qui servait d'entrée à l'hôtel n'était le plus souvent qu'un mesquin espace emprunté aux mètres carrés de l'immeuble. Le préposé n'était là que pour vous accueillir, remplir votre fiche, vous indiquer l'étage de votre chambre; pour le reste, il n'avait d'autre mandat que celui de vous éveiller en cas d'incendie.

Malgré la réponse négative du commis, je frappai chez Yves avant d'entrer chez moi, mais en vain. Je décidai de faire mien le conseil que je lui avais donné de faire contre mauvaise fortune bon cœur et me résolus à attendre patiemment qu'il rentre, car cet hôtel avait ce qui pour moi devenait en l'occurrence un avantage: en prêtant l'oreille, on entendait relativement bien ce qui se passait chez le voisin, du moins le bruit d'une porte que l'on ouvre et referme.

Je savais cependant que je ne saurais dormir que cette porte ne m'ait indiqué le retour de celui qu'il me fallait bien appeler l'«enfant prodigue», compte tenu de la façon dont nous nous étions quittés, des dernières paroles qu'il m'avait dites. Il en avait «marre du mauvais équilibre» de son «balancier», avait refusé mon aide, était parti en me suppliant de le laisser tranquille, donc à son sort, comme si, dans un dernier geste magnanime, il avait voulu affranchir ma responsabilité de ce qui pourrait lui arriver. Allongé sur mon lit, perdu dans les volutes de ce que je croyais être la dernière cigarette de cette nuit-là, tendant l'oreille au moindre bruit, j'essayais vainement de me convaincre que j'avais tort de m'inquiéter, qu'il n'aurait pas le courage, toute poésie confondue, de se laisser engloutir par la Seine.

Mais la nuit, c'est connu, tous les chats sont gris.

Dans la foulée des heures qui passaient, se bousculaient mille raisons pour que demain son corps erre d'un pont à l'autre jusqu'à ce que des pêcheurs à la ligne signalent sa présence à la gendarmerie. Il y avait cette constance avec laquelle il avait toujours brandi cette menace, mais ce lui avait été une arme dont il s'était surtout servi contre Michelle, pour des motifs aussi peu valables que ceux émanant d'une insipide scène de ménage. Dès qu'il perdait pied dans une différence de vues, ça lui servait d'échappée, car il n'était pas dans sa nature d'accepter d'avoir tort.

Certes, il y avait aussi d'autres raisons, crédibles parce que inhérentes à la nature humaine et que parfois elles assaillent les plus rationnels. À la différence que, généralement, on ne s'en vante pas. J'avais soudainement souvenance que l'idée m'en avait traversé l'esprit pour des motifs (parfois aussi ridicules qu'un mauvais bulletin scolaire) que la vie par la suite s'était chargée d'invalider. Thériault avait-il à ce point nourri ses redites que ça lui était une obsession et qu'il se devait d'y donner suite ?

Ce soir pourtant, ses traditionnels prétextes pour porter haut son morbide fanion n'existaient pas, Michelle n'étant pas dans le décor. Pour une fois, pour la première fois peut-être, mon candidat au suicide pourrait donner à sa hantise un semblant de raison d'être.

Parce que c'était la nuit et parce que Morphée ne voulait pas de moi, je n'eus de cesse que je ne fusse allé au bout de mes analyses. J'aurais mille fois préféré le savoir place Pigalle, sautant d'une putain à l'autre, mais ma folle du logis s'obstinait à le voir se promener dans les rues bordant la Seine, mettant au débit du geste à poser la menace d'un mandat d'arrêt qui pourrait être levé contre lui dans les vingt-quatre heures, ou, à défaut, la frustration qu'il ressentirait si les toutes premières redevances sur *Agaguk* servaient, par ma parole donnée, à rembourser une dette depuis longtemps laissée pour compte dans son esprit, et, en ajout, la crainte que ces redevances soient saisies à la source, chez Grasset, ce qui lui enlèverait toute possibilité de retour au Québec... que la dette ne soit effacée.

Convaincu d'avoir fait le tour de mon «jardin des Oliviers» et croyant le moment venu de baisser le rideau sur cette saga fertile en élucubrations dantesques dont je me refusais à dramatiser le dénouement, je fermai les yeux dans une dernière tentative de sommeil, mais ce fut en vain, Morphée, décidément, ne voulant pas de moi. D'instinct, je regardai ma montre: les aiguilles, en équerre, marquaient trois heures. Il n'est guère de temps plus propice que la nuit pour broyer du noir, faire d'une paille une poutre. Je voyais déjà les journaux du lendemain annoncer à la une l'arrestation d'un faussaire canadien. Pour les Français, qui trouvent toujours le mot juste, celui qui, à l'avance, sait qu'il ne pourra respecter sa signature est un faussaire. Dans le concert d'éloges qui valaient en ces années-là, c'eût été un scoop à ne pas rater.

Je m'en fus frapper à la porte voisine, dans l'espoir qu'Yves serait si subrepticement revenu que, perdu dans mes pensées, j'aurais pu ne pas l'entendre. Mais non. D'un coup, je sentis la faim me tenailler et décidai d'aller aux Halles. À cette idée qui collait bien à notre dîner manqué, vint se greffer l'espoir d'y retrouver Yves en train de se restaurer, suite logique d'une nuit que je voulais désespérément croire libertine au troisième degré! Mais il n'était pas là. Ma soupe à l'oignon aussi promptement avalée que servie, je repris le chemin de l'hôtel, en prenant garde, en entrant, de ne pas éveiller le gardien, qui, à mon départ, sommeillait.

Malgré mes précautions, l'homme s'éveilla. J'en profitai pour lui demander si M. Thériault était rentré; il me répondit que oui, qu'il y avait même un bon moment, ajoutant, comme si c'était de ma faute, que mon ami était quelque peu éméché et qu'il avait dû le soutenir pour le reconduire à sa chambre.

Le peu qui me restait de cette nuit en quête d'aurore, je l'ai vécu dans un état de somnolence qui me transportait de la béatitude de savoir mon héros en vie aux cauchemars à la Edgar Allan Poe. Généralement, on ne se souvient que vaguement des rêves qui parfois agitent nos nuits, mais, ce matin-là, je les retrouvai si présents à mon esprit que j'aurais pu les décrire dans les moindres détails, tels qu'ils s'étaient disputé la paranoïa de mon subconscient. Et je me traitais de tous les noms de m'être si intensément laissé prendre au piège. Si la menace était d'importance, elle n'émanait quand même pas d'un clochard qui en avait assez de la vie, mais d'un sain d'esprit qui en acceptait mal les écueils.

Si impétueuse qu'ait été cette première réaction, j'aurais dû me satisfaire que son suicide fût resté à l'état embryonnaire; on ne reproche pas à un suicidé en devenir de n'avoir pas donné suite à son projet. Si, parce qu'on ne peut pas toujours être le gardien de son frère, ça lui permettait de boire tout le champagne de Paris, il était dans la logique des choses que, pour le moins, l'on s'inquiétât des conséquences.

Dans quelques heures, il lui faudrait croiser le fer avec une équipe chevronnée pour ce qui devait être le clou d'une performance jusqu'ici sans bavures. Ce serait comme le dernier acte d'une pièce dont le héros ne devait pas rater sa sortie. La dernière réplique devait être percutante, sans quoi les décors risquaient de s'écrouler.

Et le fait que Thériault fût rentré au bercail si tôt le matin ne m'incitait pas à croire qu'il serait en possession de tous ses moyens pour remporter d'autorité le sprint d'une joute dont les protagonistes seraient sans pitié. Il devrait donc pouvoir profiter de la moindre question à double tranchant pour «empaler» ses rivaux, car ils seraient plusieurs à tenter de le mettre en boîte.

Mon «chat gris» jouait avec mon tricot, si bien que je ne pouvais en retrouver les mailles. J'appréhendais que Thériault donne l'impression de n'être qu'un auteur à la manque, qu'il bafouille, qu'il tombe en panne de reparties, qu'il ne réplique aux assauts que les questions ne lui soient répétées, que sa pensée n'enclenche sa gueule de bois qu'après de multiples efforts.

J'en étais là dans mes élucubrations quand on frappa à ma porte pour le petit déjeuner. Il était temps que s'achève cette grisaille, car j'étais près de sombrer dans une prostration dont j'aurais mis un siècle à me sortir. J'étais au bord de la schizophrénie. Je me surpris à revivre en dévorant presque ces croissants et ces œufs sur le plat arrosés d'un double café noir qui me donna ce coup de fouet dont j'avais besoin pour reprendre mes esprits. Je versai dans la cuvette de porcelaine le contenu d'un pot d'eau et m'en aspergeai vigoureusement le visage des deux mains, dans l'infantile espoir d'effacer les traces d'une nuit par trop agitée.

Ma toilette sommairement faite, je frappai nerveusement sur le mur pour éveiller mon «monstre sacré» mais ne reçus aucun signe de vie en écho. J'en conclus qu'il avait davantage besoin de prendre l'air et que je le retrouverais faisant les cent pas en face de l'hôtel. À mon grand étonnement, en sortant de cette «cage à moineau» qui nous servait d'ascenseur, je retrouvai Yves accoudé au comptoir de la réception, son imper négligemment jeté sur les épaules, en train d'avaler la dernière lampée d'un petit remontant qui lui servait, selon ses dires, à chasser les vapeurs de la veille.

Je le regardai, médusé. Il était frais et épanoui comme qui sort d'une cure de rajeunissement! Étonné sans doute par ma mine déconfite, il me lança: «Alors, on a mal dormi?» D'une intonation on ne peut plus caustique, larguant mes nocturnes, il me dit de ne pas m'inquiéter, qu'il récupérait très vite, que deux heures de sommeil lui suffisaient...

Je l'aurais tué!

# XVIII

Rassuré sur le sort d'*Agaguk*, heureux de retrouver l'auteur en forme, je lui souhaitai bonne chance en lui lançant le mot de Cambronne. Sachant qu'il saurait tirer son épingle du jeu, je le laissai partir sans plus chercher à approfondir le dilemme dans lequel il me plaçait une fois de plus, à savoir si c'était moi qui prenait la vie trop au sérieux ou lui qui, malgré ses jours noirs, avait le don de toujours retomber sur ses pieds et de trouver belle la vie.

Pour une fois, les rôles étaient bien partagés et seyaient à nos compétences respectives. Imaginez un auteur et son éditeur, aussi fougueux l'un que l'autre, engagés dans une lutte à finir pour remporter sur la guigne de leur destin respectif une première victoire. Pendant que Thériault irait fourbir ses dernières armes à la radio (à chacun sa mission), j'irais, pour mon compte, chez Grasset serrer la pince à l'équipe qui nous avait si bien accueillis et secondés: Bernard Privat, Yves Berger et Bazin, toutes personnes que l'auteur ne se croyait pas obligé d'aller remercier, parce que, dans son esprit, elles lui devaient autant qu'il leur devait.

C'était, à mon avis, inverser le rôle de la servitude, mais passons. Je m'en faisais une priorité, ne fût-ce, de par ma nature, que pour n'avoir pas à me reprocher plus tard d'avoir manqué à une civilité qui, parce que vue de trop près, semblait n'avoir pas tellement d'importance. Ce ne serait qu'un geste de bienséance qui suppléerait au trop-plein de suffisance de l'auteur. Je leur devais bien cette politesse.

Je crains toujours de n'en pas faire assez. Je prends ainsi deux heures à faire ce qui en principe ne m'en demanderait qu'une, comme je me surprendrai à faire des provisions dans la seule crainte de manquer de l'essentiel. Thériault, au contraire, était passé maître dans l'art de la ligne droite. Mercenaire de l'écriture, c'était aussi un spécialiste de la synthèse. Il savait où il allait et il s'y dirigeait sans se préoccuper de la réaction d'autrui.

Ce ne lui semblait pas fatuité, mais science «appliquée» que sans peine il imposait aux autres. Convaincu que son destin était tracé, il n'avait d'autre souci que de se laisser porter et d'obliger les autres à l'accepter tel qu'il était. À bien y penser, ce serait dans la logique des choses que le génie ne sache côtoyer la raison, l'un et l'autre étant si peu faits pour cheminer ensemble. La téléologie de Thériault le poussait à compter sur l'amnésie des autres pour se faire pardonner ses bavures.

Héritier d'une leçon maternelle qui m'a appris que, dans un différend, c'est le plus futé des deux qui cède, j'ai, plus souvent qu'à mon tour, abdiqué à seule fin de me prouver que j'avais quand même un minimum de sagesse. J'abandonnais ma tranquillité d'esprit à cette philosophie d'un vieux fermier qui, avec l'aisance de qui a fini par comprendre, déplorait que, dans l'épreuve, la majorité des gens ne puisse se convaincre que «tout finit par s'arranger». Les sentences et les maximes étant plus faciles à comprendre qu'à accepter, je renonçais à ces arguties par avance normalisées, telle cette vue que nous avions des putes.

Pour l'instant, c'était le calme plat et je m'en satisfaisais. J'appris beaucoup plus tard que, n'ayant pas trouvé chaussure à son pied au royaume des péripatéticiennes, Thériault était allé chercher ailleurs de quoi meubler ses temps libres. Mais cet ailleurs s'avérerait des plus conséquents.

Je n'ai pas compris sur-le-champ cette indifférence marquée dans l'accueil qui me fut réservé lorsque je me présentai chez Grasset pour y faire preuve de savoir-vivre. Aucun des directeurs de la boîte n'était là. Dans cette salle d'attente qui m'avait été si chaleureuse quelques jours plus tôt, seule une téléphoniste trônait face à un standard sur lequel elle semblait s'amuser à brancher et à débrancher des fils en répétant sans cesse «Allô, j'écoute» sans égard à ma présence, comme si on lui avait donné l'ordre de ne pas s'occuper de ma venue.

D'un coup, ce silence qu'on eût dit orchestré raviva mon allergie aux antichambres. (C'est comme si, pour moi, elles n'avaient toutes d'autre fonction que de me faire me triturer les méninges pour comprendre ce qui les prive de toute ambiance.) Peu disposé à livrer en plein jour une autre bataille nocturne, je tournai les talons pour me jeter sur la première chaise du premier bistro venu et suivre le conseil de qui l'on sait pour me commander un «petit remontant» et me poser l'inéluctable question: qu'est-ce qui avait bien pu se passer pour que ces messieurs à qui je venais de céder les droits d'édition d'un livre qui, à coup sûr, serait un best-seller, se retirent sous leur tente et s'abritent derrière le paravent de l'indifférence?

Je n'arrivais pas à comprendre ce changement d'humeur, qu'à prime abord on eût pu imputer à l'arrogance de l'auteur pour le qualifier de «persona non grata». Ce ne devait pourtant pas être le premier écrivain à leur en faire voir, tellement il est acquis que le succès d'un livre n'est dû qu'à l'auteur et l'échec à l'éditeur. J'ai préféré, à une nouvelle démarche cérébrale, trancher la question par une problématique mésentente sur l'heure et le jour d'une ultime rencontre. Ou alors, puisque la téléphoniste n'avait même pas daigné lever les yeux sur moi, supposer qu'il s'était passé quelque chose d'autre pour que tout l'état-major quitte la baraque. Mais quoi?

Au cachet d'aspirine qui se pointait, j'ai préféré l'offre du garçon de table de «remettre ça» et je cherchai dans la lecture d'un journal du matin le dérivatif dont j'avais besoin pour accuser ce coup d'assommoir. De toute façon, le temps ne valsait pas pour moi. Des heures, il m'en restait très peu à vivre ici. Déjà, demain, ce serait le retour au bercail, où m'attendraient suffisamment de tracasseries pour qu'au moins je laisse sur place celles qui avaient pris racine ici. Je me devrais de programmer ma fin d'année, de planifier mes livres du mois, de donner une place d'honneur à *La Clope* d'Hervé Bazin, ce cadeau du ciel qu'il m'avait fait «en primeur et en exclusivité», lui qui avait tous les éditeurs de Paris à ses pieds et qui savait pertinemment que ce livre, à tous points de vue, lui rapporterait vingt fois moins chez nous que chez lui. J'ai voulu comprendre que c'était sa façon à lui de rendre hommage à l'édition canadienne, comme ce sera plus tard sa fierté de nommer Roger Lemelin membre honoraire de l'Académie Goncourt, me laissant entendre qu'un jour ce serait mon tour. Mais mon destin ne lui permettra pas de donner suite à son projet, puisque, ce jour venu, je ne serai plus dans la course. Je me suis consolé à prendre l'intention pour le fait. Je n'aurai en retour qu'un regret : de n'avoir pu offrir à Bazin la tempête de neige qu'il aurait tant aimé vivre. Chaque fois qu'il est venu, le temps n'a pas voulu se faire complice.

À mon retour à l'hôtel, un message de Bazin m'attendait : bon voyage de retour, amitiés aux copains du Québec ; pour Thériault, rien. De là à conclure que ce n'était pas le personnel de chez Grasset (encore qu'il fût en cause, cela aussi je l'apprendrai plus tard) qui avait semé l'embrouille mais mon écrivain de malheur, il n'y avait qu'un pas. Pourquoi s'en prendre à la bête quand c'est la carriole qui grince ?

De ma chambre, j'entendis Thériault siffloter un air à la mode dont je lui retournai le refrain. Ce me fut un baume de le savoir gai pinson ; cela signifiait qu'il avait gagné son pari, que tout était bien qui finissait bien. C'était, de sa part, de l'inconscience à l'état pur, ou, de la mienne, une dose massive de naïveté, allez savoir. Oublions pour l'instant les ombres, ne regardons que le tableau. Dans quelques jours, *Agaguk* serait dans les vitrines de toutes les librairies de la France, et il ne nous resterait qu'à suivre son destin à travers l'Argus[1].

* * *

Paris a toujours été pour moi, quelque temps que j'y passe, l'une des rares villes à me faire regretter de n'avoir pu y rester un jour ou deux de plus. Ce temps voué à la cause d'*Agaguk* écopa du même sort. En remballant mes choses ce dernier soir, je pensais davantage à ce que je laissais derrière moi qu'à ce que cette épopée avait de promesses pour l'avenir. Paris m'était devenue une maîtresse que je retrouvais toujours plus accueillante d'une fois à l'autre et qui, quelque profit que j'en tire, n'arrivait pas à me rassa-

---

1. Publication qui, en l'absence des intéressés, s'occupe de leur donner l'heure juste.

sier. Je n'ai pas mémoire de l'avoir quittée las. Cette fois-ci m'était encore plus difficile à quantifier, du fait que j'avais très peu profité des loisirs qu'habituellement Paris m'offrait. Ni le cinéma ni le théâtre (encore moins les musées) ne m'avaient sollicité. Ça ne m'intéressait tout simplement pas d'y aller seul. Je n'aurais eu personne – alors qu'habituellement ça ne me manquait pas – avec qui partager mes émotions, discuter du dernier acte. Il m'avait semblé qu'aucun spectacle n'avait d'intérêt, toute joie étant annihilée à simplement ne pouvoir y associer quiconque. Il m'apparaissait aussi (mes «j'aurais dû» reprenaient vie) que j'aurais pu reconduire Thériault à Orly et revenir à Paris pour y retrouver une MariJo en attente, fraîche et dispose, car je savais – c'est un état d'esprit qui se sent et n'a pas besoin d'être exprimé – que c'était l'heure qu'elle attendait.

J'avais passé l'après-midi avec elle en tête, étant allé au Petit Trianon pour lui confectionner un herbier fait de plantes que je ne connaissais pas mais qu'elle saurait certainement sérier. Y verrait-elle que, malgré le boulot à abattre, j'avais trouvé le temps de tenir ma promesse? J'espérais secrètement qu'elle aurait autant de plaisir à le recevoir que j'en avais eu à en assembler les ramures. Ce ne serait peut-être pour elle que de vulgaires feuilles à faire sécher, mais elles auraient eu, un temps, l'odeur de Paris, de ce Paris que j'avais promis de lui faire connaître un jour. Et, cette fois, à moins que le ciel ne me tombe sur la tête, ce serait *April in Paris* ou alors en mai, le mois du muguet. À ta guise, MariJo.

* * *

De retour au pays, Thériault gardait par-devers lui une exubérance qui n'avait d'égale que ma morosité. Il avait, innée en lui, une aptitude à se satisfaire d'avoir échappé au pire (son agent de voyages pouvait se leurrer, il trouverait bien un moyen de lui river son clou), alors que je m'inquiétais de l'attitude de Grasset. Pourquoi, après m'avoir reçu avec autant d'enthousiasme, me refuser un dernier coup de chapeau?

Il nous fallait bien, malgré tout, nous libérer de l'imagerie de Paris. Thériault, pour sa part, face à cet impératif, s'accrochait à son prochain roman, alors que j'étais toujours arqué sur le désir d'élucider l'attitude pour le moins incompréhensible des pères de la confédération Grasset, Thériault étant bien, et de loin, celui qui aurait pu éclaircir le mystère. Quand on ment comme on respire, mieux vaut laisser s'essouffler la bête. D'où ces longs silences qui furent notre lot après l'effervescence des premiers jours.

*Agaguk* restait ma bête de somme alors que Thériault n'y pensait plus. Si, chez nous, ce livre ne marchait pas, il ne faudrait pas s'en étonner, ce serait dans les normes; mais s'il stagnait à Paris, mes carottes étaient cuites et c'était la fin des haricots. À manches retroussées, à violence vaincue, ajouter l'espoir que les Parisiens s'engouent pour *Agaguk*, car c'étaient eux qui faisaient déferler les romans sur le monde. On aurait peut-être pu leur dire que *La Quête*, très tôt, viendrait prendre la relève, que Christiane Rochefort pouvait se rhabiller, son «guerrier» se reposer, mais, dans la mesure où il ne faut pas vendre la peau de l'ours avant de l'avoir tué, il ne fallait pas non plus demander au temps de couler plus vite que l'eau sous les ponts.

Je me devais d'espérer pour l'instant que *La Quête* ne m'apporterait pas les arrêts dans le temps qu'avait subis la rédaction d'*Agaguk*. Assuré d'un gain pour les prochains mois, l'auteur n'aurait pas, cette fois, à ruer dans les brancards. La seule divergence que nous ayons eue à ce jour avait été dans l'énoncé du titre. J'aurais préféré que l'uteur intitule son roman simplement *La Quête*, parce qu'à mon avis c'était plus énigmatique et, par déformation professionnelle sans doute, plus commercial. Le public serait peut-être plus enclin à aller voir de quelle quête il s'agissait, alors qu'en ajoutant «de l'ourse» l'auteur dévoilait à son lecteur le fin fond de l'histoire. Enfin, quand ce roman serait terminé, que Michelle l'aurait élagué, qu'elle en aurait inverti certains chapitres, que, selon son habitude, elle y aurait mis sa griffe, je m'inclinerais si elle décidait de laisser intact ce titre révélateur.

Pour la première fois depuis *La Fille laide* – un temps qui me semblait immémorial –, je sentais l'auteur aussi sûr de lui et surtout aussi convaincu que le succès dont il n'avait jamais compris les caprices lui tînt lieu cette fois de carburant. S'il était une situation dans laquelle j'aimais le voir «suffisant», c'était bien celle-là. Ce n'était plus d'une ourse qu'il était en quête, mais d'une place au soleil.

La crainte qui me lancinait était qu'un curé quelque part, le père Gay, c.s.s.p., entre autres (drôle de nom pour un curé), ne termine, selon son habitude, une élogieuse critique par une restriction (dommage, cette tendance qu'il avait de toujours y mettre un «mais», car il était érudit) émanant de la rage avec laquelle, aux premiers jours de leur vie nomade, Agaguk se déchaîne sur une Iriook passive, voyant le début d'une ère de femmes battues.

Délaissant ce qui n'était peut-être dans mon esprit qu'une hypothétique attitude du père Paul Gay et de ses acolytes (quelque peu méfiant à cause des attaques dont j'avais été la cible dans le passé et pour beaucoup moins que ça), je préférais me repaître d'un silence prolongé, car si d'aventure personne ne soulignait l'éventuel impact de cette œuvre, ce serait peut-être que, en fin de compte, nous aurions gagné quelque chose.

Malgré une différence marquée dans nos façons de cheminer, j'éprouvais une certaine aisance, face à ce tournant de nos vies, à pardonner à Yves ses écarts, car nous avions subi, à quelques variantes près, les mêmes frustrations. La nuance était dans la façon que nous avions d'encaisser les coups. Dix années dans la mouise, c'est long à n'en pas souhaiter la pareille à son pire ennemi.

J'ai voulu tirer un trait sur ce passé trouble au cours duquel on perdait un temps précieux à envier ceux que l'on présumait avoir le succès facile. J'ai repris mon boulot en me rappelant ironiquement avoir un jour, au temps de ma jeunesse, envié Charles Lindbergh pour avoir conquis le monde en trente-trois heures et demie. On ne saurait être idéaliste sans une certaine dose de naïveté. Malgré tout, je n'étais pas dupe du destin et, conscient qu'il me restait encore bien des croûtes à manger, je me méfiais de ses mauvais coups.

Pourtant, tout se déroulait tel que prévu. Yves m'expédiait, à son rythme, un ou deux chapitres de *La Quête*, encore que j'aie pu détecter ceux qu'il saturait, mais cela avait été convenu pour lui permettre cinquante ou soixante pages pour lesquelles il avait besoin d'être payé. Je ne m'en inquiétais pas trop, sachant qu'en bout de ligne c'est Michelle qui aurait le dernier mot. Elle n'hésiterait pas à faire sauter les pages qu' Yves n'aurait écrites que pour le pognon. D'accord pour le principe, parce qu'il avait du bon pour son homme, mais pour l'œuvre, pas question de se prostituer.

Pour permissif que pouvait être, pour l'auteur, ce compromis d'être payé à la page, il lui faudrait bien un jour mettre fin à sa quête et m'en expédier le dernier chapitre, puisque «ce que son héros avait à faire il l'avait fait, sans armes, mains nues comme le dictait son devoir d'homme, parce que c'était ainsi que devait se terminer la quête, et qu'il n'en pouvait être autrement pour qu'on puisse, selon ses croyances à elle, accomplir les derniers rites».

Il ne me resterait qu'à attendre les corrections qu'y apporterait Michelle, une mise au point et au propre, selon son expression. Je me souviens de lui avoir dit que rien ne pressait, qu'elle pouvait s'y consacrer à temps perdu; *Agaguk* étant toujours dans la course, il n'eût pas été de bon aloi de mettre *La Quête* en compétition.

Avec ce professionnalisme que je lui connaissais, je savais que ces quelque quatre cent cinquante pages ne lui seraient pas une sinécure, et qu'il lui faudrait, tout en respectant la manière de l'auteur, en parfaire l'ensemble, encore que, pour les impropriétés de termes, elle n'aurait pas à intervenir, Yves ayant ce don inné du mot juste, mais, pour la syntaxe et la grammaire, elle devrait être vigilante et avoir un œil de lynx pour ces fautes «bêtes» que l'on fait quand la plume se veut plus vive que l'esprit.

Et tout ça dans un fouillis où une mère poule ne reconnaîtrait pas ses petits.

# XIX

C'est aux premiers jours de l'an neuf que mes inquiétudes ont pris la forme d'une obsession. Aucune nouvelle de Paris, même pas une carte de bons vœux, et rien non plus du côté de l'Argus. Entre une fin d'année et le début d'une autre, il peut se passer quelques heures ou quelques mois – c'est toujours selon –, mais, pour moi, ça me semblait maintenant faire un siècle que j'avais laissé là-bas *Agaguk*, assurément entre bonnes mains, du moins les plus aptes à l'aider dans ses premiers pas.

Je ne l'avais pas laissé aux portes d'une église, à la merci d'une âme charitable, aux caprices des mauvais vents d'automne, ni jeté au courant des rigoles gonflées par les pluies. Je voulais si peu en faire un Canadien errant que je l'avais fait baptiser au champagne comme on le fait pour les navires de prix, et, de surcroît, sous la férule d'un joueur de pétanque qui, pour le lancer de sa boule, avait l'adresse qu'il fallait pour faire sortir les autres du jeu.

Pourquoi traînait-elle la patte, cette bête que j'avais dressée pour être en tête du peloton ? Et, pour retourner le fer dans la plaie, c'est, *Le Repos du guerrier* de Christiane Rochefort qui était partout en tête du palmarès. *Agaguk* n'apparaissait même pas parmi les dix premiers. Qu'on l'ignorât dans le journal *La Croix*, je le comprenais, mais dans *Le Figaro*, *Nouvelles littéraires* et *L'Express*, le silence ne s'expliquait pas. Je ne m'attendais pas non plus à le voir entrer dans la course des prix (sa parution étant trop récente, les jeux n'avaient pu se faire), mais, en pur-sang qu'il était, j'avais espéré le voir partir au galop, alors qu'on n'en parlait même pas comme d'un cheval de trait. La seule place qu'on lui ait accordée fut dans la liste des parutions de l'automne. C'était d'une désolation de veillée funèbre, à vous donner l'envie d'engager des pleureuses.

Des soucis que je me faisais, aucun écho de l'auteur. On eût dit que Thériault acceptait son sort tel un joueur qui ne se soucie guère de perdre sa mise, fort d'un magot qu'il possède en réserve. Je m'étonnais davantage de son silence que de celui de Jean-Jacques Servan-Schreiber ou de Françoise Giroud, qui encensaient Christiane Rochefort à qui mieux mieux. *Agaguk*, après trois mois sur le marché, aurait pourtant dû provoquer des réactions, bonnes ou mitigées.

Comme j'étais habitué aux controverses, cette accalmie dans nos relations auteur-éditeur me laissait tout drôle. Ce pouvait aussi être le résultat d'une réciproque assurance du devoir accompli ; de n'avoir, à prime abord, rien à se reprocher l'un à l'autre. Nous n'allions tout de même pas nous secouer mutuellement les puces sans raison valable. Chacun étant convaincu d'avoir donné sa mesure, peut-être nous fallait-il admettre n'être à la merci que de Paris.

Ainsi donc, ma relation avec les Thériault était au beau fixe. Ils venaient à Québec à l'occasion, je leur rendais visite à Montréal, nous nous téléphonions, nous nous écrivions sans vraiment avoir de choses sérieuses à discuter ; nous parlions de la pluie et du beau temps, quoi. La pluie, pour moi, c'était *La Quête de l'ourse*, dont le titre me tracassait. L'auteur y tenait, mais je ne le lui céderais que Michelle n'ait tranché. Pour l'instant, elle n'avait pas d'opinion, n'ayant pas eu le temps d'en retaper le texte. Tout cela avait la fadeur d'un film raté.

Après avoir connu une telle effervescence tout au long de la rédaction d'*Agaguk*, si peu de hauts pour tant de bas, tant de remises en question, voilà que s'amenait un mauvais esprit que même le génie inventif de l'auteur n'eût pu voir venir. Il s'était installé entre nous sans que je sache quel nom lui donner : désolation, ennui, lassitude. Ce visiteur impromptu était mené à la baguette par Michelle. Car c'est d'elle que venait cette impression de soudaine apathie. *La Quête*, avec ou sans ourse, semblait lui être devenue une pièce trop lourde à porter dans la charge que jusqu'ici elle partageait avec nous. Le couple qu'ils formaient était-il en voie de se disloquer? Mon niveau de psychologie n'aurait su en ce domaine les rejoindre. Je me sentais d'une lamentable impuissance et je crois bien que c'est là que je réalisai qu'il me fallait une dernière fois tenter de secouer les pommiers plantés outre-mer .

Je n'arrivais pas à croire que Paris, qui, de par son tempérament latin, s'enflammait pour un rien, fût à ce point apathique. Désespérément, je voulais accorder à nos cousins d'outre-Atlantique une dose de jugement supérieure à celle du rejet. Il eût dû être largement suffisant que ce roman leur vienne du Canada pour qu'ils y jettent un coup d'œil, eux d'instinct si fouineux. Il devait bien y avoir à Paris quelqu'un d'assez curieux pour ouvrir ce livre (à quelque page qu'il le fasse, il ne saurait que s'y laisser prendre), pour en parler à son voisin, qui en parlerait à sa voisine – ce n'était pourtant pas si compliqué –, et alors, même si les opinions étaient partagées, je serais le premier à m'en réjouir, car souvent, en ce domaine, le succès naît de la controverse.

*Agaguk* avait tout pour la susciter. Il suffirait qu'un chauffeur de taxi se dispute au sujet d'Iriook avec une passagère pour que tout Paris s'enflammât. À la France qui croyait encore notre pays peuplé d'Amérindiens, de sauvages à plumes, Thériault apportait le récit d'une civilisation méconnue à l'état brut et en voie d'extinction mais qui avait été.

Ou bien ils étaient chauvins, ou bien ils n'avaient pour nous de tapes dans le dos que lorsque nous débarquions en Normandie... On ne refait pas l'histoire. Je rageais. Et je me disais qu'entre un «guerrier» qui démissionne et un Esquimau qui lutte pour sa survie, il faudrait quand même avoir la décence de faire la part des choses. Ainsi donc, avant que de m'informer chez Grasset de ce qui n'allait pas, j'allais lire le livre de la Rochefort pour voir de quoi il retournait. Je regrettais presque de ne pas m'en être fait dédicacer un exemplaire alors que j'étais tout près.

Écrire chez Grasset pour, peut-être, me faire raconter des histoires, ça ne me tentait guère. Au risque de tirer le sort d'*Agaguk* à la courte paille, il me fallait une fois pour toutes trancher ce nœud gordien si je ne voulais pas devenir maboul. J'avais trop misé sur cet écrivain et sur ce livre pour abandonner la partie. Je n'avais pas, autant que Thériault, le pouvoir ni surtout l'envie de repartir à zéro.

Le seul qui pouvait me donner l'heure juste, c'était Hervé Bazin. Je savais qu'il ne tournerait pas autour du pot. Avec lui, il n'y aurait pas de quartier, je saurais l'envers et l'endroit. Un voyage Québec-Montréal-Paris-Montréal-Québec pouvait se faire en quarante-huit heures. Sans le dire à personne, ni aux Thériault ni à MariJo, même si elle l'eût compris, je décidai de prendre le taureau par les cornes.

Hervé me reçut avec sa chaleur habituelle et, me prenant par l'épaule en marchant vers son bureau, il me dit, d'entrée de jeu, de ne pas chercher midi à quatorze heures, que le sort du roman *Agaguk* avait été scellé dès le départ par l'attitude même de son auteur. Il m'expliqua que Thériault n'avait cessé, durant le peu de temps qu'il avait passé chez Grasset, de draguer toutes celles qu'il avait croisées sur son chemin. «Ce gars-là a fait plus d'approches en huit heures que nous ne pourrions en faire en vingt-quatre, toi et moi. Le malheur, c'est qu'il ne sait pas choisir ses proies, et cela m'étonne d'autant plus qu'il a le don de "saisir" les personnages de ses romans.»

Estomaqué, on l'eût été à moins. J'appris, en détail, la tumultueuse «quête» de l'auteur auprès de la gent féminine, du premier au dernier échelon de l'entreprise. De la mignonne téléphoniste à l'austère préposée aux ventes, les mains baladeuses de Thériault s'étaient promenées sans vergogne. La haute direction de la maison avait dû prendre en considération ce concert unanime de plaintes justifiées, en apprenant qu'il n'était pas de jupe qu'il n'ait tenté de trousser. Et comme tout est dans la manière, s'il ne s'en était pris qu'à l'une, le mal eût été probablement passé sous silence, mais qu'ils les ait sondées toutes, sans les avoir au préalable jaugées, parce que, pressé par le temps, il lui fallait aller droit au but, suscita chez les filles une solidarité qui se retourna contre lui; la direction jugea qu'il était vraiment allé trop loin.

Hervé parlait d'abondance sans pour autant lapider Thériault; il cherchait seulement à me faire comprendre ce que j'arrivais difficilement à concevoir. Poussées au pied du mur, les plus jeunes avaient su esquiver les coups avec élégance et même en rire, ce qui ne l'avait pas fait abdiquer pour autant. Sous prétexte qu'il voulait connaître les rouages de l'organisation, il avait demandé à visiter les différents départements, de l'emballage à l'expédition, profitant de chaque occasion pour en frôler une, serrer l'autre de près, toujours de l'air de ne pas y toucher (mais les filles n'étaient pas dupes), jusqu'au moment où il avait rencontré la préposée aux ventes, l'aînée de toutes, et c'est là que les choses s'étaient gâtées.

Aux commandes trônait la plus ancienne de la maison, d'origine anglaise, sans âge défini, quelque peu collet monté, gardant par-devers elle un relent d'éducation victorienne et des principes qui n'avaient d'égal que le serment qu'elle s'était fait un jour, à la suite d'un dépit amoureux; s'il en était une à laquelle il ne fallait pas s'attaquer, c'était bien elle. Une allusion eût suffi pour l'offusquer. Tout fruste que fût Thériault en matière d'approche, elle sentait d'instinct l'intention. Prémunie contre ces manœuvres, elle lui aurait déroulé le tapis rouge et aurait attendu qu'il s'y pose pour lui faire glisser les pieds dessus.

Dès lors, elle s'était juré de boycotter le livre de cet énergumène, y entraînant ses consœurs, des téléphonistes aux préposées aux commandes. Il y avait eu des oublis – des notes non signées, des mises de côté sans suivi –, à se demander si les envois d'office, tant aux journalistes qu'aux libraires, avaient été faits.

Bazin ne m'a rien épargné de sa vision du déroulement des événements, un enchaînement de causes et d'effets que la haute direction pouvait difficilement départager, les anges et les archanges ayant juré en leur âme et conscience qu'ils avaient accompli leur tâche. La solidarité laisse rarement une marge à l'erreur. Bazin me dressa ce bilan tel qu'il devait être fait, sans en atténuer l'impact ni en exagérer le propos. À qui veut connaître la vérité, on ne raconte pas ce qu'il aimerait entendre, mais ce qui est.

Mon voyage éclair se termina sur cette mauvaise note. J'étais venu y chercher l'heure juste, on me l'avait donnée, j'étais servi. Alors seulement, j'ai compris le peu d'empressement qu'on avait eu à me recevoir, cet autre matin. Je regrettais aussi qu'on ait pu, un instant, me mettre dans le même bateau. Mon taux d'adrénaline, d'un coup, chuta de plusieurs degrés; je ne me sentais pas la force de relever ce nouveau défi, de reprendre le collier. Ce coup du sort que m'envoyait Thériault par contumace, je ne pouvais tout simplement pas l'encaisser. Dans l'urne de mes tolérances, c'était la goutte d'eau de trop. Le seuil était atteint; «la mer y serait passée sans effacer la souillure, car la tache était au fond.»

J'éprouvai une certaine nausée à faire ce constat, mais, pour une fois, je ne me retrouvais pas en lutte avec mes démons. Le sel de ma vie s'était affadi; j'acceptais de ne jamais retrouver ce feu sacré qui m'avait animé. Mon cœur se mit à battre la chamade, je le sentais ballotter, s'arrêter, repartir; je baissai les bras: j'abandonnais la partie, je rendais les armes.

De retour au pays, le malheur qui manque de courage pour s'amener seul m'annonça que Michelle, pour des raisons autres que les miennes, se désistait. Elle refusait d'aller plus avant, de corriger *La Quête de l'ourse*. Je n'aurais su l'en blâmer. De fil en aiguille, mes rencontres avec les Thériault, antérieurement si pleines de chaleur, étaient devenues toutes diplomatiques et banalement faites de «Comment ça va?». Tout juste assez suivies pour que je me rende compte que, lentement, leurs relations se détérioraient. J'avais maintes fois réussi à raccorder leurs violons, mais, cette fois, je ne me sentais même pas le courage d'une dernière tentative. Manifestement, ils faisaient partie de mon monde qui s'écroulait.

Lentement, pour ne pas offusquer et réveiller en elles leurs plus bas instincts, j'ai repris mes misères là où je les avais laissées. J'ai pris le manuscrit de *La Quête*, j'en ai fait un ballot, l'ai solidement ficelé et porté au grenier de mes acquis, pour me rendre compte que le labeur ne suffit pas toujours, qu'il a souvent besoin d'être épaulé par la chance. Mais la chance est aveugle, elle frappe sans discernement, et ceux qu'elle accroche au passage, le plus souvent, elle ne les connaît pas. Mieux valait m'en remettre au destin, comme pour tout le reste. Mon erreur aura été de me tromper à répétition, d'avoir constamment frappé sur le même clou, qu'il s'enfonce. À l'inverse, Thériault était prêt à abandonner *Agaguk* à son sort pour miser sur *La Quête*. C'était, à mon sens, «déshabiller saint Pierre pour habiller saint Paul».

C'est pourtant dans cette optique que je me suis construit, boulon par boulon, un simulacre de téléphérique pour atteindre

*Antoine et sa montagne*[1], à la différence que je n'avais pas, comme Zorba le Grec, la sagesse d'en accepter l'éventuel effondrement, ni, comme lui, un je-m'en-foutisme de bon aloi pour m'écrier: «Quel magnifique désastre!» Il n'est que les Grecs pour voir de la splendeur dans la décadence; qu'un Alexis Zorba pour en tirer une musique sur laquelle faire danser les siens.

Et, dans cette ronde qui emportait mes rêves, j'ai regretté un temps de n'avoir pas suivi Thériault dans sa balade le long de la Seine. J'aurais pu profiter d'un temps d'arrêt pour lui donner un croc-en-jambe, le forçant ainsi à sauter dans la Seine, qu'il s'y noie, lui qui ne savait nager qu'en eau trouble.

Après tout, «on achève bien les chevaux».

1. Titre original de *La Quête de l'ourse*.

# XX

Pour combler les espérances que fondait mon père pour mon avenir, j'aurais dû me faire manœuvre ; ce qui, dans son esprit, signifiait apprendre un métier, de préférence celui de maçon. « À poser une brique ou une pierre par-dessus l'autre, tu finis par construire ta maison. Après quoi tu construis celles des autres. Ainsi, tu ne manqueras jamais de travail, parce qu'il y aura toujours des maisons à bâtir. »

Ce qu'il y a de chimérique dans ce genre de conseils, c'est qu'on les reçoit toujours à un moment de sa vie où justement on aimerait faire autre chose, sans trop savoir quoi. À tant chercher, à cette époque de mon adolescence, je n'avais réussi qu'à conclure : « Ou tu laves la vaisselle, ou tu manges dedans. » Ma première expérience de ce genre, avec M. Amyot, je l'ai gardée longtemps dans la gorge. Quant aux briques ou aux pierres, décidément, je ne me sentais pas d'attrait pour les cailloux, de quelque nature qu'ils soient.

J'ai préféré suivre un penchant que l'oisiveté forcée d'une jeunesse ratée m'avait permis de développer, un penchant si fort que je n'ai même pas cherché à savoir s'il était héréditaire. J'aurais d'ailleurs fouillé longtemps pour me coller une ascendance, mon arrière-grand-père ayant été contrebandier le temps de passer aux douanes et de se faire prendre dès sa première aventure. De ce que m'offrait la vie à l'heure du choix, j'aurais peut-être mieux fait d'accepter d'être cantonnier ou marchand de légumes ; je ne me serais sans doute pas retrouvé sur une civière, au service d'urgence d'un hôpital, entouré d'infirmières et d'assistantes pressées de prendre mon poulx, ma tension artérielle et vasculaire, de me glisser des «nitros» sous la langue, de m'ausculter, de m'injecter du sérum, pendant que la garde Gélinas (j'ai su son nom et sa fonction de garde en chef parce que chacune l'interpellait à tour de rôle) arrivait en trombe pour tout vérifier, s'informer, sanctionner, humectant mes lèvres et épongeant mon front couvert de sueur, alors que, dans mon for intérieur, les feux de l'enfer s'en donnaient à cœur joie.

La garde Gélinas me questionnait sur les malaises éprouvés, ceux qui persistaient comme ceux qui s'étaient atténués, car j'en avais si peu éprouvé de chroniques que je me sentais déjà mieux à seulement croire ma dernière heure venue, le paradoxe étant que je n'éprouvais ni angoisse, ni haine, ni rancœur, ni regret.

Puis, quand la garde Gélinas eut décidé que tout était sous contrôle, elle résolut que le temps était venu de faire venir l'aumônier. Elle insista malgré mon refus, car, disait-elle, «c'est son rôle, il est là pour ça». Ses consœurs se mirent de la partie en me conseillant de ne pas me fatiguer, prenant à tour de rôle la parole à seule fin, jc l'ai su plus tard, de me tenir éveillé le temps qu'arrive l'aumônier.

C'était une tâche qu'en titre elles se devaient d'accomplir, comptables aussi bien des âmes que des corps. Je ne savais que leur répondre; je voulais bien leur confier ma carcasse (de fait, je me sentais de mieux en mieux entre leurs mains), mais, pour mon âme, j'avais un tout autre arrêté que celui de rendre des comptes qui n'auraient pu que me compliquer une existence qui, d'après les soins qu'on lui prodiguait, ne semblait tenir qu'à un fil. Pour tout dire, je ne me sentais pas non plus une âme de Panisse ni n'avais de motifs pour jouer au repenti. La mort, je la prenais trop au sérieux pour en rire: ne meurt pas bouffon qui veut.

Pour ce côté abstrait des choses, je préférais attendre ma comparution devant l'Éternel. J'étais sur ce point on ne peut plus tranquille d'esprit; si Dieu existait, j'aurais amplement de quoi entretenir la conversation; dans le cas contraire, *finita la commedia*. À quoi bon recevoir les derniers sacrements quand on n'a pas encore digéré les premiers?

Et si, après nous être bien expliqués, et parce que ma vie n'avait été qu'à demi vécue, Dieu m'en offrait une deuxième, je lui demanderais de me faire renaître le plus tôt possible parce que je voulais vivre cette révolution que je sentais venir et qui ne pourrait être que paisible, parce que faite de plus de dissidence que d'agressivité, dans un éveil collectif mais sans concertation, chacun se battant pour soi, dans la même ligne de pensée et contre les mêmes âneries, sans chef de file ni tribunal d'arrêt. Ce serait peut-être le siècle qui prouverait que l'on pouvait vivre avec la «comédie humaine» sans entraves, ni Inquisition, ni jansénisme, et qu'on pouvait chasser les sorcières sans effusion de sang ni contraintes de corps. Ce serait la victoire du libre arbitre sur une doctrine de négativisme et d'interdits, avec, cela va de soi, un prix à payer qui ferait abuser certains d'une émancipation parce qu'ils n'en auraient pas connu le prix; après tout, on ne fait pas de routes sans atrophier la forêt.

Je m'abandonnais aux garde-malades qui me bichonnaient à qui mieux mieux. Pendant que l'une vérifiait mon pouls, l'autre me «stéthoscopait» sur écran tandis que la garde Gélinas, qui attendait toujours «son» aumônier, jouait du microscope dans ma vision binoculaire comme si, d'un coup, mon talon d'Achille était là et qu'elle y décelait deux façons de voir les choses.

Dieu! qu'il est agréable de réaliser que l'on est en train de mourir doucement, sans heurt, heureux que tout finisse ainsi dans la suprême consolation de laisser plus de choses devant soi que derrière! Et si partir ce n'est rien d'autre, je voudrais que mon agonie dure une éternité. Ça éviterait un futile retour aux sources pendant que votre mal de vivre est en perte de vitesse.

«Vous m'avez fait venir, mon fils?»

Quel est ce trouble-fête qui vient rompre le charme, d'une voix qui se veut doucereuse mais que d'expérience je sais affectée? Ne pourrait-on pas me laisser mourir avant que de m'inhumer?

En ouvrant les yeux, je flairai plus que ne vis l'aumônier que la garde Gélinas avait réquisitionné pour sauver mon âme in extremis. Sa mission accomplie, elle s'est retirée, suivie de ses consœurs, tels des canards à la file, pour me laisser seul avec mon soluté, branché. Tout cela sans doute faisait partie du jeu, mais les sangles? Pourquoi des sangles? Avait-elle vu sous mes paupières un regard épileptiforme? Ma parole, c'était mal me connaître et tirer une conclusion par trop sommaire. Si la loi du talion a été édictée, ce doit être qu'un jour, quelque part, quelqu'un a subi un préjudice qui l'a justifiée.

Il ne pouvait m'être offert, en ce moment, de plus étrange paradoxe que ce jeune aumônier qui aurait un jour à payer pour les autres. Je ressentais davantage de la pitié qu'un besoin de l'accabler, sachant qu'il n'aurait rien d'autre à m'offrir qu'un aller simple, comme si, mort, on pouvait encore ruer dans les brancards. Il restait là, pantois, habitué sans doute à la pathologique apathie des voyageurs en partance pour l'éternité, surveillant ce moment de lucidité que j'aurais pour lui répondre, sans doute surpris de la mauvaise volonté que j'y mettais. Il ne savait pas, pauvre de lui, que j'avais été le «mon fils» de plusieurs curés, de ma période d'enfant de chœur à celle plus libérée d'un relatif contrôle de ma psyché. Je n'ai donc eu ni à me faire violence ni à m'avilir pour lui dire simplement: «Mais non, monsieur l'abbé. C'est la garde Gélinas qui a insisté malgré mon refus.»

Pauvre petit curé à qui j'aurais pu en apprendre plus qu'il n'aurait pu m'en enseigner. Je me culpabilisais presque de le rendre comptable de la rancœur que j'éprouvais pour ses pairs. Mais il les rejoignit avant même que j'aie eu le temps de le cataloguer, car j'avais cet instinct qu'ont certains animaux pour flairer le danger. J'avais appris à me méfier, ne fût-ce que pour me soustraire aux bigots usages qui voulaient qu'on ait plus de déférence pour qui portait soutane que pour «l'homme au complet gris».

De plus, j'avais ce don de rarement me tromper pour distinguer un érudit d'un illettré. Ce talent, sans doute parce que confronté à la méfiance, m'était plus raffiné face à un pasteur. Je pouvais très tôt lui décerner un plus ou un moins... et c'était sans appel. Ainsi donc, ce jeune aumônier que la garde Gélinas m'imposait, réalisant mon peu d'empressement à embarquer dans son bateau, me jeta d'un ton sec: «Alors, mon fils, vous me dérangez en pleine nuit pour me dire que vous n'avez pas besoin de moi?»

D'un coup, il venait d'embarquer dans le clan des moins et de perdre une belle occasion de se taire, de me prouver qu'il n'était pas comme les autres ou que, héritier d'une tare, il pouvait en atténuer les néfastes effets. J'en ai connu. Peu, mais j'en ai connu. À la place, il me confirmait qu'il nous faudrait attendre une autre génération pour que les relents de jansénisme qui couvaient encore sous la cendre du «crois ou meurs» soient choses du passé.

Je venais tout juste d'apprendre que la nitroglycérine avait pour le cœur la puissance de la dynamite, mais ce détonateur n'était rien comparé à ce coup de sang que la réplique de ce curé en herbe déclencha en moi. C'était une fois de plus (une fois de trop!) la maudite goutte d'eau qui faisait déborder ma gourde pourtant bien bouchée depuis un certain temps, tellement j'avais eu d'autres chats à fouetter. Et puis, fragile béatitude, il me semblait que depuis peu les curés gueulaient de moins en moins fort, comme si l'on réalisait qu'un consensus était enclenché et qu'on ne pouvait plus le contrer. Tout au plus en tempérer les incidences; sauver ce qui pouvait l'être.

Je n'ai pas voulu engager avec ce nouveau curé une polémique que mon état d'esprit aurait pu supporter mais que ma carcasse, elle... Il ne fallait pas la mettre au défi; je venais tout juste de soupçonner ce qui m'arrivait. Les soins dont on m'entourait étaient de ceux dont on use pour retenir un patient au bord du précipice. Et si je m'étais juré de mourir *with my boots on*, je voulais qu'il sache, ce curé, ceci:

«À un fœtus près, ma mère a eu sa douzaine d'enfants. Ce qui implique qu'elle a été de quinze à vingt ans à la merci de ses nuits. Et je ne l'ai jamais entendue se plaindre. Alors, pour ce qui est des nuits ratées, à onze heures du soir, tu peux toujours te plaindre, gémir, hurler, tu ne m'auras pas!»

N'eussent été mes sangles, je lui aurais tourné le dos, mais je me contentai de fermer les yeux et de me satisfaire d'être toujours en vie, sinon sain de corps, et je pourrais jurer être tout ce temps resté lucide. Et ce n'était pas parce que mon aumônier était parti que j'allais cesser de lui parler. C'était une occasion qui ne m'avait pas été donnée depuis un certain temps; je n'allais pas la rater ni laisser un curé me poursuivre jusqu'à devoir, couché dans ma tombe, regarder Caïn.

«Tu peux te préparer, curé. T'as pas l'air de soupçonner ce qui s'en vient! C'est nous, maintenant, qui avons le vent dans les voiles. Ne perds pas ta salive à tenter de nous ramener vingt ans en arrière. Contente-toi de tes restes, nos mères n'en ont pas eu. Au risque d'hypothéquer nos vies déjà passablement impliquées, crois-le ou non, nous souffrirons dans la joie. Je sais, "les portes de l'enfer"... Ce n'est pas contre le bâtiment que nous en avons, mais contre les timoniers qui l'habitent. Encore un peu de temps vous y resterez, encore un peu de temps et vous n'y serez plus... à moins que les leçons de l'histoire ne vous soient salutaires, ce qui, jusqu'à ce jour, ne s'est guère produit.

«Tu veux un post-scriptum, curé? Alors, ne me parle pas des MariJo de par le monde. Ici encore, tu perdrais une belle occasion de te taire. Contre elles non plus, les portes de l'enfer ne prévaudront pas. Tu peux toujours gueuler contre, mais ça prendrait autre chose qu'un édit pour les empêcher d'être. Elles ont été de tous les temps, elles continueront de l'être et elles seront même là à la toute fin du monde.

«Elles ne sont que la partie médiatrice d'une figure géométrique qu'on appelle triangle et dont aucune ligne n'est droite par rapport aux autres. Ça se fait le plus souvent tout seul, sans provocation ou alors sous le vocable d'atomes crochus. Comme un brin d'herbe qui éclot sans avoir été semé et qui surprend le jardinier. S'il hésite à le sarcler, c'est que, malgré tout, il le trouve beau, ce brin d'herbe. Tu comprends?»

* * *

Ce ne fut qu'au matin du troisième jour que le docteur Saulnier me confirma que je venais de subir un arrêt cardiaque, communément appelé infarctus du myocarde, et que je pouvais me compter chanceux car j'avais été affligé d'une sévère lésion. Chanceux? Tu parles! Pour une fois que la chance me souriait, elle n'y allait pas de main morte.

Pour ne pas faire d'erreurs sémiologiques, le docteur Saulnier, en bon technicien qu'il était, me laissait le fardeau de la preuve, car il n'avait rien trouvé dans mon système organique, mais alors là, rien de ce qui habituellement vous couche un homme au point de souvent l'empêcher de se relever. Mon cholestérol et mon diabète étaient dans les normes, je n'avais pas d'anévrisme ni ne faisais d'artériosclérose, et les trois parties de mon aorte fonctionnaient. Si bien que, n'eût été cette fissure du myocarde, on aurait pu me qualifier de malade imaginaire. Mais le docteur Saulnier avait sa petite idée qu'il gardait par-devers sa science, dont il allait me servir la médecine.

Il faut d'abord que je vous présente ce docteur Saulnier, Georges de son prénom. Un homme affable s'il en fut, adoré de ses malades, doué d'une patience d'écoute à vous surprendre de trop parler, et qui ne se prenait pour personne d'autre que le cardiologue qu'il était et pour qui le millième cas avait l'importance du premier. D'âge mûr, au timbre de voix chaleureux, il ne se targuait pas d'une bonne moyenne à sauver un patient et demi sur deux.

J'ai eu, tout au long de nos relations, la nette impression d'être son seul patient. J'ai eu aussi la conviction que c'était un homme de Dieu; entendez par là (heureux homme!) qu'il avait la foi. Pas celle des simples d'esprit, mais une foi tranquille, ratifiée d'expériences, sans conteste ni quartier. Je ne crois pas qu'il ait jamais conseillé à l'un de ses malades de prier Dieu, mais je l'ai fortement soupçonné de ne s'être jamais endormi sans Lui avoir confié le sort de chacun d'eux. Ce fut certes l'un des rares êtres rencontrés qui m'ait fait regretter d'avoir perdu la foi. Parce que la foi en Dieu, c'est comme celle que l'on peut avoir, enfant, pour le père Noël. Perdue, elle l'est à jamais. Vous me direz qu'il y a pire chose que de perdre foi dans le père Noël; je vous réponds: justement. Et mille causes peuvent être évoquées. Ça commence par le doute qui mène à des questions aussi banales que: si la Terre tourne, pourquoi certains pays sont-ils toujours au sud? pourquoi une montagne ici plutôt qu'ailleurs et quarante sortes de canards? Alors, tu regardes aller le monde. Ce n'est pas possible qu'il y ait des bossus à seule fin de faire s'admirer les gens normaux, et des guerres où l'un meurt pour que l'autre vive. Ce n'est guère mieux chez les animaux, dont la raison d'être est de protéger le faible contre le fort, celui-ci contre celui-là; à quoi sert alors le dernier des insectes? Tu additionnes, tu multiplies, jusqu'à ce que tes doutes te deviennent des évidences dont tu fais un plat que tu ne demandes à personne de partager, parce que ça ne regarde personne d'autre que toi.

Bienheureux docteur Saulnier, qui ne semble pas s'être posé de si absurdes questions. Peut-être que d'avoir tant de fois côtoyé la mort lui avait apporté cette sérénité qu'il portait comme une aura. N'allez pas croire que le portrait que j'en tire, je l'ai croqué d'un coup ; c'est au fil du temps que je l'ai fait, parce que j'ai appris à bien le connaître, parce qu'il m'a été de bon conseil comme il l'a été pour tant d'autres. Allez voir ce qui reste de religieuses à l'Hôtel-Dieu de Québec ; la plus jeune étant dans sa «nonième» année, elles sont toutes dans l'imminente attente d'aller rejoindre leur céleste époux, consternées de ne pouvoir, au dernier moment, compter sur le docteur Saulnier parce que ce dernier a pris sa retraite. Elles qui espéraient pouvoir mourir en paix, leur amour de médecin à leurs côtés, elles sont, les unes en désarroi, les autres paniquées. Et n'allez pas leur suggérer un spécialiste de rechange, elles vous répondront qu'il n'en existe pas et préféreront mourir avec le souvenir de celui qui aurait pu être là.

«Alors, docteur Saulnier, un infarctus "cérébral", ça impliquerait qu'il me restait suffisamment de bardeaux pour encaisser le coup ?»

Ma réflexion fit sourire mon cardiologue qui s'empressa de rabaisser ma vanité.

«Il n'y a pas que ça qui soit en cause...

– Alors, s'il me reste quelques bardeaux, soyez gentil, docteur, ne le dites à personne...»

J'avais hâte de me faire expliquer en long et en large ce qui m'avait mené là (encore que j'aie eu ma petite idée, mais en médecine un patient est mauvais juge) et ce qu'il me faudrait «laisser tomber» et «encaisser» dans l'avenir. Physiquement, je me sentais bien, très bien même. J'allais donc m'en sortir, mais pour aller où ? Faire quoi ? Sain d'esprit (?), j'avais tout mon temps pour me remettre en question.

Sa première recommandation fut de m'inciter à trouver ce qui avait pu provoquer cette fissure qu'il se faisait fort de colmater mais... (et ceci était de mon ressort : tout faire pour ne pas retomber dans le panneau). C'était, comme défi à relever, un siècle de choses à répertorier: une route prise plutôt qu'une autre? ceci au lieu de cela?

«Et quand vous l'aurez trouvé, l'éviter à tout prix, je dirais même *à n'importe quel prix!*»

Et cela, le docteur Saulnier me l'a répété à satiété, ajoutant que, même la lésion refermée, il me resterait d'autres lois à observer, dont celles de la physique.

«Difficile, docteur, de faire un chêne d'un roseau.

– Soit, mais le juste milieu, l'équilibre comme on dit, ça aussi, ça existe. Vous devrez vous astreindre à des exercices que vous n'avez peut-être jamais faits; je vous en indiquerai le tempo. Il y en a d'autres que vous devrez restreindre, et enfin il y a ceux qu'il vous faudra éviter *à n'importe quel prix*.

– Et quoi encore? Me confiner à la chaise longue et pourquoi pas à un séjour au sana?

– Ça ne serait peut-être pas une mauvaise idée. La première chose à faire cependant n'est pas de vous révolter mais d'accepter. Après tout, c'est votre mode de vie qui vous a valu ce coup dur. C'est à lui qu'il faut présenter la note, si salée soit-elle.»

Face à tant de logique (et aussi un peu par rage de vivre), je me suis calmé. S'il était vrai que j'avais eu plus souvent besoin d'un parapluie que d'une ombrelle, il n'en restait pas moins que je ne voyais rien d'utopique dans le rêve caressé ni, en principe, aucune démesure dans la route choisie pour l'atteindre. Il fallait bien, après tout, comme me le conseillait vous savez qui, que quelqu'un pose la première pierre. Un don reçu doit être partagé (celle-là aussi, je l'ai entendue). Ça n'aurait pas dû, dans la normalité des choses, porter à conséquence, à moins que des empêcheurs de tourner en rond ne s'amènent dans la danse sans invite, dans l'irrationnel besoin de protéger un confort intellectuel que l'on croyait menacé. D'eunuques, ou de self-made-men mal équarris, j'aurais compris, mais quand on a fait ses classes de belles-lettres, de rhétorique et de philosophie, coiffées de deux ou trois années de théologie, alors là, je comprenais moins.

Ou bien on a voulu garder pour soi une science acquise, en étant conscient de ce que ça impliquait, à partir de la crainte que l'élève ne surpasse le maître. Ou bien, par une étroitesse d'esprit tellement macérée, on a craint que certains esprits ne se perdent en chemin et décidé qu'il valait mieux tout interdire plutôt que de tolérer un peu. Mais, en ce temps-là, on était convaincu que le monde serait toujours (plaît-il?) fait de plus de moutons à drainer que de brebis à rallier.

Malgré tout, «ils» n'ont pu empêcher cette ouverture sur le monde qui, la Révolution tranquille aidant, sera de plus en plus en harmonie avec la nature humaine. Sans brimer quiconque, ça permettra de remettre l'envers à l'endroit. Que ce qui était laissé pour compte hier soit aujourd'hui devenu savoir ne fait que confirmer que l'on trouve rarement des hors-la-loi chez les aveugles et les sourds.

Allons, imbécile, ménage les quelques bardeaux qui te restent, cesse de ressasser toujours la même histoire. Surtout que tu sais maintenant de quoi demain sera fait. Souris, car le rire c'est la santé. Il faut avoir l'esprit en fête si tu veux que le cœur y soit. Alors, docteur, allez-y de vos contraintes. En premier lieu, je devrai cesser de fumer, je sais, mais ce sera plus facile que de renoncer à MariJo, car je vous vois venir, docteur.

«Je vous ai dit: *à n'importe quel prix...*

– Vous me demandez de faire cinq minutes de course à pied par jour, chaque matin, pour la première semaine, puis d'ajouter une minute par semaine subséquente jusqu'à concurrence de vingt semaines; ça, je comprends, parce que c'est facile à comprendre...

– Après, on verra, mais, dans l'immédiat, suivez la cadence indiquée, ne brusquez pas les choses, n'empiétez surtout pas sur le processus. De la pondération en tout, c'est à ce prix que votre arythmie cardiaque s'atténuera.

– Et comme régime alimentaire?

– Rien de spécifique. Votre métabolisme est dans la bonne moyenne.

– L'alcool, je peux?

– Modérément, comme en tout.

– Et MariJo?

– Surtout pas!

– Pourquoi? Je ne comprends pas.

– Elle est, pour l'instant, votre pire ennemie!

– Ce n'est pas possible!

– Ne vous y risquez pas. Vous n'auriez même pas la chance de me faire part des conséquences...

– Ça alors ! La cigarette, l'alcool, la bouffe...

– Je vous ai dit : *à n'importe quel prix*. Comprenez-moi bien : même guéri, votre cœur restera vulnérable. Le cœur que vous aviez, vous ne l'aurez plus jamais, y consacreriez-vous vingt ans... »

Je ne savais que trop qu'il avait raison. Ça me rappelait qu'un jour, alors que j'étais dans son patelin, Thériault (celui-là, décidément, je n'aurais guère de peine à le laisser tomber) m'avait offert de me présenter une personne bien, très bien même. S'il ne voulait pas la garder pour lui, c'est qu'il prétendait avoir, en ce domaine, des principes dont le premier était de respecter les amies de ses amis. C'était sa façon à lui de se réserver un coin de paradis pour mieux s'accepter ailleurs. Au moins, en ce domaine, disait-il, personne ne pouvait lui chercher noise. J'ai su plus tard[1] que cette amie n'était pas la copine d'un ami mais celle de Michelle, et que les principes qu'invoquait Thériault, c'était elle, Catherine (Cathie pour les intimes), qui les avait.

Si je n'ai pas donné suite à cette aventure que me proposait Thériault (bien avant ma rencontre avec MariJo), ce n'est pas qu'il m'ait trompé sur la mise. Cathie, en plus d'un charme légèrement voilé, avait tout ce qu'une jolie femme peut avoir d'attraits : elle était racée, cultivée, féline même (car j'avais accepté quand même de lui être présenté), avec un regard de biche perdue à faire baisser canon au plus endurci des chasseurs. Il est vrai que j'ai toujours eu un faible pour les femmes « au bord des larmes ». Pas pour les Marie-Madeleine, mais pour celles qui ont du vague à l'âme, qui le cachent sous leur fard, qui s'en défendent en endiguant leur peine. C'est dans le regard que ça se décèle le mieux, et chez Cathie[2]

---

1. Avec Thériault, on apprenait toujours les choses plus tard, quand ce n'était pas trop tard. C'est ainsi que, plus de dix ans après la mort de cet écrivain, son dernier éditeur, Alain Stanké, se pose encore des questions auxquelles je suis peut-être le seul à pouvoir répondre.

2. J'adhérais à cette révolte toute féministe dont Cathie faisait preuve. Elle fut l'une des toutes premières à trafiquer un nom qu'elle n'aimait pas. Que de Marjo ou MariJo, que de Gigi, que de Lulu ont suivi. Cela aussi faisait bon de voir ces femmes derrière les « grands hommes » que nous voulions être.

c'était on ne peut plus perceptible. Il s'est tout simplement trouvé que, contrairement à MariJo qui se glissera très lentement dans ma vie, Cathie arrivait trop brusquement. J'ai su par la suite que cette femme cherchait à cicatriser une plaie toute récente, causée par la perte de son amant, mort dans ses bras après lui avoir fait l'amour...

# ÉPILOGUE

On a beau prétendre que ça n'arrive qu'aux autres, d'en être victime à son tour, ça ébranle le système. J'ai donc liquidé mes avoirs (?), rétrocédé le droit d'auteur à chacun, remboursé la Banque provinciale, et tiré ma révérence. Je n'ai conservé que les copies des contrats relatifs aux œuvres de Thériault, par mesure de prudence, pour ne pas me faire prendre les doigts dans quelque engrenage de son cru, tant de ce côté-ci que de l'autre côté de l'Atlantique. Ce qui ne m'empêchera pas (même après sa mort) de découvrir quelques vacheries, notamment lorsqu'un consortium Québec-Paris entreprendra de faire un film tiré de son roman *Agaguk*. L'occasion me sera alors fournie de sauver les meubles pour sa succession précisément parce que j'aurai conservé certains documents sans lesquels la réalisation du film eût pu être compromise.

Après avoir soigneusement remisé le manuscrit de *La Quête de l'ourse*, accepté presque de gaieté de cœur le refus de Michelle de continuer, j'ai abandonné l'auteur à son sort malgré ses plaintes et ses regrets, malgré surtout son désir mille fois exprimé de reprendre le collier comme avant. Mais c'était peine perdue. Pour moi, c'était vraiment terminé. Le docteur Saulnier avait sur moi plus d'emprise que tous les best-sellers que l'auteur promettait d'écrire, qu'il aurait pu écrire, qu'il n'a jamais écrits. Encore aujourd'hui, quand on parle de Thériault, c'est le roman *Agaguk* qui émerge, point à la ligne. Comme si l'auteur n'avait rien écrit d'autre. Et pourtant!

Lors d'un entretien avec Hervé Bazin, Gilles Marcotte tente de retracer la légende de Thériault en extrapolant sur des entrevues de cet auteur avec André Carpentier (VLB éditeur). Je peux là aussi, preuves à l'appui, contredire les allégations de Thériault, qui se donne le beau rôle dans la médiation *Agaguk* / Grasset. Ce qu'il en dit, si ce n'est pas inventer, c'est mentir effrontément quant à l'histoire. «Voilà comment on fait de la littérature quand on s'appelle Thériault et qu'on a pratiqué trente-six métiers», écrit Gilles Marcotte.

«Au cours des années soixante, écrit-il encore, j'ai entendu Hervé Bazin raconter l'arrivée de son protégé, Yves Thériault, à Paris, pour le lancement d'un de ses romans. Il n'en croyait pas encore ses yeux ni ses oreilles. En quelques semaines, Thériault avait saboté la plupart des chances qu'il avait de faire une carrière parisienne.»

De son côté, Alain Stanké, dans son très beau livre *Occasions de bonheur*, trace un portrait plutôt caustique (pour qui sait lire entre les lignes) de ses relations avec Thériault. Lorsque ce dernier est pris en faute (vendre deux fois le même manuscrit à deux éditeurs différents ou céder, contre argent comptant, des droits cinématographiques qu'il n'a pas et, pis encore, récidiver), il éclate de rire tel un collégien qui vient de jouer un bon tour à un copain. Je pourrais fournir à Stanké des réponses aux questions qu'il se pose. Ultérieurement, quand Robert Laffont manifestera le désir d'éditer une œuvre de Thériault (en l'occurrence *Les Temps du carcajou*), une fois de plus, avant de lui céder ce droit, je devrai m'adresser à Pierre Tisseyre pour une énième libération (comme pour *Aaron* et pour un récit de voyage en Italie) car c'est lui qui en détenait les droits.

* * *

La plus délicate des situations auxquelles le docteur Saulnier m'a obligé fut certes d'avoir à couper les ponts avec MariJo. Ce me fut d'autant plus difficile à concocter que je n'avais pas fait «erreur sur la personne», ayant même acquis la conviction que nous pourrions filer un bon bout de chemin ensemble.

Les trois petits pas qu'elle faisait autrefois pour se soustraire à mes tentatives d'étreinte, elle ne les faisait plus. Elle était plutôt portée à se coller contre moi en s'accrochant fermement à mon bras. Elle agissait exactement comme j'aurais voulu qu'elle le fasse avant. Cette nouvelle attitude venait sans doute du fait que, maintenant, elle pressentait que je lui échappais.

À sa décharge, il me faut avouer que je ne faisais plus rien comme avant, mettant un frein à ces petits riens que l'on invente pour attiser la flamme, afin que la cassure, devenue incontournable, ne soit pas trop pénible. Ce n'était pas par fatuité mais parce que je la savais sensible et qu'il n'est pas, que je sache, de femme qui accepte d'être froidement virée. Je voulais aussi réussir ma sortie, ce qui, chez moi, signifiait: partir sans trop laisser de séquelles... Nous avions joué à tant de «jeux» innocents.

Aux temps calmes de nos amours réprimées, nous avions même, d'un rire affecté, convenu que ce serait (pour le temps que ça durerait) pour le meilleur et pour le pire, nous jurant mutuellement de ne pas nous faire de mal le jour où l'un de nous deux déciderait de partir. Nous nous quitterions comme nous nous étions connus, sans éclats, sans heurt...

Tout au long de ce temps qu'il m'a fallu émousser pour que la rupture aille de soi, je l'ai sentie plus soucieuse que jamais, elle si naturellement folichonne, comme si elle se faisait reproche d'avoir fait tant de petits pas, n'étant pas la femme distante dont elle s'était plu à jouer le rôle. La nature reprenant sa logique, autant je me faisais distant, autant elle devenait câline. J'étais moins prévenant, moins marchand de rêves, qu'en me perdant elle n'ait pas l'illusion de perdre gros.

Paris nous était devenu un sujet tabou, mon séjour à l'hôpital étant de ceux dont on sort si diminué que plus rien ne nous est d'entregent. Je l'ai laissée croire (sans préciser) que l'échec d'*Agaguk* à Paris m'avait été un choc dont il me faudrait beaucoup de temps pour me remettre, finances et santé confondues. Mais c'était un gain fragile: pour ne pas tout perdre, elle acceptait tout. Le vieux Québec serait notre place des Vosges, Kerhulu et Marino seraient nos restaurants français, la rue du Trésor notre place du Tertre et le bois de Coulonges notre bois de Boulogne. Nous avons fait durer ce petit jeu jusqu'à ce que nous en ayons épuisé les analogies, faisant même de l'île d'Orléans notre île Saint-Louis.

Après quoi, ayant mis fin à nos tentatives de fausse rigolade et pour que MariJo n'en arrive pas à se satisfaire de mes restes, lentement j'ai commencé ma démarche. Par bribes, de conjectures en sous-entendus, qu'elle n'ait pas à se culpabiliser de ne s'être ni donnée ni refusée, elle qui n'avait fait que reculer une échéance et qui en était encore sans doute à se demander où, quand et comment tout cela finirait. Il lui serait plus facile d'accepter que le seul responsable soit le destin.

Quand enfin, las de faire durer le suspense, je lui ai dit la vérité, à savoir que, de cœur à donner, je n'avais plus, elle n'a pas bronché. Ou plutôt si, mais lentement, très lentement. Elle a laissé tomber mon bras qu'elle tenait ferme, elle a refait ses trois petits pas, m'a regardé droit dans les yeux. Deux larmes ont alors perlé et, quand l'une d'elles a glissé sur sa joue, elle m'a simplement dit, d'un timbre de voix que je ne lui connaissais pas mais qui résonne encore en moi: «C'est pas vrai?»

Alors que nous crânions chacun de notre côté pour nous prouver que nous étions assez forts l'un et l'autre pour accuser le coup de l'éloignement (cette preuve de considération mutuelle n'arrangeait pas les choses), les Thériault, à l'autre bout du monde, vivaient eux aussi leur drame, ayant décidé de se séparer. Entre leur situation et la nôtre, il n'y avait guère de similitude dans les faits, Michelle s'étant lentement détachée de son homme sans trop de regret.

Comme ils n'avaient pas de biens matériels pour animer une polémique, leur divorce se fit à l'amiable, si tant est qu'un mariage puisse se consumer dans l'harmonie. Il est vrai que la tâche leur fut d'autant plus aisée que leur vie de couple avait été faite de plus de chimères que de lauriers; ils se quittaient plus pauvres l'un et l'autre qu'au jour de leur mariage. Ils n'eurent même pas à se disputer la garde des enfants; devenus adultes ou presque, ces derniers pouvaient aller seuls leur chemin.

Les poussières retombées, Michelle accepta, sur les instances d'Alain Stanké, de corriger en catimini les œuvres de son ex (contre rétribution, cette fois). Thériault n'en sut jamais rien, mais il s'épatait, chaque fois, que sa nouvelle correctrice fût «meilleure que Michelle»!

J'avais promis à celle-ci que si, un jour, j'écrivais «notre histoire», je le ferais sous réserve que la moralité est de dire les choses telles qu'elles sont ou ont été. C'est dans cette optique que j'ai relaté les faits qui nous concernaient et, à quelques très mineures variantes près, le reste aussi.

Au moment de ranger mon stylo, je reçois un mot de Michelle (de deux ans mon aînée) qui me dit devoir se soumettre à des transfusions de sang périodiques (pour vaincre ou mieux supporter une anémie chronique). Il lui arrive de connaître des périodes noires et de se demander ce qu'elle fait là, à attendre Dieu sait quoi, n'étant plus utile à qui que ce soit et voyant mal la raison de manger trois fois par jour pour se tenir en vie vingt-quatre heures de plus, alors qu'au fond elle en a soupé de tous ces efforts que ça prend pour seulement respirer.

«Docteur Saulnier...
– Oui.
– Vous savez quoi?
– Non.
– J'ai envie de vomir.»

# EN GUISE DE CONCLUSION

Que sont, depuis, mes livres devenus? Mes écrivains, mes amis, mes compagnons d'armes?

Partis sous d'autres cieux: Maurice de Goumois, Paul Legendre, André Giroux, Jean-Charles Bonenfant, Adrienne Choquette, Roger Lemelin, Yves Thériault, Jean-Charles Harvey, Gustave Proulx, Michelle Thériault, Pierre Tisseyre...

De leurs cendres, de leurs œuvres, que reste-t-il? Un monument à la mémoire de l'un, une rue en l'honneur d'un autre, un prix littéraire au nom de l'une, un haut lieu du savoir arborant celui d'une autre...

Les trophées s'arrêtent là. Restent les ombres au tableau. Rien pour rappeler la mémoire d'Yves Thériault, dont l'abondance des écrits à elle seule eût suffi pour qu'on accole son nom à une montagne. Impardonnable oubli, sécheresse désertique, honte! Il faudrait peut-être, malgré tout, poser son buste sur le socle qu'il s'est lui-même construit.

De Gustave Proulx: une fille prénommée Monique qui regrette de l'avoir eu comme géniteur. Lauréate d'un prix littéraire de prestige, le prix Adrienne-Choquette, elle a fait se retourner son père dans sa tombe en le traitant de lavette. S'il est acquis que le succès donne de l'assurance, Monique Proulx a opté pour l'arrogance. Sous sa plume, son père devient un minus, un moins que rien. Tout en lui est petit, du porte-manteau qu'il traîne au chapeau qui le coiffe, et jusqu'aux pas qui le mènent à son travail de petit fonctionnaire.

Ce qu'elle n'a pas compris, c'est que son père a vécu dans un monde où précisément tout était petit. Elle n'a pas eu, par exemple, à se libérer de la religion. Quand elle est née, c'était fait, son père avait payé pour elle. Aurait-elle jamais écrit un seul livre si son père, avant elle, n'en avait écrit deux?

En lisant ce livre-ci, elle comprendra peut-être (ou alors c'est à désespérer) ce qui a pu se passer pour que, en trente ans à peine, cette société, la plus catholique du monde après l'Irlande, ait, à quelques exceptions près, cessé toutes pratiques et laissé pour compte tant de soldats inconnus.

Et aussi pourquoi nos églises vieillissent mal. Pendant que l'une est soldée, l'autre est à vendre, s'offrant comme salle de spectacle ou de concert (vocation que la plupart d'entre elles ont connu au temps de leur splendeur), au pis aller comme salle d'exposition. J'en ai connu une convertie en condos, une autre dont les pierres ont été mises à prix et une dernière devenue muette pour avoir trop parlé.

Quant à moi, le temps est venu de me taire,
car de dire et d'écrire je suis excédé.
Je veux laisser à d'autres le soin de faire
ce qu'il se doit pour encore mieux réformer.

920.4
Ville de Montréal
M